미용성형 실무자 필독서

미용 성형
의료서비스와
임상지식

저자 **황소민, 우강**

감수 대한성형외과학회

미용성형 실무자 필독서

미용성형 의료서비스와 임상지식

첫째판 1쇄 인쇄 | 2020년 01월 02일
첫째판 1쇄 발행 | 2020년 01월 10일

지 은 이 황소민, 우강
발 행 인 장주연
출 판 기 획 이성재
책 임 편 집 박미애
편집디자인 유현숙
표지디자인 양란희
발 행 처 군자출판사(주)
          등록 제4-139호(1991. 6. 24)
          (10881) **파주출판단지** 경기도 파주시 회동길 338(서패동 474-1)
          전화 (031) 943-1888   팩스 (031) 943-0209
          www.koonja.co.kr

ISBN 979-11-5955-513-8

정가 50,000원

미용성형 실무자 필독서

미용성형 의료서비스와 임상지식

황 소 민 (의학박사/성형외과전문의)

- K성형외과병원 병원장(2016년 10월 ~ 현재)
- 부산대학교병원 성형외과 교수(1997년 ~ 2004년)
- 좋은문화병원 미용성형재건센터 센터소장(2004년 ~ 2016년)
- 대한성형외과학회 영호남학회 이사장&회장(2015년 ~ 2019년)
- 대한성형외과학회 중국특임이사(2018년 ~ 현재)
- 대한미용성형외과학회 상임이사(2010년 ~ 현재)
- 대한미세수술학회 회장(2018년 ~ 현재)
- 부산의대/인제의대/동국의대 성형외과 외래교수
- 중국 절강성 온주의대 성형외과 객좌교수(2013년 ~ 현재)
- 중국 HQCC전국의학미용기술 표준화 추진 및 인증위원회 위원

우 강 (교수/두개악안면외과박사/의사)

- 대련의과대학교 미용의학대학 학장
- 미용의학학과체계 주 창설자
- 중국과학원(전국의학미용전공교재) 추진전문가위원회 의학미용전공분과위원장
- 위생부(전국대학교미용의학전공교재) 추진전문가위원회 부위원장
- 과학출판사(전국대학교 의학미용전공 디지털시리즈 교재) 편찬위원장
- 국가프로젝트교재(미용의학의 조형예술) 인민위생출판사 및 과학출판사 첫 편집장
- HQCC전국의학미용기술 표준화 추진 및 인증위원회 위원장

우리나라의 미용성형이 세계 최고의 수준이라는 것은 알려진 사실이지만, 미용성형 환자의 안전한 시술과 만족스런 결과를 위해서는 의사만 잘하는 것이 아니라 간호사, 상담사, 행정직원 모두 같이 안전하게 운영되는 성형외과가 되어야 합니다. 중국이 성형시장의 표준화와 인증사업을 통해 성형시장의 체계를 만들어가기 위한 한 방안으로 제안한 교재 편찬을 받아들이면서 교재 준비과정에 확인된 사실은, 우리나라가 세계 최고의 성형국가답게 성형전문 의학서적은 분야별로 많이 있으나, 직원들을 위한 미용성형의 의료서비스와 임상지식에 대한 교재가 없는 실정입니다.

그동안 대학병원 교수, 전공의 수련병원 지도전문의, 병원급 성형외과병원 등 25년 넘게 성형외과 진료에 전념하면서 터득한 운영과 지식을 활용하여 교재를 집필하게 되었고, 본인 스스로 의료서비스와 임상지식을 정리하고 되새겨보는 좋은 계기가 되었습니다. 미용성형의 전반적 지식을 이해하는 것도 중요하지만, 의사들이 임상적으로 자주 사용하는 의학 용어를 부서가 다른 직원들도 쉽게 이해할 수 있어야하기에 그림과 증례로 부연설명 하였으며, 의학용어에 익숙할 수 있게 한글과 영문 용어도 같이 표기하였습니다.

나에게 항상 믿음과 격려로 응원해준 가족에게 고마움을 대신하며, 이 책이 나오기까지 많은 분들의 노고가 있었습니다. 군자출판사 장주연사장님과 직원들의 노력에 감사드리고, 원고 정리와 수정에 많이 노력한 K성형외과병원 김방미실장과 한은희실장 외 직원들, 중국 교재 출간을 위해 중문번역을 꼼꼼히 맡아주신 클레오브릿지 통번역(김연화통역사) 임직원들의 노력에 감사드립니다.

이 책이 미용성형에 종사하는 의료진, 간호사, 코디네이터 등 모든 실무자들에게 좋은 안내서가 되기를 바랍니다.

2019년 12월

K성형외과병원 병원장 황소민

의학의 목적은 건강을 위한 것이며, 미용성형의 목적은 건강한 미모와 더불어 보는 사람으로 하여금 즐거움을 주는 심미적 기능을 실현하는 자연미입니다. 미용성형의 심미적 디자인은 본인에게 잘 어울리는 개성이며, 개성미란 자신만의 개성을 지닌 외모, 스타일, 분위기를 잘 살려 섹시하고 활력 넘치는 것입니다.

한국의 미용성형이 세계적이라는 것은 주지의 사실이며, 그동안 중국도 한국과 많은 성형 교류를 하면서 점진적으로 성형 의료기술이 발전해 왔습니다. 뿐만 아니라 미용성형에 대한 전문의학서적과 의료 전반적 의료서비스에 관한 서적도 많아졌지만, 아직 한국처럼 정착되지 못한 성형분야에서는 의료진뿐만 아니라 실무종사자들이 미용성형의 의료서비스와 임상지식을 공유하고 소통할 수 있는 교재가 없는 실정입니다.

이에 중국 HQCC의 제안으로 한국식 미용성형의 의료서비스를 배울 수 있고, 미용성형의 임상지식을 실무종사자들 모두가 이해할 수 있는 교재를 황소민병원장이 맡아주셨고, 거기에 미용성형의 심미적 디자인을 제가 추가하여 본 교재를 출간하게 되었습니다. 그동안 미용성형과 관련된 많은 교재를 편찬해 왔지만, '미용성형 의료서비스와 임상지식'이라는 제목의 미용성형 실무자들을 위한 필독서가 출간된 것은 많은 의미가 있습니다.

미용성형에 관련된 의료진뿐만 아니라 실무종사자들이 함께 공유하고 소통할 수 있는 점, 중국과 한국의 학술적 교류를 통한 교재이면서 앞으로 더욱 발전시켜 나갈 수 있다는 점, 무엇보다도 이 교재를 만들면서 대한성형외과학회와 황소민병원장이 보여준 환대와 우애는 감동이었습니다. 이 교재가 앞으로 더욱 발전하고, 한국과 중국의 학술교류도 더욱 활발할 수 있도록 더욱 노력하겠습니다.

2019년 12월
중국 대련의과대학교 미용의학대학 학장 우강

'미용성형 의료서비스와 임상지식'의 출판을 축하합니다.

의료기관에서 행해지는 의료행위는 의사의 책임아래 다양한 직종의 실무자가 역할을 분담하여 행하게 되므로 각 실무자는 역할을 수행하기 위해 필요한 지식을 갖추어야 합니다. 성형외과학은 크게 미용성형 분야와 재건성형 분야로 나눌 수 있는데, 미용성형 분야는 다른 전문진료과목에는 없는 여러 특성을 가지고 있습니다. 따라서 미용성형 분야에 종사하는 실무자를 위한 교재가 필요하지만 적절한 교재가 없는 실정입니다. 이러한 때에 미용성형 분야의 실무자를 위한 교재인 '미용성형 의료서비스와 임상지식'이 출판되어 기쁩니다.

'미용성형 의료서비스와 임상지식'은 중국의 보건의료표준화인증위원회(HQCC, Healthcare Quality Certification Commission)로부터 의료서비스 개념이 포함된 중국 의학미용 분야의 안전성을 위한 교재 편찬을 의뢰받은 대한성형외과학회의 황소민 회원(대한성형외과학회 제27대 이사회 중국특임이사, 중국 HQCC 의학미용분과위원)이 중국 우강 교수(중국 대련의과대학교 미용의학대학 학장, 중국 HQCC 의학미용분과위원장)와 함께 저술한 미용성형 분야의 실무자를 위한 교재입니다. 이 책자는 중국에서 중국어로도 출판될 예정이며, 중국의 HQCC에서 의학미용 관련 교재로 인증 받을 경우 중국의 모든 의료기관에서 미용성형 분야의 실무자를 위한 필독서로 활용될 예정입니다.

최근 한류의 영향으로 많은 외국인이 미용성형 의료관광을 위해 우리나라를 찾고 있으며, 이중 인접한 국가인 중국의 국민이 큰 비중을 차지하고 있습니다. 한편 중국에서도 미용성형에 대한 관심이 커지면서 미용성형수술이 많이 행해지고 있고 한국과 중국 간에 교류가 활발해져서 많은 대한성형외과학회 회원이 중국에서 활동하고 있습니다. 한국과 중국에서 모두 교재로 사용될 예정인 '미용성형 의료서비스와 임상지식'을 통해 양국의 미용성형 분야의 서비스가 개선되고 실무자의 능력이 향상될 것이라고 믿습니다.

국민과 함께하는 대한성형외과학회는 모든 국민이 인류 보편적 가치인 건강한 삶을 누리기를 희망하고 이를 위한 일익을 담당하기 위해 노력하고 있습니다. 생존과 기능보다 양질의 삶을 원할 때 국민이 선택하는 미용성형 관련 의료행위의 안전성을 높이는 것은 대한성형외과학회의 책무이며 추구하는 목표입니다. 이에 대한성형외과학회는 '미용성형 의료서비스와 임상지식'을 감수하였고, 미용성형 분야의 실무자를 위한 교재로 적합하다는 것을 확인하였습니다. 이 책자가 계속 수정·보완됨으로써 미용성형 관련 업무의 안전하고 원활한 수행을 위한 교재의 역할을 지속적으로 할 수 있기를 기대합니다.

'미용성형 의료서비스와 임상지식'의 무궁한 발전을 기원합니다.

2019년 12월

대한성형외과학회 이사장 **김광석**

중국과 한국은 그동안 많은 분야의 의료관광 교류가 활발하였습니다. 그중 미용성형 분야는 한국의 미용성형 수준이 세계 최고이므로 가장 많은 교류를 해왔었고, 지금도 활발히 교류 중입니다. 하지만 지금은 중국의 미용성형이 많이 발전하였고, 중국 의사에 의해 미용성형이 시술되고 있습니다.

중국은 의료 전반적 체계를 안전하게 바로잡기 위해 표준화 인증기관인 HQCC를 통해 5개 분과위원회를 만들었고, 그 중 하나가 의학미용 분과입니다. 그동안 황소민병원장은 의학미용과 관련된 많은 교류를 하면서 HQCC 의학미용 분과위원으로 활동 중이기에, 중국 의학미용의 안전성과 한국의 의료서비스 정신을 갖출 수 있는 교육교재를 제의하였습니다. 그 결과 중국의 우강교수와 공동으로 '미용성형 의료서비스와 임상지식'이라는 미용성형 실무자들을 위한 필독서를 한국에 출간하게 되었고, 중문으로 중국에도 출간 예정입니다.

미용성형에 종사하는 실무자라면 누구나 숙지해야 할 미용성형의 의료서비스와 심미설계, 안전한 미용성형을 위한 수술 전·수술 중·수술 후 주의사항과 점검사항, 미용성형의 분야별로 누구나 알기 쉽게 이해할 수 있도록 자세하게 설명하는 등 훌륭한 미용성형의 지침서를 편찬하였습니다.

이 교재의 중국 출판이 일회성으로 끝날 것이 아니라 계속 수정 보완하여 실무자들을 위한 최고의 미용성형 교재가 되기바라며, 이를 계기로 더욱 다양한 미용성형 교육의 기회를 만들어 나가기 바랍니다.

2019년 12월

중국 천진시위생건강위과교 처장 고휘

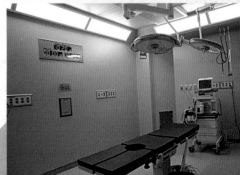

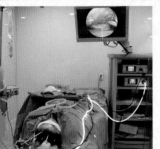

미용성형 실무자 필독서

미용 성형
의료서비스와
임상지식

제**1**장

의료서비스의 이론과 실무

1. 의료서비스의 개념

1) 서비스(Service)의 정의

Service(서비스)의 어원은 라틴어 Servus에서 유래된 말로, 노예들이 주인이나 권력자의 이익을 위해 자기 자신을 희생하는 자기희생의 상태를 의미하였으나, 점차 남에게 이익을 위해 봉사하는 행위의 의미로 발전하였다. 현대적 의미는 자기의 정성과 노력을 남을 위하여 사용한다는 의미로 고객과 서비스를 제공하는 사람 간에 동등한 위치에서 상대방이 베푸는 배려에 대하여 서로 감사하고 만족을 느끼는 것이라고 볼 수 있다. 고객에게 진심으로 감사하고, 상대방에게 어떤 감정과 감동을 느낄 수 있도록 부드러운 말과 따뜻한 마음으로 소통하는 것이 참다운 서비스의 본질이다. 서비스를 통하여 고객들이 감동을 받고 공감대를 확산해 나가는 것이 기업이나 병원 등에서는 고객의 궁극적인 목표가 된다는 의미이다.

서비스에 대한 고객의 가치는 고객지향 → 고객초점 → 고객기쁨 → 고객만족 → 고객감동 → 고객감격으로 변화되고 있다.

2) 의료서비스의 정의

의료서비스란 의료인이 주체가 되어 환자를 진찰하고 증세에 따라 환자를 치료하는 행위뿐만 아니라 질병예방과 재활에 관련된 모든 서비스를 의미한다. 의료행위는 의학의 발달과 사회통념에 따라 차이가 있지만, 일반적인 개념은 의료인이 의학적 전문지식과 경험을 기초로 진찰, 검사, 처방, 투약, 수술 및 처치 등 질병의 예방이나 치료행위를 말한다.

3) 의료서비스 핵심단어(Key-word)

핵심 Key-word	의 미
S (sincerity)	**성실**(sincerity), **미소**(smile), **신속**(speed)의 3S가 넘치는 서비스
E (energy)	생생한 **힘이 넘치는** 서비스
R (revolutionary)	언제나 새로운 것을 **혁명적이고** 신선하게 제공하는 서비스
V (valuable)	환자에게 매우 **가치있는** 서비스
I (impressive)	감명깊고 **인상적인** 서비스
C (communication)	**의사소통이** 있는 서비스
E (entertain)	사려 깊은 배려가 **있고 즐겁게 해주는** 서비스

4) 의료서비스의 단계

사전 서비스
(Before Service)

병원에 대한 정보수집에 따른 사전 광고와 안내 등 환자가 병원에 직접 방문하여
의료서비스를 경험하기 전까지의 서비스
예) 주차장, 병원게시물, 병원간판 등

제공시점 서비스
(On Service)

환자가 병원에서 직접 경험하게 되는 서비스
예) 의사의 진찰, 검사 등

사후 서비스
(After Service)

병원에서 서비스를 제공받은 후 서비스에 대한 만족도를
확인하고 불만사항을 해결하여 주거나, 이후 서비스에 대한 안내
예) 해피콜, 리콜, 방문진료를 위한 전화 등

5) 의료서비스의 특성

무형성
(Intangibility)

서비스는 구매 이전에는 볼 수도, 느낄 수도, 맛볼 수도, 냄새를 맡을 수도, 들을 수도 없다. 실체가 아닌
수행, 체험, 경험이기 때문이다. 특히 의료서비스의 경우는 서비스를 일반인이 평가하기에는 더욱 어렵다.

이질성
(Heterogeneity)

서비스는 제공자에 따라서 서비스 질이 달라진다. 동일한 서비스 제공자라고 하더라도 언제(when), 어디서
(where), 어떻게(how) 전달하느냐에 따라 제공되는 서비스는 다르게 인식된다. 의사가 수술하는 경우에는
그 사람의 기분상태, 장소 등에 따라서 수술의 결과가 달라질 수 있는 것이다.

동시성
(Inseparability)

서비스는 제공자와 제공받는 자가 함께하는 자리에서 생산되고 소비되며, 화폐처럼 생산과 소비가 동시에
이루어진다. 보통 병원에 들어서면 접수하는 순간부터 의료서비스의 생산과 소비가 이루어진다.

소멸성
(Perishability)

서비스 상품은 생산과 소비가 동시에 일어나기 때문에 저장되지 않고, 재고 상태를 유지할 수 없음을 의미
한다. 즉, 병원은 환자가 없거나 입원실이 공실이라면 의료서비스를 생산하는 시설과 인력의 낭비를 초래하
여 수입의 감소를 가져오게 된다.

2. 의료서비스 코디네이터

1) 병원 코디네이터란?

빠르게 변화하고 있는 의료계 환경 속에서 없어서는 안 될 존재로 부각되고 있는 직종이 병원 코디네이터 (hospital coordinator)이다. 코디네이터라는 단어는 조정자, 진행자 그리고 부서 간을 부드럽게 연결시켜주는 역할을 수행하는 사람이라는 사전적 의미를 가지고 있다. 병원 코디네이터는 병원에 종사하는 코디네이터를 총칭하는 것으로, 병원에서 의료진과 환자, 환자와 직원, 의료진과 직원의 관계를 원활하게 조정하고, 최적의 효과가 나도록 조정, 중재, 관리하는 병원서비스 전문가이다. 의료서비스에 대한 요구와 함께 부각되고 있으며, 의료시장의 개방과 선진 병원으로서의 경쟁력을 갖추기 위하여 환자만족 서비스를 강조하고 있고, 환자 만족 중심의 의료기관으로 바뀌어 가고 있다.

병원 코디네이터는 병원의 환자만족을 위해 의료서비스에 대한 기획, 관리, 개선의 업무를 담당하며, 더 나아가 환자응대서비스, 진료지원, 환자상담, 환자관리, 의료서비스 기획 및 마케팅, 직원교육 등의 세분화된 업무를 담당하는 의료서비스 전문가이다. 한국의 병원 코디네이터는 1994년 미국, 싱가포르, 일본 등 당시 상대적으로 의료분야의 서비스가 발달된 나라의 병원경영 사례를 도입한 것이다.

2) 병원 코디네이터 역할

의사들이 많이 배출되고 경쟁이 치열해지면서 병원도 가만히 앉아서 오는 환자만을 진료해 주던 시대는 지났다. 과거의 강압적이고 딱딱한 태도로는 환자를 유치할 수 없으며, 진정한 의미의 치료도 어려운 상황이다. 그래서 병원의 서비스 경쟁력을 높이고, 양질의 서비스를 효과적으로 수행함으로써 가치를 높여주는 병원 코디네이터 역할이 강조되고 있는 것이다.

병원에서 전문적인 진료, 처방, 시술과 수술은 의사가 전담하는 것이다. 그리고 의료진들이 소홀하기 쉬운 환자의 진료 후 상담, 일정, 사후관리, 병원 이미지 확립, 직원 간 친절 서비스 교육, 병원을 찾는 환자들을 위한 편안한 병원 환경 조성, 병원마케팅과 기획을 전담하는 것이 병원 코디네이터의 역할이라 할 수 있다.

진료 후 의사의 설명을 다시 듣고 싶어 하는 환자들에게 상세하게 설명해주고, 환자의 관심사에 대하여 이야기를 나눌 수 있는 자세가 요구된다. 대화 중에 필요한 정보가 입수되면 의료진이나 환자에게 각각 알려주고, 의료진과 환자 간의 의사소통을 도와주는 것이다. 따라서 병원 코디네이터는 외향적 성격에 긍정적이고 유연한 사고 및 태도 그리고 어려운 상황에서도 미소를 잃지 않아야 한다.

병원 코디네이터의 종류를 정확하게 구분하기는 어렵다. 병·의원의 규모와 진료서비스의 형태에 따라 다르며, 작은 규모의 병원에서는 다양한 역할을 요구하는 경우가 대부분이다. 직무가 세분화되어 있는 중간 규모의 병원이나, 프렌차이즈 병원의 경우에는 보다 전문화, 세분화되고 있는 추세이다. 그리고 직무에 따라서 실무경험을 요구하는 경우가 있기 때문에 처음부터 모든 직무를 소화하는 경우보다 연차가 더해갈수록 전문화된 업무로 전환하는 경우가 많다. 보편적으로 구분하고 있는 종류는 아래와 같으며, 이 중 제일 크게 차지하는 부분은 리셉션 코디네이터, 진료 · 상담 코디네이터, 서비스 코디네이터이다.

① 리셉션 코디네이터(Reception coordinator)

리셉션은 응접, 접대, 환영이라는 사전적 의미를 가지고 있으며, 리셉션 코디네이터는 환자는 물론 동반 고객을 포함한 외부고객 맞이와 응대가 주된 역할이다. 이를 위해 전화응대 및 기본 상담, 접수 데스크와 대기실 환경 관리 등 리셉션 주변에서 일어나는 상황을 예상 또는 점검 관리하는 것이 주요 업무이다.

병원의 얼굴이라 할 수 있는 리셉션 코디네이터는 분위기로 신뢰를 주어야 하며, 밝고 차분하고 남에게 부담을 주지 않는 호감 가는 인상과 듣기 좋은 목소리가 중요하다. 또한 다양한 환자들을 상대하다 보니 폭넓은 상식도 필요하다.

② 진료 · 상담 코디네이터(Treatment · Counsellor coordinator)

진료 · 상담 코디네이터는 병원 전체 진료실 환경과 분위기를 관리하고, 개별 환자에 대한 구체적인 진료 및 수술 계획, 비용 등 진료와 상담에 관련된 업무를 책임 맡은 사람이다. 의료진의 진료가 원활히 진행되도록 치료를 중계하고, 진료 전후 상담과정, 치료와 수술 결정을 유도한다. 본격적인 진료에 들어가기에 앞서 지난번 진료 또는 수술 받은 결과에 대해 묻기도 하고, 요즘 날씨나 환자들의 관심사에 대해서 대화를 나누기도 한다. 또한 의료진이 진료에 전념하느라 생길 수 있는 부족한 부분을 보완하거나 응대하는 일을 담당하며, 의사 다음으로 환자들에게 많은 부연설명을 해야 하므로 정확한 정보와 지식이 필요하다.

③ 서비스 코디네이터(Service coordinator)

서비스 코디네이터는 진료 외적인 서비스에 관계된 모든 일을 관리한다. 환자들과 직접 일대일 접촉을 통해서 그들의 불편한 사항을 들어주고 직접 해결해주기도 한다. 환자들이 병원을 편리하게 이용할 수 있도록 서비스 절차와 환경을 관리한다.

시각적인 것뿐만 아니라 배경음악이나 진료시간대와 환자취향에 맞춰 바꿔주는 서비스, 병원 특유의 냄새를 없애고 쾌적한 환경을 만들어 주는 서비스, 진료를 받는 환자는 물론 동행한 고객에게 건네는 음료 서비스 등 찾아보면 일일이 열거하기 어려울 정도로 다양하다. 병원 서비스를 향상시키기 위해 여러 가지 아이디어를 내는 업무 및 정기적인 직원 교육을 맡기도 하고, 병원 서비스 평가를 위한 직원과 환자를 상대로 하는 만족도 조사 역시 서비스 코디네이터가 하는 부분이다.

④ 텔레마케팅 코디네이터(TeleMarketing coordinator)

전화를 통한 지속적인 환자 관리 및 환자 예약 관리를 담당한다.

⑤ 의료관광 · 통역 코디네이터(Medical tourism · Interpretation coordinator)

의료시장 개방과 함께 생겨난 새로운 직종으로 외국인 환자를 대상으로 의료진과 외국인 환자 간의 치료 및 수술에 관한 전반적인 부분을 원활하게 의사소통 할 수 있게 유도하여 통역과 진료 안내 및 관광연계 활동을 진행한다. 영어를 비롯하여 중국어, 일본어, 러시아어 등 해당 국가의 언어가 능숙해야 하고, 해당 국가에 대한 문화와 국제매너에 대한 전문지식을 요구한다.

3) 병원 코디네이터 역량

(1) 의료서비스 태도(Attitude)

병원 코디네이터의 업무 특성상 다양한 사람들을 상대하고 여러 가지 상황에 대처해야 하므로 매사에 긍정적이고 유연한 사고방식을 가지고 있어야 한다. 그렇지 못하고 환자를 이해하는 마음이 부족할 때는 환자에게 불필요한 사람이 될 수도 있다. 또한 다른 직원들에게 서비스에 대해 조언하고 지도해야 하므로 병원 내부에서 모범이 되어야 하는데, 출퇴근 시간, 근무태도, 직원 간의 예절 등 성실한 태도는 아주 중요하다.

(2) 의료서비스 기술(Skill)

병원 코디네이터는 우선 자신의 이미지를 만드는 기술과 자기관리능력을 갖추어야 한다. 직접 만나서 대화 하거나, 전화나 문서를 통한 대화 기술도 매우 중요하다.

그리고 병원에서 가장 중요하게 생각하는 역량은 정해진 시간 내에 환자의 요구를 파악하고, 우리 병원의 진료를 제대로 설명하여 환자의 욕구를 만족시킬 수 있는 능력이다. 컴퓨터로 환자의 정보를 수집하여 데이터 베이스(data base)로 만들어 정보로 활용하는 능력, 환자의견을 조사하는 방법을 통해 정보를 만드는 능력, 문서를 보기 좋게 작성하는 능력도 필요한 기술 중의 하나이다.

(3) 의료서비스 지식(Knowledge)

지식만으로 사람을 평가하는 것은 위험하지만, 병원 코디네이터 업무를 제대로 수행하기 위해서는 정확한 지식과 최신 지식을 빠르게 습득하려는 노력은 높이 평가되어야 한다. 전반적인 기초지식을 튼튼히 할 필요가 있는데, 관련 전문지를 통해 병원 환자만족을 이해하고 사회 전반의 이슈에 대해서도 공부해야 한다. 병원 조직과 직무를 이해하고, 병원의 경영 방침 및 정책을 정확하게 숙지해야 한다. 또한 진료 상담을 하기 위해서는 의학전문용어를 알아야 하며, 원무행정 절차 및 규정, 회계, 직원 복리후생 관련 지식을 알아야 하고, 환자 심리와 상담지식을 공부하여야 한다.

4) 병원 코디네이터 기본예절

(1) 인사와 인사예절

병원은 다른 곳과 달리 몸과 마음이 불편한 사람들이 치료를 목적으로 찾아오는 곳이므로, 그들 대부분은 병원에 대한 불안감을 가지고 있으며, 작은 일에도 흥분하기 쉽다. 그러므로 너무 밝은 표정으로 일관된 인사를 하기보다는 병원에 내원하시는 다양한 환자층에 맞추어 적절한 인사말과 함께 정중히 인사하며, 아무 생각 없이 기계적으로 하는 인사보다는 상대방의 상황을 생각한 인사말을 건네는 것이 좋다.

① 인사의 중요성
- 인사는 환자와 만나는 처음이며, 친절의 시작이다.
- 환자에 대한 마음의 표현이다.
- 인간관계가 시작되는 신호이다.
- 업무의 활력소가 되고 인간관계의 부드러운 역할을 한다.

② 바람직하지 않은 인사
- 표정이 없는 무뚝뚝하고 무표정의 인사
- 할까 말까 망설임이 느껴지는 인사
- 고개를 숙이지 않은 채 입으로만 하는 인사
- 고개만 까딱하고 숙이는 인사
- 엉뚱한 곳을 쳐다보며 건성으로 하는 인사

③ 인사의 종류

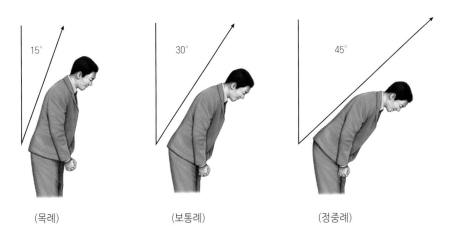

| (목례) | (보통례) | (정중례) |

- 목례: 15도 각도의 가벼운 눈인사이다. 고개만 꾸벅하는 인사가 아니라 허리부터 15도 정도의 각도로 숙이며, 1초가량 예의를 표하는 것이 좋고, 짧은 시간에 이루어지는 인사이므로 반드시 미소를 보내는 것을 잊지 말아야 한다.
- 보통례: 인사 중 가장 많이 하는 인사로, 상대에 대한 일반적인 인사이다. 약 30도 각도의 인사이다. 인사말을 같이 해야 하며, 허리를 너무 빨리 올리면 가벼운 느낌이 들기 때문에 상체를 30도 정도 숙였을 때 그 자세로 2~3초 정도 멈춰 있다가 올린다. 각도는 2m 정도 앞에 바닥을 볼 때 30도 정도의 각도가 된다.
- 정중례: 진심으로 정중함을 표현할 때 사용하는 인사법으로 약 45도 각도의 인사이다. 허리를 45도 정도로 깊숙이 숙이고 1m 정도 앞에 바닥을 보며, 보통례 인사보다 조금 더 길게 하도록 한다. 가장 정중한 표현이므로 가벼운 표정이나 입을 벌리고 웃는 행동 등은 하지 않는 것이 좋다.

	상황	인사말(예시)
목 례	– 병원의 복도나 실내에서 상사, 동료, 부하직원 등을 만났을 때 – 화장실과 같은 개인적인 공간 – 두 번 이상 만났을 때 – 엘리베이터 같이 협소한 공간	"안녕하세요" "네, 말씀하십시오" "실례합니다" "식사 맛있게 하셨어요?" "무엇을 도와 드릴까요?"
보통례	– 보편적인 맞이 인사, 배웅인사 – 주로 업무상 만나게 되는 고객, 상사	"안녕하십니까?" "어서 오십시오" "안녕히 가십시오!" "처음 뵙겠습니다"
정중례	– 깊은 감사와 존경을 표할 때 – 진심어린 사과를 하는 경우	"대단히 감사합니다" "정말 죄송합니다"

(2) 대화예절과 기본자세

의사소통의 기본은 대화이다. 대화를 할 때는 상대에 따라 호칭과 말씨가 달라져야 하고, 대화의 내용에 따라 목소리, 표정, 말의 속도 등이 달라져야 하기 때문에 대화란 생각보다 어렵다. 대화예절에서 먼저 갖추어야 할 것은 고운 말씨와 바른 말씨이다. 대화를 할 때는 먼저 상대방의 입장에서 생각하는 자세가 되어야 한다.

병원에서도 당연히 대화가 중요한 역할을 하고 있는데, 간단한 인사말을 비롯하여 보고와 지시, 질문과 답변, 상담 등 모든 것이 대화에 의해 이루어지고 있기 때문이다. 대화에서 가장 중요한 것은 이야기의 내용을 정확하게 전달하는 것이며, 대화를 통해 자신의 생각을 정확하게 전달하여 상대방을 이해시켜야 한다.

때와 장소에 맞는 적합한 대화를 사용하고 있는가를 생각하면서 적절한 대화를 하여야 한다. 또한 자신이 사용하는 화법이나 단어에 대하여 주의하면서 대화를 해야 한다.

말할 때의 자세	들을 때의 자세
– 적절한 화법을 골라 쓴다.	– 상대방의 정면을 본다.
– 때와 장소를 가려서 이야기 한다.	– 편안한 자세를 취한다.
– 습관적인 말의 사용을 피한다.	– 맞장구를 치며 관심을 나타낸다.
– 상대방이 이해하기 쉬운 말로 한다.	– 시선을 자주 마주친다.
– 유쾌하지 않은 화제는 피한다.	– 선입관이나 편견을 버리고 상대방의 입장에서 듣는다.
– 밝고 명랑한 표정으로 말한다.	– 상대방의 말을 중간에 가로막지 않도록 한다.
– 정확한 발음과 적절한 속도로 말한다.	

고객의 마음을 여는 대화 재료	고객이 싫어하는 말
– 새롭고 신선한 화제	– 반말
– 공통의 화제를 나눌 수 있는 친근감이 있는 재료	– 강한 반대(아닙니다. 없습니다)
– 고객이 관심을 갖고 있는 내용	– 지나친 농담
– 현재 안고 있는 문제 또는 화제	– 명령하는 듯한 말투
– 즐겁고 유머가 있는 사항	– 자신없는 말
– 빠른 템포로 전개되는 움직임이 있는 것	– 귀에 거슬리는 말버릇(에–, 저–)
– 고객의 특기나 취미에 관한 것	– 기운 없는 말이나 너무 큰 목소리
	– 상대의 단점, 결점을 들추는 말
	– 마음을 이해해주지 못하는 말

5) 병원 코디네이터 이미지 만들기

(1) 이미지(Image)란?

　이미지란 마음속에 그려지는 사물의 감각적 영상과 심상이고, 타인의 거울에 비친 모습이며, 남에게 공개하도록 허락한 나의 전체이다. 한 사람 또는 한 병원의 모습을 떠올리면 그 이름과 함께 마음속에 떠올려지는 얼굴, 생김새, 표정, 음성, 말투, 옷차림, 함께 있을 때의 느낌, 성격 등 수많은 생각들이 떠오르면서 점차 하나의 형체가 만들어진다. 환자의 입장에서 코디네이터의 이미지는 곧 병원의 이미지가 된다. 병원 서비스에 대한 환자의 평가는 '병원 이미지'에 의해 좌우되므로, 코디네이터는 자신의 가치를 높이고, 병원의 이미지를 높이기 위해 끊임없이 이미지를 관리해야 한다.

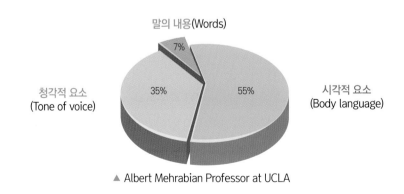

▲ Albert Mehrabian Professor at UCLA

앨버트 메라비안(Albert Mehrabian)의 법칙에 따르면, 사람들은 어떤 것에 대한 인식을 할 때 시각적 정보를 55%, 청각적 정보를 38%, 그리고 대화의 내용을 7% 활용한다고 한다. 즉, 코디네이터의 이미지에는 눈에 보이는 표정, 옷차림, 자세, 동작이 55%, 음성이나 말투가 38%, 그리고 대화내용이나 단어가 7%정도 영향을 주는 것이다. 그리고 나의 이미지 = 내적 이미지(선천적 이미지) + 외적 이미지(후천적 이미지)라고 볼 수 있다.

구분	의미
내적 이미지 (선천적이미지)	가치관, 신념, 이상, 지적 수준을 반영하는 오랜 기간 동안 노력에 의해 표현되는 내면적인 요소
외적 이미지 (후천적이미지)	표정, 용모, 복장, 메이크업, 태도, 자세, 직업, 말씨 등에 의해 표현되는 외형적인 요소

(2) 이미지 관리

1단계: 나에게 어울리는 이미지를 점검하고 정하는 단계

2단계: 이미지의 개념을 결정하는 단계. 병원 코디네이터의 기본적인 이미지는 청결하고 단정함이다. 자신이 속한 병원에서 원하는 이미지가 어떤지 분석을 통해 결정한다.

3단계: 좋은 이미지를 형성하는 단계. 좋은 이미지를 창출하기 위해서는 먼저 매너를 익혀야 한다. 좋은 표정, 인사하기, 단정한 용모, 부드럽고 상황에 맞는 말씨, 바르고 절도 있는 자세와 행동은 매너의 기본이고 이러한 모든 요소를 골고루 갖추어야 한다.

4단계: 이미지를 겉으로 표현 하고 관리하는 단계. 좋은 이미지는 짧은 시간 안에 만들어지는 것이 아니다. 자신의 이미지를 가꾸는 데 있어서 열심히 노력하고 관리해야 한다.

⋯ 이미지 관리 Check

구분	체크항목	상	중	하
표정	호의적이고 적극적인 표정인가요?			
	밝고 경쾌한 행동이 준비되어 있나요?			
	지금 자신의 얼굴 표정이 마음에 드나요?			
헤어	청결하고 세련되게 손질되어 있나요?			
	눈과 귀를 가리지 않고 단정한 상태인가요?			
	머리핀이나 액세서리가 너무 크거나 화려하지 않나요?			
	유니폼과 잘 어울리는 스타일인가요?			

구분	체크항목	상	중	하
화장	NO 메이크업의 상태는 아닌가요?			
	아이섀도나 립스틱 색상은 적당한가요?			
	피부처리와 화장이 흐트러지는 않았나요?			
복장	지정된 유니폼이나 정돈된 정장을 착용했나요?			
	옷의 상태가 청결하나요? 보기 흉한 얼룩은 없나요?			
	지나치게 구겨지는 않았나요?			
	옷의 조화가 잘 이루어져 깔끔한 이미지를 연출하나요?			
신발	깨끗하게 닦여 있나요?			
	근무복에 어울리는 스타일 인가요?			
	뒤축이 벗겨지거나 닳아 있지는 않나요?			
	구겨 신지는 않았나요?			
스타킹	색깔은 적당한가요?			
	예비 스타킹을 가지고 있나요?			
액세서리	귀걸이는 화려하지 않은 것으로 착용했나요?			
	본인의 이미지와 복장에 어울리는 것으로 했나요?			

3. 의료서비스 술 전 관리

1) 환자정보 분류하기

(1) 초진 및 재진

구분	의미
초진 환자	처음 병원에 내원한 환자 또는 환자가 장기간 내원하지 않아 의무기록이 폐기되었거나, 전산상의 자료가 없는 경우
재진 환자	다시 병원에 내원한 환자(2회 이상)

초진 환자는 우리 병원을 처음 방문하므로 낯설고 긴장된 심리상태임을 고려해 세심한 안내와 편안함을 느낄 수 있는 친절한 응대가 매우 중요하다. 특히 절차와 예상 대기시간, 담당 의료진에 대한 사전 안내 등 병원에 대한 정보를 간단히 전달하는 것도 좋은 방법이며, 고객의 요청이 있기 전에 화장실, 음료 이용 방법 등 시설에 대한 설명도 사전에 해 줄 수 있으면 좋다.

재진 환자는 초진과 달리 낯선 환경에 대한 긴장감은 많이 없지만, 처음 내원 시 받았던 서비스 만족도가 줄어든다는 느낌이 들지 않도록 신경을 써야 한다. 특히 지난번 방문 후 궁금했던 점이나 증상에 대한 경과를 지속적으로 묻는 것이 중요하다.

(2) 외래 및 입원

구분	의미
외래 환자	병원을 방문하여 입원을 하지 않고 당일에 간단하게 의료 서비스를 받고 귀가하는 환자(입원하지 않고 진단 · 치료를 받는 환자)
입원 환자	병원에 입원하여 의료 서비스를 받고 있는 환자(병원에서 24시간 수용되어 계속적인 진료를 받는 환자)
낮 병동 환자	입원과 외래의 혼합된 중간 형태의 개념으로 입원 수속은 하되, 병원에 수용되어 낮 동안에만 의료 서비스를 받고 저녁에 퇴원하는 환자

입원 환자의 경우 병원의 낯선 환경에 잘 적응할 수 있도록 병실 및 시설물에 대한 안내, 입원 환자의 진료 및 치료에 대한 자세한 안내가 매우 중요한 부분이다. 입원 환자의 병력이나 상태에 관하여 충분한 정보를 입수하고, 환자가 주의하여야 할 사항이나 금지하여야 할 사항은 따로 메모하여 환자나 보호자에게 안내하며, 병원의 직원들도 공유할 수 있도록 하여야 한다. 특히 수술 전후의 환자에게는 따뜻한 격려의 말이 큰 위안이 되므로, 수술의 사례를 들려주거나 손을 잡아주는 등의 따뜻한 서비스의 제공이 요구된다. 환자의 회복에 도움이 되는 운동이나 기타 정보 등을 제공하는 것도 좋은 서비스라고 할 수 있다.

(3) 환자정보 분류를 위한 문진표 작성

문진은 질문을 통해 환자의 증세와 가족 병력사항 등을 파악하는 진료를 말하는 것이고, 문진표는 이러한 환자의 사항들을 표로 만들어 기록하는 서식이다. 짧은 진료시간에 많은 정보를 파악할 수 없으므로, 문진표는 진료시간의 절약 및 환자의 파악에도 도움을 준다. 가장 큰 장점은 원하는 항목들을 체계적으로 빼놓지 않고 얻을 수 있다는 것이며, 문진표에 적힌 환자의 상태를 토대로 하여 치료 및 수술 관련해 분류할 수 있고, 상담진료 시에도 유용한 자료로 이용할 수 있다. 그래서 문진표의 항목들을 쉬운 말로 지루하지 않게 작성할 수 있도록 하여야 한다. 의료서비스 소통에서 일어날 수 있는 병원과 환자와의 생각의 차이를 최소화하기 위해서는, 환자와 진료 전 문진표를 활용한 코디네이터의 문진 상담이 매우 중요하다.

이와 같은 문진표를 활용한 소통에서 특히 주의해야 할 점은, 환자의 호소를 듣고 진료기록부에 작성할 때 환자가 언급하는 내용에 대한 사실과 의견을 잘 구분하여 작성해야 하는데, 개인의 추측이나 사적인 의견을 절대 예측하여 기록하는 것은 바람직하지 않다. 특히, 환자와 대화 중 기록할 수 있는 주 증상에 대해서는 가능하면 전문용어로 기록하는 것이 좋고, 질병에 관한 기록은 의학용어를 사용하는 것이 좋으며, 표현이 애매한 경우에는 환자의 표현을 그대로 기록한다. 또한 환자의 개인적인 성향에 관한 기록은 성향분석에 관련된 용어 또는 병원 직원들과 별도로 정한 문진표에 표시해두며, 이런 표시들은 고객의 눈에 보이지 않게 주의하도록 한다. 이러한 문진표를 활용한 진료는 환자관리에 있어서도 유용하고, 환자 고유의 성향을 파악하고 맞춤식 응대를 하는 데 큰 도움이 될 수 있다.

···▶ 병원의 문진표 양식들

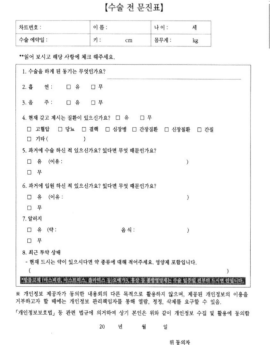

2) 의료서비스 매뉴얼 관리

(1) 접점별 서비스 응대

접점은 영어로 moment of truth(MOT)라고 사용하는데, 스페인의 투우 용어를 영어로 옮긴 것으로, 스웨덴의 마케팅 학자인 리처드 노먼이 서비스 품질관리에 처음으로 사용하였다고 한다. 원래 이 말은 투우경기 중 소가 혼신의 힘을 다해 투우사를 공격하면, 투우사는 소의 급소를 찍어 소를 쓰러뜨리게 되고, 관중들은 이를 보고 환호하게 되는 투우 경기에서 쓰는 용어이다. 즉, 피하려 해도 피할 수 없는 순간 또는 실패가 허용되지 않는 매우 중요한 순간을 의미한다. 따라서 MOT란 진실의 순간이라는 보통의 해석보다 결정의 순간이라는 말이 더 적합하다.

환자접점(MOT)이라는 것은 직원이나 의사가 환자와 만나는 순간뿐만 아니라 전화 안내, 내원, 진료, 상담 등 모든 시점들도 해당되며, 환자와 만나는 모든 순간들이 환자에게 좋은 인상을 줄 수 있도록 접점의 관리가 철저하게 이루어져야 한다.

MOT의 개념을 서비스에 인용한 것은 1970년대 말 석유파동으로 인해 2년 연속 적자를 기록한 스칸디나비아 항공에 39세의 젊은 나이로 사장에 취임한 얀칼슨이 1987년 'Moments of Truth'란 책을 펴낸 이후 MOT라는 말이 급속하게 알려지게 되었다. 고객이 평소에 하듯이 이용하여 아무 인상도 받지 않았다면, 그것은 결정적 순간이 아니라는 개념을 경영에 도입하여, 진실의 순간에 고객을 만족시키는지 여부가 스칸디나비아 항공사의 성패를 좌우함을 강조하였다.

얀칼슨은 MOT의 개념을 소개하기 위해 불결한 접시를 자주 예로 들었다. 만약 승객들이 기내에서 제공되는 자신의 음식 접시가 지저분하다는 것을 발견하게 되면, 그들은 그 순간에 자신이 탑승하고 있는 비행기가 불결하다고 느끼게 된다고 말했다. 그는 고객이 직원들과 접하는 처음 약 15초 동안의 짧은 순간이 회사의 이미지, 나아가 사업의 성공을 좌우한다고 강조했다. 얀칼슨은 MOT 경영방침을 실시한 지 불과 1년 만에 스칸디나비아 항공을 연 800만 달러의 적자회사에서 7,100만 달러의 이익을 내는 흑자회사로 탈바꿈 시켰으며, 1983년 최우수 항공사, 1986년에는 고객서비스 최우수 항공사로 선정되었다.

(2) 접점(MOT)의 3요소 및 중요성

Hardware (시설과 장비)	Software (체계와 절차)	Humanware (인적응대)
주차장 시설, 병원의 시설, 인테리어, 화장실, 대기실, 진료실, 치료실, 의료장비 수준 등	내부시스템, 진료절차, 이벤트, 대기시간, 환자만족도 조사, 이용의 편리성, 조명, 음악 등	서비스 정신, 응대태도, 신속한 대응과 배려, 적극성, 책임감, 용모, 소통 능력 등

위의 3가지 요소 중에서 Humanware인 인적응대가 환자 만족 지수 항목의 20~80%를 차지한다고 한다. 환자는 우리 병원에 들어오면서 접하는 사람이 경력직, 신입 사원, 임시직 직원이든 구별할 이유가 없고, 그 모든 사람을 그냥 우리 병원의 직원으로 인식하며, 그 직원과 만나거나 접할 때마다 만족과 불만을 느끼게 되는 것이다. 즉, 환자접점 서비스에서 인적 응대가 가장 중요하며, 인적 응대를 어떻게 실천하느냐가 환자 만족과 환자 감동을 줄 수 있는지의 척도가 된다고 하여도 과언이 아니다.

※ 환자접점(MOT) 관리의 중요성과 관련된 서비스 법칙

¤ **100-1의 법칙**: 100-1=99가 아니라 100-1=0 이라는 법칙. 서비스 100가지 중에 1가지의 접점이 불만족하면 99가지의 접점에 대한 만족이 남는 것이 아니라 100가지 서비스 전체에 대한 불만족이 남게 된다.

¤ **99%=1%의 법칙**: 접점관리에서는 99%의 접점 비중과 1%의 작은 접점 비중이 동일하다.

(3) 환자접점 5단계

1단계: 환자의 입장에서 생각해본다. 우리 병원과 만나는 시작부터 끝까지의 접점을 찾아본다.

2단계: 환자접점 단위(unit)를 이미지, 접수, 대기실, 게시판 등으로 설계한다.

3단계: 우리 팀의 환자접점 시나리오를 만든다.

4단계: 나의 환자접점 시나리오를 만든다.

5단계: 새로운 표준안대로 훈련하고 행동한다.

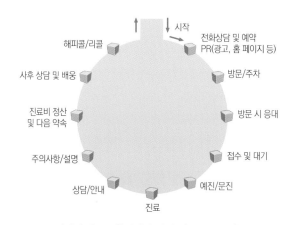

▲ 리셉션 데스크 환자접점 사이클(MOT Cycle) 사례

환자접점 사이클(MOT Cycle)이란 환자가 병원과 처음 접촉해서 떠날 때까지 서비스 행동의 전체 과정을 환자의 입장에서 그려보는 방법이다. 시계모양의 도표로서 서비스 사이클 차트라고도 하며, 원형 차트의 1시 방향에서 시작하여 순서대로 기재한다. 우선적으로 환자접점을 목록으로 만들어 환자가 서비스 받는 시

점부터 서비스 완료시점까지를 정리한다. 이 과정에서 서비스의 접점 부분에서 불량하거나 부족한 포인트가 있는지를 환자의 입장에서 분석한다. 병원의 각 부서의 직원들은 자신이 맡은 부분만 이해하는 경향이 높으므로, 환자가 서비스와 접하는 부분을 전체적으로 이해함으로써 더 나은 서비스의 전달 과정이 되도록 서비스 전달 시스템을 재구축하는 데 목표가 있다. 또한 전체와 팀 단위의 환자접점 사이클(MOT Cycle)이 찾아지면 나의 환자 접점은 어떻게 개선할 것인지를 알아볼 수 있다.

(4) 서비스 매뉴얼 작성방법

병원 내 서비스수준 향상을 위한 서비스 행동의 표준화를 위하여 매뉴얼 작업이 필요하다. 서비스 매뉴얼이 만들어지면 원내 서비스 문제점의 파악 및 개선이 보다 더 쉬워지고, 현장 진단 및 직원의 서비스제공 수준에 대한 평가가 가능하며, 향후 책으로 만들어서 신입직원의 서비스 교육을 진행하는 데에 유용한 자료로도 활용이 가능하다. 또한 부서별 업무를 한눈에 파악할 수 있으며, 기존 매뉴얼에 대한 문제점을 지속적으로 파악할 수 있다. 직원들의 업무능률 향상을 빠른 속도로 진행할 수 있는 것도 장점이다. 매뉴얼 작성에 가장 중요한 핵심은 모든 사람이 업무를 진행하던 중에 일어났던 일을 빠짐없이 기록해 두는 것이다. 기록할 때는 사건, 배경, 처리방안, 평가사항, 차후 문제가 발생했을 때 요구되는 대안 등에 관해 구체적으로 기록하고 유형에 따라 분류해 두어야 한다. 일반적으로 병원 매뉴얼의 종류에는 진료 서비스 매뉴얼, 의료 서비스 매뉴얼, 상담 서비스 매뉴얼, 병원 소독 매뉴얼, 부서 매뉴얼, 교육 매뉴얼 등이 있다.

매뉴얼 준비를 위해서는 모든 직원들이 동참해야 하고, 병원의 환경이나 정책 등에 의해 변화가 생길 시 정기적으로 수정해 나가야 한다. 만들 때에 주의할 점은 실현 가능한 내용들로 정리하여야 하며, 서비스 행동에 대한 구체적 제시와 시각적인 자료를 적절히 활용하는 것도 좋다. 예를 들면 그 상황에 맞는 그림을 삽입하거나 실제 업무 상황에 맞는 사진을 찍어서 그대로 매뉴얼에 싣는 것도 많은 도움을 줄 수 있다.

(5) FAQ 매뉴얼

FAQ(frequently asked question)는 이용자가 자주 하는 질문에 대한 대답을 미리 정리하여 놓은 것을 말한다. 병원에서는 병원 이용 안내나 환자의 주요 질문 등을 정리하여 홈페이지 게시판에 올려 놓는 경우가 제일 많다. 또는 오프라인 공간에서도 볼 수 있도록 인쇄하여 파일 또는 책으로 만들어 병원 내 대기실에 비치하여 대기시간 중에 활용 할 수 있도록 하기도 하며, 최근에는 SNS(social network services/sites), 유튜브(You Tube) 같은 미디어를 활용하기도 한다. FAQ 매뉴얼은 부서별로 환자들이 자주 하는 질문들을 빈도순으로 순위를 정해서 정리하며, 질문에 대한 해당 부서 및 담당 직원이 질문에 대한 답변을 정리한다. 이렇게 작성된 FAQ 매뉴얼은 직원 교육을 통해 전 직원이 숙지하여야 환자응대 시 환자만족도 부분에서 큰 효과를 볼 수 있다. 병원 내 컴퓨터 화면이나 텔레비전 화면을 통해 보여주며 대기시간 활용 및 정보를 제공하기도 하는데, 의료 지식에 관한 질문은 의료진의 도움을 받아 정리 하도록 한다.

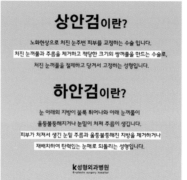
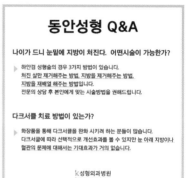

▲ FAQ내용을 SNS에 게시해서 안내하는 서비스 예시

3) 대기 고객 및 시간관리

(1) 대기시간의 중요성

최근 의료서비스에 대해 가장 큰 환자의 불만 요소는 긴 대기 시간에 비해 진료할 때 상담 시간이 너무 짧다는 것이다. 병원의 입장도 충분히 이해할 수 있는 것은 하루 동안 진료해야 할 환자 수는 많고 시간은 짧다 보니, 이런 상황에서 개개인의 상담 시간까지 늘리다 보면 쉽게 피로를 느낄 수 있다. 환자의 입장도 이해할 수 있는 것은 대기시간에 환자는 육체적, 정신적으로 불안한 심리상태임으로 실제보다 더 길게 느끼게 되는 것이다. 따라서 진료 전 대기시간을 줄여 환자의 만족도를 높이려는 노력을 적극적으로 찾아보아야 할 것이다. 그래서 전문 상담요원을 배치하고, 대기실 환경관리 등을 통해 대기시간의 불만을 해결하려는 방법을 모색하려는 병원들이 증가하고 있다.

대기시간 단축은 병원 서비스의 가장 핵심이다. 환자를 대상으로 한 설문조사를 보면 대기시간에 대한 불만이 항상 상위를 차지하고 있는 것을 볼 수 있다. 이런 대기시간의 문제를 '3시간 대기, 3분 진료'라는 말로 비유하기도 한다. 병원마다 서비스를 강화하고 있는 요즘에는 대기시간 관리가 잘 이루어지지 않으면, 주변 병원에 환자를 빼앗기는 요인이 될 수 있다. 따라서 환자 또는 그 가족의 입장이 되어 대기시간에 대한 면밀한 검토를 해 보아야 하며, 대기 시간을 획기적으로 줄이는 것이 환자의 만족도를 크게 높일 수 있다는 것을 알아야 한다.

(2) 대기시간 관리의 기본 원리

- 아무 일도 하지 않고 있는 시간이 뭔가를 하고 있을 때보다 더 길게 느껴진다.
- 진료 전 대기가 진료 중 대기보다 더 길게 느껴진다.
- 원인이 설명되지 않은 대기시간이 더 길게 느껴진다.
- 불공정한 대기시간이 더 길게 느껴진다.
- 혼자 기다리는 것이 함께 기다리는 것보다 더 길게 느껴진다.
- 서비스가 더 가치 있을수록 고객들은 더 오랫동안 기다릴 것이다.

(3) 대기고객을 위한 환경관리

대기실은 환자의 긴장감을 덜어주고, 안정된 상태에서 진료를 받을 수 있도록 편안하고 쾌적한 공간이어야 한다. 진료를 받기 위해 10분에서 1시간 이상을 대기해야 하는 경우, 그 시간을 활용하지 않고 무의미하게 보낸다면 환자는 병원에서 시간을 낭비했다고 생각할 수 있다. 그래서 환자를 위한 배려로 병원마다 대기실 문화를 형성해 나가고 있다. 어떤 병원은 대기환자를 위해 음악회를 열기도 하고, 시간을 지정해 공연을 보여주는 곳도 있다. 또 병원의 대기실을 화원처럼 꾸민다거나 미술관과 같이 그림을 전시하기도 하며, 도서관 못지않게 북카페를 만들어 놓은 곳도 있다. 여성을 주 환자로 하는 성형외과나 피부, 비만클리닉에서는 네일아트나 메이크업 관련 서비스를 제공하기도 한다. 핸드폰을 많이 사용하는 요즘 시대적 흐름에 맞춰 와이파이나 충전기를 설치하는 병원들도 늘고 있다.

대기실은 병원홍보를 하는 공간으로도 적극 활용된다. 병원 리플렛, 전단지, 소식지, 칼럼 등을 적절하게 잘 배치하여 진료상품에 대한 소개도 하고, 병원 내 TV를 통해 방송 출연이나 수술 사례들을 상영하여 의료진에 대한 신뢰도도 높일 수 있다. 대기실에는 음료대가 준비되어 있어야 하는데, 정수기는 눈에 띄는 곳에 설치하여 환자가 불편하지 않게 이용할 수 있도록 해야 한다. 환자의 취향에 맞춰 커피, 녹차 등 여러 종류의 차를 구비해 놓기도 한다. 주변에 먹다 버린 종이컵, 휴지 등을 정리하고 휴지통은 적어도 하루 2번 이상 비우도록 한다. 대기실에 음악을 틀어놓는 경우라면, 대기환자의 연령대, 날씨, 계절, 시간대 등에 따라 선정하고, 계속 같은 음악이 지루하게 반복되고 있지는 않은지 확인한다. 특히 식사시간 후를 포함하여 하루에 2회 이상 창문을 열어 환기시켜 주며, 병원의 특유한 냄새를 최대한 줄이고, 은은한 향기 요법을 시행하는 병원들도 많이 증가했다. 긴장감 해소와 두통해소에 도움을 주는 라벤다나 페퍼민트 같은 아로마향을 선호하는 병원들도 있다. 그리고 온도, 습도도 대기하고 있는 환자들에게 체감 정도를 직접 확인하여 수시로 관리하도록 하여야 한다.

(4) 대기환자 서비스

① 대기시간을 효율적으로 관리하기 위해서는 사전 진료 예약제를 적극 활용한다.

② 환자와 직원 간의 원활한 소통을 활용한다.

③ 환자가 부당한 대우를 느끼지 않도록 공정한 대기시스템을 구축한다.

④ 접수와 동시에 환자에게 관심을 가지고 서비스가 시작되었다는 느낌을 주도록 한다.

⑤ 총 예상 대기시간을 알려준다.

⑥ 고장난 기계 등 병원에서 이용되지 않는 자원은 보이지 않도록 한다.

(5) 대기환자 응대 요령

① 환자에게 예약현황, 진료실 상황 등을 고려하여 진료 시작 시까지 필요한 대기 시간을 설명하고 양해를 구한다.

② 환자가 기다리는 동안 볼거리, 차 등을 제공하여 환자가 느끼는 대기시간을 줄인다.

③ 대기시간이 길어지는 경우 추가로 기다려야 하는 시간과 지연된 이유를 설명한다.

④ 예상된 대기시간보다 많이 지연되는 경우 일정한 간격으로 환자에게 알리고 환자가 불편사항이 없는지 수시로 점검한다.

⑤ 환자의 상황을 진료에 적극 반영하도록 의료진과 직원 사이를 오가며 상황을 전달한다.

4. 의료서비스 예약 관리

1) 온라인 예약

예약이란 장래에 어떤 계약을 체결할 것을 약속하는 것으로, 사전 약속이라는 의미이다. 예약은 화폐와는 달리 재고로 쌓아 둘 수 없는 소멸적인 특성을 가지고 있다. 온라인 예약을 하려는 환자는 병원까지 오지 않고 자신이 원하는 날짜에 예약을 할 수 있으므로 시간을 절약할 수 있고, 병원도 예약을 위해 내원하는 환자의 혼잡을 피하고 쾌적한 병원을 유지할 수 있다.

(1) 전화 예약

전화 예약은 환자가 직접 병원에 전화를 걸어 내원을 원하는 날짜와 시간을 조율 후에 예약을 하거나 또는 사전 상담이나 진료를 위한 별도의 약속을 잡는 방법으로 환자의 종류에 따라 응대하는 방법이 조금씩 다르다. 대형병원이나 규모가 있는 병원의 콜센터는 환자의 전화 통화를 조직적으로 처리하는 프로그램을 설치하여, 환자와 병원 모두에게 다양한 서비스를 제공하고 있다.

※ 예약 전화 응대의 기본 요령

① 밝은 목소리로 상냥하게 병원의 상호가 정확하게 전달되도록 받는다.

② 전화벨이 2~3회 울릴 때, 한손으로는 수화기를 들고 다른 한손은 메모할 준비를 한다.

③ 먼저 인사하고, 환자의 예약 사항에 대한 질문에 대해 정확히 응대하며, 응대자의 소속과 이름을 밝힌다.

④ 상대방의 말을 충분히 경청하면서 응대하되, 통화가 길어지거나 다른 확인이 필요한 경우에는 환자의 연락처를 메모하여 잠시 후에 다시 전화를 걸어 응대할 수 있도록 융통성을 발휘한다.

⑤ 용건 통화가 마무리되면 중요한 통화 내용을 요약하여 복창한다. 특히 예약한 일정과 병원 위치에 대해서는 반복하여 설명해 준다.

⑥ 끝 인사를 하고 상대가 전화를 먼저 끊는 것을 확인한 후에 수화기를 내려놓는다.

⑦ 온라인 예약이 완료되었을 경우, 환자는 자신의 예약이 정확하게 성립되었는지 확인하고 싶어 한다. 이에 병원에서는 예약이 완료되었음을 환자에게 재확인시켜 주어야 한다.

⑧ 환자들에게 안내해 주어야 하는 사항에는 담당의사, 예약 날짜, 예약 시간, 필요시 방문 전 준비사항 등에 대하여 안내한다. 예약 완료 후 문자(SMS)메세지를 발송하기도 한다.

※ 전화 예약응대를 위한 시나리오 예시

아래의 시나리오 예시를 참고하여 더 많은 상황의 시나리오를 작성해 보도록 한다.

(예약 변경, 재진환자 예약, 예상하지 못했던 의료진 일정 때문에 일정 조율 및 재 예약 경우 등)

▶ 상황 - 초진환자

　　(지인의 소개, 광고, 인터넷 검색 등)

직원: 안녕하십니까? ○○병원 입니다. 무엇을 도와드릴까요?

환자: 눈상담 예약을 하려고 하는데요

직원: 네~ 혹시 상담을 원하시는 원장님이 계신가요?

환자: 얼마 전에 방송에 나오셨던데... 그 원장님이요.

직원: 아~ 얼마 전에 방송에 나오셨던 분은 ○○○원장님이십니다. 원장님 진료 상담은 매주
　　　　○,○,○요일 가능하세요. 원하시는 날짜가 있으신가요?

환자: 그럼 다음주 ○요일 가능한가요?

직원: 다음주 ○월 ○일 ○요일 말씀하시는 거 맞으시죠? 그날은 오후 3시에 상담이 가능 한데
　　　　괜찮으신가요?

환자: 네 그날 오후 3시 괜찮아요.

직원: 그러면 예약을 위해 성함하고 연락처 부탁드리겠습니다.

환자: ○○○이구요, 연락처는 ○○○-○○○○-○○○○입니다.

직원: 네~ ○○○님, ○월 ○일 ○요일 오후 3시 ○○○원장님 눈상담 예약이 완료되었습니다. 불러주신 연
　　　　락처 ○○○-○○○○-○○○○으로 예약문자 발송 해드리겠습니다. 다른 궁금하신 사항은 없으신가
　　　　요?

환자: 없어요

직원: 네, 문의사항 있으면 언제든 연락주세요. 감사합니다.

(2) 인터넷 예약

인터넷의 발달로 병원예약 운영시간에 구애받지 않고 자유롭게 예약할 수 있는 방법으로, 병원 홈페이지를 통해 내원을 원하는 날짜와 시간 등을 입력하는 방법이다. 병원의 전산 시스템이 발달되어 있다면 비용절감 면에서 효율적이라는 장점이 있다. 하지만 인터넷이 익숙하지 않은 환자들도 있을 수 있기 때문에 인터넷 예약방법에 대한 내용을 전화로 문의할 수도 있으니, 안내자는 인터넷 예약시스템에 대한 방법과 그 과정을 잘 설명할 수 있어야 한다.

(3) 모바일 문자서비스 활용 매뉴얼

① 환자관리 차트를 수시로 점검하여 예약 확인 문자가 제대로 전송되고 있는지를 점검한다.

② 가급적 문자는 간결하게 작성하고, 내용이 길어지는 경우 문장의 끊김이 없도록 작성한다.

③ 각 문장에는 병원을 표시하는 [ㅇㅇ병원]이라고 표시하거나 문장이 길 경우 병원명 [ㅇㅇ]만 표시하도록 하며 반드시 병원을 알릴 수 있는 어떤 표기를 하도록 한다.

④ 모든 문장은 가급적 상업적인 느낌이 나거나 딱딱한 느낌이 들지 않도록 한다.

⑤ 의료서비스 코디네이터는 환자의 감성에 어필할 수 있는 문장을 끊임없이 개발하고 새로운 문장들을 추가하도록 한다.

⑥ 환자의 개인 상황에 따라 개별화 시키도록 하며 단체 문자서비스의 형태는 환자에게 어필할 수 없음을 명심한다.

⑦ 건당 비용이 발생한다는 것을 알고, 개인적인 용도로 문자를 보내는 일이 없도록 한다.

(4) 병원 예약시스템의 효과

병원 이용자 만족의 증대, 병원 업무능률의 증대, 병원인력관리의 효율화, 병원관리의 용이, 병원 환자의 증가, 비용절감효과, 환자 불만 사전 예방 등과 같은 장점의 효과들이 있으며, 예약 제도를 통해 병원의 홍보, 이메일(e-mail)에 의한 건강정보 제공 및 소통의 증진까지도 가져올 수 있다.

(5) 병원 예약시스템의 문제점

① 병원에서는 환자의 예약 불이행으로 인한 수입 감소를 막기 위해 공급보다 많은 예약을 하여 진료시간에 정확하게 의료진을 만나는 것이 매우 어려운 문제를 낳기도 한다.

② 특히, 규모가 큰 병원의 경우 진료대기시간이 과도하게 길기 때문에 올바른 예약제도의 필요성에 대한 인식이 높아지고 있다.

③ 현재 병원에서 운영되고 있는 외래진료 프로세스의 문제점은 예약환자와 당일접수 환자를 동시에 진료하므로 진료시간이 지연되어 내부 및 외부 환자의 불만족의 원인이 되고 있다.

④ 과도한 예약은 업무의 효율성 저하 및 병원의 이미지 저하, 그리고 초진환자의 높은 예약 부도율의 원인이 되고 있다.

2) 오프라인 예약

오프라인 예약은 환자나 보호자가 병원을 직접 방문하여 예약 담당자와 진료일정을 협의하여 진행한다. 병원을 방문해서 예약을 하는 경우는 환자의 내원 내역, 인적사항, 유형에 따라 병원을 처음 방문하는 환자일 수도 있지만, 주로 치료의 과정에서 다음 내원 일을 예약하고 가는 경우가 많다. 이런 환자의 경우에는 과거 환자의 내원 내역, 인적사항, 유형 등을 파악하여 다음에 다시 병원을 방문했을 때 시간을 단축하고 서비스의 질을 높일 수 있도록 하여야 한다.

※ 오프라인 예약응대를 위한 시나리오 예시

아래의 시나리오 예시를 참고하여 더 많은 상황의 시나리오를 작성해 보도록 한다(초진환자, 예약의 지연, 누락, 예약 시간 이후 방문 등의 경우 등).

▶ 상황 - 무리한 예약을 요구하는 환자

환자: 다음 예약이 금요일 오후인데 오전으로 바꾸고 싶어요.

직원: [미소를 띤 얼굴로 환자를 바라보며] 네. 예약을 변경하고 싶다는 말씀이시죠? 제가 예약 스케줄을 한번 확인해 보겠습니다.

[예약 스케줄 확인 후: 안타까운 표정을 지으며] ○○○님, 금요일 오전을 말씀하시는 것이 맞으시죠?

환자: 네, 제가 일이 생겨서 오후는 안 돼서 오전에만 시간이 가능해서요.

직원: ○○○님, 죄송합니다만, 금요일 오전은 예약 인원이 너무 많아서 오시면 정말 많이 기다리실 가능성이 많으세요. 1~2시간 정도 예상하셔야 합니다.

환자: [불쾌해하며] 그래요? 근데 그때 밖에 안 되서... 기다리더라도 올래요.

직원: [미소 지으며] ○○○님, ○월 ○일 금요일 오전 11시30분으로 예약 변경해드리겠습니다. 오셔서 많이 기다리실 수 있지만 최대한 빨리 보실 수 있게 도와드리도록 하겠습니다.

※ 주의사항:

무리한 예약을 요구하는 환자의 경우 응대할 때는 무조건 거절하는 방법만 있는 것이 아니다. 발생과 예측 가능한 상황을 환자에게 사전에 필수적으로 설명 해주어야 한다. 또한 환자에게 미소 짓고 부드러운 말을 사용하도록 한다.

··· 방문 예약하기 체크리스트(출처: 국가직무능력표준/NCS위키/보건/보건지원/병원안내)

번호	내 용	점수(1~5)	비고
1	환자가 방문하였을 때, 바른 자세로 있었는가?		
2	얼굴에는 미소를 띠었는가?		
3	예약 환자를 정면으로 응대하였는가?		
4	서비스 매너가 긍정적이고 밝은 이미지를 주는가?		

5	상담 시 환자의 이야기에 적극적이고 경청하고 공감하는가?
6	환자의 불만을 적극적으로 해결하였는가?
7	예약정보를 잘 기록하였는가?
8	커뮤니케이션의 문제가 없었는가?
9	마지막으로 환자에게 예약 날짜와 준비사항을 안내하였는가?

3) 예약 관리

예약의 소멸적인 특성으로 인하여 재고로 쌓아둘 수 없기에 주의를 기울여야 한다. 환자의 예약 취소와 불이행은 다른 환자의 진료예약을 방해할 수 있을 뿐만 아니라 병원의 진료 공백으로 인한 수익의 감소를 초래할 수 있다. 즉, 병원은 예약환자와 당일 접수환자를 동시에 진료하므로 예약상태와 취소여부의 파악이 빨리 이루어져야 진료시간의 지연과 내부 및 외부 환자의 불만을 감소시킬 수 있다.

병원에서 일하는 모든 직원은 "이 시간은 환자분을 위해 특별히 비워둔 시간입니다"라고 강조하여, 예약한 환자가 '내가 안 가도 다른 사람을 진료 보겠지'라는 생각으로 연락 없이 약속을 어기지 않도록 예약에 대한 권리와 책임을 알려주는 노력이 필요하다.

(1) 예약 관리의 중요성

① **효율적인 진료 시스템 운영**

동시에 많은 환자를 진료할 수 없는 환경이고, 의사와 스텝, 의료기구, 진료시간이 한정되어 있다. 환자가 밀릴 때는 너무 밀리고, 한가할 때는 너무 한가한 문제로 효율적인 진료 예약 운영이 필요하다.

② **매출과의 관계**

예약 취소는 매출에 영향을 줘서 감소뿐 아니라 다른 환자들을 위한 치료 기회의 상실을 초래한다.

③ **대기시간 최소화**

병원에서의 환자 불만 요인 1위인 대기시간을 최소화할 수 있다.

④ **비용적인 측면**

효율적으로 예약관리가 이루어지고 있는데도 불구하고 쉬는 인력이 있다면 인원 절감으로 인한 인건비 절감의 효과가 있다. 반대로 항상 예약 인원을 소화할 수 없다면, 필요 인원을 충원하여 병원의 확장을 고려해보아야 할 것이다. 또한 비슷한 진료의 환자를 모아서 예약하여 진료함으로써 재료비 절감 효과도 있다.

(2) 예약 관리의 기본 원칙

① 예약 스케줄을 환자에게 직접 보여주지 않는 것이 좋고, 직접 보면서 고르게 하는 것보다는 2~3개 정도 범위를 제시하여 그 중에서 선택하도록 배려하는 것이 더욱 좋은 이미지를 만든다.

② 대기시간에 민감한 환자는 오전 진료의 첫 시간 또는 오후 진료의 첫 시간에 예약하여 최대한 대기시간을 줄이도록 한다.

③ 예민한 환자, 불만족을 항의하는 컴플레인(complain) 환자, 질문이 많은 환자 등 특별한 환자들은 일반 환자의 2배 이상의 진료시간이 필요하다. 예약 시에는 이 부분을 고려하여 시간을 배정하고, 이런 환자들을 동시에 같이 예약하지 않도록 한다.

④ 하루의 첫 내원 환자는 약속 시간을 잘 지키는 사람으로 예약한다.

⑤ 약속 시간을 상습적으로 잘 어기는 환자는 항상 부도율에 대비하도록 한다.

⑥ 신규 환자의 예약은 최대한 원하는 시간에 예약이 가능하도록 배려하며, 가급적 빨리 예약 해준다.

⑦ 월요일 혹은 공휴일 다음날 예약 없이 내원하는 경우가 많으므로 이에 대비한다.

(3) 예약 변경사항의 관리

환자의 외래진료, 입원진료, 수술, 검사 등에 대한 예약 변경으로 병원의 다른 일정도 모두 조정되어야 하므로, 이에 대해 각 부서에 환자의 진료예약 변경을 전달하고 공유하여 환자의 진료에 차질이 발생하지 않도록 하고, 최상의 환자관리를 하도록 하여야 한다.

(4) 전산시스템을 활용한 예약 현황 관리 사례들

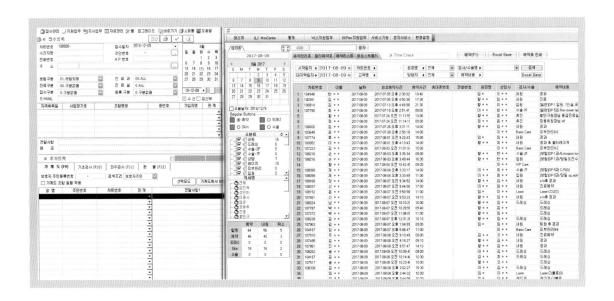

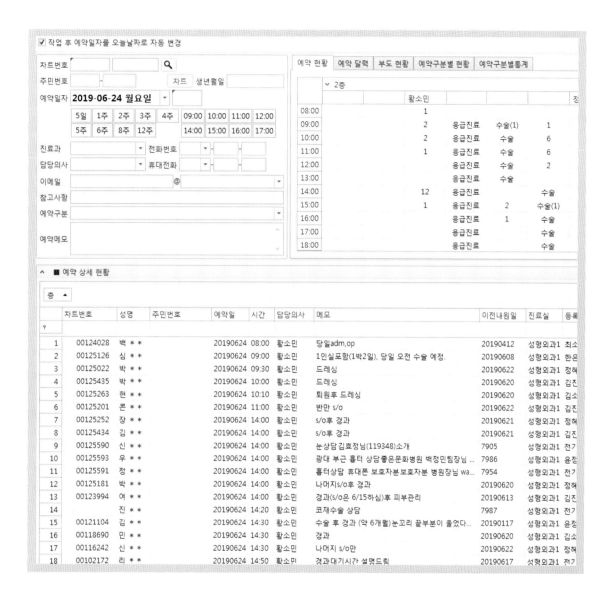

5. 의료서비스 상담 관리

1) 온라인 상담

　환자는 병원을 내원하기 전에 무엇보다 높은 의료수준과 응대 수준을 기대하며 병원을 선택한다. 이때 거리, 위치, 입소문, 최신 치료의 경향에 따라 병원을 선택하는 기준이 달라지는 것이다. 병원 코디네이터의 서비스 영역을 크게 구분하자면 대면 서비스와 비대면 서비스로 구분할 수 있는데, 환자는 보다 정확한 정보와 본인에게 적합한 병원 선택을 위해 비대면 서비스인 온라인 상담을 원하는 경우가 많고, 온라인 상담의 여부에 따라 병원을 선택하는 경우도 많다.

　온라인에서의 접점은 환자와 유선상에서 첫 대면하는 시기이고, 동시에 환자가 병원에 대한 인상을 받는 시기이므로 신중하고 전략적인 대응이 필요하며, 환자와 잠재 고객을 유치하는 데 매우 중요한 첫 접점이다. 온라인 접점에서 대표적인 예로는 홈페이지(home page), 블로그(blog), SNS 등을 들 수 있다.

(1) 온라인 상담 – 인터넷 응대

　홈페이지나 블로그, 병원에서 운영하는 SNS 등을 보고 방문한 환자들은 사전에 병원에 대한 정보를 접하게 되므로, 정확한 정보와 빠른 수정사항으로 신뢰감을 구축해야 한다. 홈페이지의 게시판은 환자들의 실시간 질문이 게시되므로 담당자를 정하거나 매일 일정한 시간에 답을 달아 신뢰감을 주도록 한다.

　홈페이지의 팝업창의 경우, 정보전달의 요소로 활용하여 병원의 행사나 이벤트 등의 요소로 활용하는 것이 좋다. 그리고 시기와 목적에 맞는 게시판 관리가 필요하다.

(2) 온라인 상담 글 작성 순서

　주로 홈페이지를 통한 문의에 대한 상담 응대로 궁금한 부분에 대해 빠른 응대로 답변을 하도록 한다. 과거에는 게시판에 올린 글들을 클릭만 하면 누구나 볼 수 있었으나, 현재는 비밀번호 등록 등으로 본인의 상담부분만 볼 수 있게 하고 있다. 또한 자세한 부분은 상담 시 기입한 이메일 주소로 따로 전달되기도 한다. 인사말의 경우 병원의 첫인상을 결정할 수 있는 부분인 만큼 계절적, 시간적, 분위기적인 부분에 잘 어울릴 수 있게 적절하게 선택하여 적도록 한다.

상담 내용은 환자가 문의했던 부분을 중심으로 알기 쉽게 내용을 정리하여 게시한다. 정확하고 빠른 답변만큼 중요한 것이 비대면상태의 환자의 마음을 읽는 것이다. 단순하게 미리 준비된 상담리스트의 글을 복사하여 반복적으로 사용한다면 무성의한 답변으로 좋지 않은 인상을 줄 수 있다.

비용 문의 내용은 병원에서 규정해 놓은 FAQ에 해당하는지 확인한 후, 적절한 문구와 함께 말하도록 하는데, '비용은 수술방법 및 환자의 상태에 따라 추후에 달라질 수 있습니다.'라고 추가한다.

문의한 환자의 휴대전화로 문자 메시지를 보내서 답변이 완료되었음을 알려주는 것도 좋은 방법이다. 예를 들어, 예시) '온라인 상담 글에 대한 답변이 완료되었습니다. 추후 다른 문의나 예약 시 ○○○-○○○○으로 연락 주세요."

▲ 홈페이지 온라인 상담사례

2) 전화 상담

스마트폰의 급속한 발전과 보급으로 우리의 삶에서 전화가 차지하는 비중이 매우 높아졌다. 병원에서도 진료나 예약에 대한 문의부터 상담에 이르기까지 많은 업무를 전화로 하고 있다. 환자가 병원과 만나는 거의 최초의 통로이자 진입로라고 할 수 있다. 또한 병원마케팅에서 빠져서는 안 되는 부분이며, 비대면 서비스의 대표라고 할 수 있다. 그러나 얼굴을 보지 않고 내용을 전달해야 하는 수단인 만큼 응대하는 직원의 음성의 높낮이, 말투, 뉘앙스, 태도 등에 많은 영향을 받는다. 따라서 보이지 않는 또 하나의 얼굴이라고 생각하고 전화 예절은 병원을 알리는 데에 매우 중요한 요소임을 인식하여, 전화 걸기와 받기, 상황별 응대 매너까지 잘 익혀 둘 필요가 있다.

(1) 전화응대 기본 매너

① 정확성

- 음성을 바르게 하고 어미를 명확히 한다.
- 성명, 일시, 장소 등은 천천히 정확하게 전한다.
- 상대가 이해하지 못할 전문용어나 틀리기 쉬운 단어는 사용하지 않는다.
- 내용의 요점이 상대에게 정확히 전해졌는지 확인하고 복창한다.
- 중요한 부분을 강조한다.
- 환자의 의도를 정확하게 파악할 수 있는 듣기 능력을 배양해야 한다.
- 업무에 대한 정확한 전문지식을 갖추어야 한다.

② 친절성

- 눈앞에 환자를 맞이하는 마음으로 전화응대를 한다.
- 상대방을 존중하면서 잘 듣고자 하는 열린 마음으로 응대한다.
- 필요 이상으로 소리를 크게 낸다든지, 웃지 않도록 한다.
- 말을 가로챈다든지, 혼자서 말하지 않는다.
- 상대가 감정적으로 말을 하면 이쪽에서는 한 발 물러서서 언쟁을 피하도록 한다.
- 경박한 단어는 사용하지 않는다.

③ 신속성

- 전화를 걸기 전에 요건을 육하원칙(5W 1H)으로 말하는 순서와 요점을 정리한다.
- 불필요한 말은 반복하지 않는다.
- 필요한 농담이라도 정도가 지나치지 않게 한다.

– 대면 서비스보다 전화상에서 고객은 시간을 더 길게 느끼는 경향이 있으므로, 환자의 입장에서 환자의 시간을 존중하여 아껴 주려는 노력이 필요하다.

(2) 전화 받기 매너

① 전화기 옆에서 항상 메모 준비를 해두는 습관을 들여야 한다.

② **전화벨이 3번 울리기 전**에는 받아야 한다.

③ **밝고 친절하게 병원명, 부서명, 이름을 먼저 밝힌다.**

예) '감사합니다. ○○ 성형병원 ○○○입니다.'

④ 바로 통화하기 어려울 때는 그 사유를 정확하게 설명해야 한다.

⑤ 상대방이 누구를 찾는지 확인한 후 대신 받아도 되는지 파악한다.

⑥ 상대방이 전화를 건 이유를 정확히 판단하고 답변한다.

⑦ **부재 중 메모는 5W 1H에 의거하여 정확하게 기재한다.**

⑧ 용건을 듣고 메모한 내용을 **다시 재확인한다.**

– 재확인은 숫자, 성함 등 잘못 듣기 쉬운 내용이 있으므로 확실히 반복하여 확인하도록 한다.

⑨ 추가 문의사항을 물어보고, 없으면 끝 인사를 한 후에 마무리 한다.

– '다른 궁금한 사항은 없으십니까? 감사합니다.'

⑩ 상대방이 전화를 끊은 후에 수화기를 내려 놓는 습관을 가진다.

(3) 전화 걸기 매너

① 필요한 내용을 메모할 수 있도록 **메모지를 준비**해 놓는다.

② 대화할 내용을 정리하고 난 후 전화를 건다.

– 통화할 내용을 미리 What, When, Where, Who, Why, How 형태의 5W 1H를 이용하여 정리한다.

③ 전화번호를 확인한 후 번호를 누른다.

– 전화번호를 미리 인지한다.

④ 상대방이 나오면 **본인의 소속과 성명을 이야기하고 인사한다.**

⑤ 시간, 장소, 상황을 고려하여 **전화 건 목적을** 이야기한다.

⑥ 중요 내용을 확인하고 메모한다.

⑦ 용건이 끝났으면 확실한 마무리 인사를 한다.

– '감사합니다' 또는 '좋은 하루 되세요.' 등등 확실한 마무리 인사

⑧ **상대방이 전화를 끊은 뒤 잠시 있다가 전화를 끊는다.**

(4) 전화 메모지 양식 예시

☎ 전 화 메 모 ☎				
일 시	월	일 시	분	받은사람
전화 주신분			연 락 처	
용 건				
통화결과	☐ 전화 다시 하신다고 하셨습니다. ☐ 전화 왔었다고 전해달라셨습니다.		☐ 전화 해 달라고 하셨습니다. ☐ 알았다고만 하셨습니다.	

3) 진료환자 상담

환자를 응대해야 하는 소통을 상담이라는 표현으로 정의하기도 하는데, 상담은 한자어의 뜻에 따라 크게 두 가지로 구분해서 설명할 수 있다. 상담(相談)이란 문제를 해결하거나 궁금증을 풀기 위하여 의논함이라는 뜻이고, 상담(商談)이란 상업상의 거래를 위하여 가지는 대화나 협의를 한다는 의미로 사용된다. 즉, 환자를 상담한다는 것은 환자와 동반 내원한 보호자 등과 치료 전반에 대한 이야기를 나누는 것이며, 환자에게 좋은 서비스를 제공하기 위한 상담을 하기 위해서는 신뢰가 필요하다. 환자에게 효과와 확신을 전달하기 위해서 모든 초점은 환자와의 대화로 이어지며, 상담자의 태도에 따라 관계가 달라지므로 이에 대해 잘 알고 응대해야 한다.

(1) 환자 상담 시에 갖추어야 할 자세

① 환자 지향적인 사고를 소유하여야 한다.
② 직업의식, 프로의식, 책임의식을 가지고 임하여야 한다.
③ 상담에 따른 전문적인 수준을 갖추어야 한다.
④ 긍정적이고 적극적인 사고를 할 줄 알아야 한다.
⑤ 원활한 대인 관계 능력을 보유하여야 한다.
⑥ 환자 심리를 안정시키는 상담 능력 및 소통 기술이 필요하다.
⑦ 자기 관리를 갖추고 있어야 한다.

(2) 진료 상담의 대화의 기술

① 진료실에서 하는 모든 대화는 상담의 일부라는 것을 명심한다.

② 일상적인 얘기도 필요할 경우 진료기록지에 적는다.

③ 진료 전 대화도 중요하지만 진료 후가 더 중요하다.

④ 예, 아니오로 답변할 수 있는 질문보다는 환자의 생각을 말할 수 있는 질문을 한다.

⑤ 설명한 내용에 대해 환자가 완전히 이해할 수 있도록 쉬운 말로 풀어서 설명한다.

⑥ 의료진의 설명이 끝난 후에도 비용이나 일정 등에 대해 부담을 느낀다거나 문의사항이 있다면 따로 시간을 내어 코디네이터가 해결한다.

⑦ 환자가 이해하기 쉬운 용어를 사용하고, 안내 책자와 사진 등 시각적인 자료를 적극 활용하여 설명한다.

⑧ 공손하고 분명한 말투와 적극적인 자세로 상담에 임하여 병원과 담당의료진에게 신뢰감을 가질 수 있도록 한다.

(3) 환자 응대 화법

말은 어떠한 단어를 사용하여 어떻게 말하느냐에 따라서 득이 될 수도, 독이 될 수도 있다. 단어 하나만으로도 환자는 자신이 고급서비스를 받고 있는지 하급서비스를 받고 있는지 판단하게 된다. 환자를 응대할 때 가장 많이 사용되고 필요한 화법들을 정리해 보는 것이 좋다.

쿠션화법	단호한 표현보다는 미안함의 마음을 먼저 전해서 사전에 쿠션의 역할을 할 수 있는 말을 전하는 화법 죄송합니다만~~ 인타까우시겠지만~~ 실례합니다만~~ 바쁘시겠지만~~ 번거로우시겠지만~~ 수고스러우시겠지만~~
신뢰화법	정중한 화법 70% - ~입니다. ~입니까? (다까체) 부드러운 화법 30% - ~에요, ~죠? (요조체)
레어드화법	사람은 "~이렇게 해" 같은 명령조의 말을 들으면 반발심이나 거부감이 들기 쉽다. 의뢰나 질문형식으로 바꿔 말하면 훨씬 더 부드러운 대화가 될 수 있다. ~ 좀 해주시겠습니까? ~ 좀 부탁해도 될까요?

(4) 경청

대화에서 가장 중요한 것은 듣기이며, 특히 환자상담에서 경청은 매우 중요한 요소이다. 환자의 욕구와 니즈를 파악해야 대화가 부드럽게 진행되는데, 환자는 상담자에게 마음을 열기까지 시간이 걸리기 마련이다. 그러므로 상담자는 경청을 통해 보다 상대의 말을 귀 기울여 듣는 것이 중요하다. 경청은 귀로 상대의 말을 듣는 것뿐만 아니라 눈으로 상대의 얼굴에 나타난 감정을 듣는 것도 포함한다.

▶ **경청 시 주의할 점**

- 팔짱을 끼고 듣거나 손장난을 하는 것
- 대답을 안 하거나 건성으로 듣는 것
- 눈을 쳐다보지 않고 무관심한 태도를 보이는 것
- 말참견을 하는 것
- 말에 트집 잡고 늘어지는 것
- 말을 중간에 끊는 것
- 주위를 두리번거리고 시계를 자꾸 쳐다보는 것
- 상대를 너무 뚫어지게 쳐다보는 것

(5) 상담 시 상담실 환경 관리

① 거울: 손거울, 탁상용 거울, 경우에 따라 확대경이 필요할 때도 있다. 상담실에 유리 창문이 있을 경우 밖의 풍경이 보이지 않도록 차단하고 무늬가 없는 블라인드를 사용하되 빛이 투과되지 않는 것이 좋다.

② 달력: 다음 진료 또는 수술 일정을 잡을 때 필요한데, 최소 3개월 정도를 볼 수 있는 달력이 적당하며 상담사 개인 일정이나 메모가 되어 있는 것은 좋지 않다.

③ 상담매뉴얼: 모든 상담사가 표준화된 상담을 진행할 수 있도록 상담매뉴얼을 배치하고 상담 전에 참고할 수 있도록 한다.

④ 시각 자료: 대체로 수술 전후나 치료를 보여주기 위한 사진을 활용한다. 컴퓨터 모니터로 보여 주기도 하며, 책으로 만들어 두기도 한다.

⑤ 병원에 대한 소개자료: 병원의 철학과 가치가 명시된 자료, 병원의 지역사회 활동 등과 같은 관련 자료들을 비치하여 병원에 대한 신뢰감과 이미지를 높일 수 있다.

⑥ 의료진소개 파일: 자세한 프로필을 준비하여 미리 정보를 제공하면 보다 친밀감을 높일 수 있고 구전 효과로 이어질 수 있다. 진료실로 가기 전 복도나 대기실 벽면에 전시하여 의사의 신문, 잡지, 학회지 칼럼 혹은 TV 출연 장면 등을 담은 사진을 넣어 비치하거나 병원을 잘 알릴 수 있는 자료 등을 구비해 놓도록 한다.

⑦ 유명인 사진: 병원에 다녀간 환자 중 유명인의 사진과 서명을 전시한다.

⑧ 리플렛(leaflet), 브로슈어(brochure): 안내 책자는 상담 시 활용하거나 고객이나 보호자들이 머무는 공간에 잘 보이게 비치한다. 공간이 좁다면, 데스크에서 병원 코디네이터가 진료를 마치고 가는 신규 환자에게 직접 전해주는 것도 효과적인 방법이다.

(6) 보호자(동반고객) 관리

병원을 내원하여 상담하는 환자만큼이나 중요한 것이 동반 고객이다. 환자가 진료 받는 중에도 끊임없이 병원에 대한 평가를 내리며, 잠재환자로서의 역할도 수행한다. 상담 후에도 내원환자가 병원을 선택하는 데 지대한 영향을 미치게 된다.

> **Tip 보호자(동반고객)을 위한 응대**
>
> - 보호자(동반고객)는 또 한 분의 고객이다.
> - 환자와 보호자를 번갈아 바라보고 함께 교감하는 것이 중요하다.
> - 환자의 요구를 반영하고 보호자와의 의견교환도 이루어져야 한다.
> - 사전에 환자에게 확인하여 보호자 상담 동참 여부를 결정한다.
> - 보호자 의견이 너무 많이 개입되어 환자를 배제한 상담이 되지 않게 주의한다.
> - 비용의 지불권을 보호자가 가지고 있다고 하더라도 환자의 상태와 의견을 중시한 상담이 되어야 한다.

4) 불만환자 상담

환자들은 진료를 받는 중 병원의 여러 가지 불편사항으로 진료에 대한 불만, 원무와 행정절차에 대한 불만, 직원의 불친절에 대한 불만 등을 호소하게 된다. 이러한 불만을 표시하는 환자는 우리병원을 위해 자신의 시간과 돈을 들여가며, 귀중한 정보를 제공해 주는 귀한 환자이다. 불만이 생겼을 때 불만을 숨기는 경우보다 알린 후에 즉시 해결되는 경우가 오히려 충성 환자가 된다는 뜻이다. 그래서 불만이 있다면 환자들이 이야기할 수 있도록 창구를 열어야 한다는 것이다.

(1) 불만 처리의 중요성

① 불만 환자의 유지는 이윤증대에 기여한다.
② 병원에 대한 좋지 않은 평판을 사전방지하게 된다.
③ 불만이 심화되어 법적 소송으로 가는 비용이 절감된다.
④ 환자의 불만 장기화를 막아 자원과 시간이 절약된다.
⑤ 병원경영에 유용한 정보획득이 가능하다.

(2) 환자를 화나게 하는 7가지 태도

| 무관심 | 무시 | 냉담 | 거만 | 경직화 | 규정제일 | 발뺌 |

(3) 불평 환자 행동 유형

고객 유형	내 용
침묵 환자	침묵한 채 피해를 그대로 수용하는 환자. 이미 가지고 있는 부정적인 생각으로 다른 문제점을 찾아내려고 한다.
전환 환자	아무런 말없이 다른 병원으로 옮겨가는 환자. 환자는 어떤 언급도 하지 않기 때문에 왜, 어떻게 환자를 잃었는지 알 수 없다.
전언 환자	자신의 불평을 친구와 이웃에 전하는 환자. 원래 불만족한 환자뿐만 아니라 그에게 영향을 받은 다른 사람까지 잃게 된다.
진정 환자	제3의 기관에 진정하는 환자. 소송이나 감사를 일으킬 수 있고, 언론까지 가세하게 되면 부정적 이미지의 급속한 확산을 초래할 수 있는 최악의 경우이다.
토로 환자	병원에 불평을 털어놓는 환자. 유일하게 긍정적인 경우이다. 병원은 환자의 요구를 이해하고, 문제를 파악하여 교정할 수 있을 뿐만 아니라 환자이 신뢰를 회복할 기회를 갖게 된다.

(4) 의료서비스에서 불만 환자의 이유

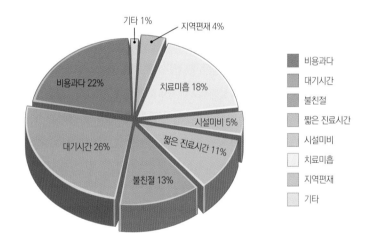

(5) 불만응대(컴플레인) 처리 기법(MTP)

M(man)	응대자 바꾸기. 담당직원에서 책임자로, 코디네이터에서 실장 또는 의료진으로, 될 수 있는 대로 상급자로 응대자를 바꿔서 응대를 하도록 한다.
T(time)	시간 바꾸기. 환자가 진정할 때까지 기다린다. 처음에는 대꾸를 하지 않고 경청만 한다.
P(place)	장소 바꾸기. 조용한 장소로 안내하여 따뜻한 음료를 대접한다든지 해서 생각할 수 있는 시간을 갖게 한다. 서있는 경우라면 편안한 의자로 안내하여 앉도록 권유한다.

(6) 불만응대(컴플레인) 처리 기법(HEAT)

구분	응대방법	응대태도
H	Hear them out	√ 환자로 하여금 불만사항을 다 털어 놓을 수 있게 끝까지 들어준다. √ 중간에 변명을 하거나 말을 가로 막는 것, 건성으로 듣거나 불성실한 태도를 보이면 고객은 분노한다.
E	Empathize	√ 환자의 불만을 깊이 공감하고 충분히 들어준다. √ 선입견을 버리고 관심 있게 듣는다. √ 중요내용은 메모를 하면서 듣는다.
A	Apologize	√ "불편을 끼쳐드려 정말 죄송합니다."라고 정중히 사과한다.
T	Take responsibility	√ 문제 해결책을 검토한다. √ 자신이 파악한 문제의 원인이 맞는지 확인한다. √ 친절하고 신속하게 해결책을 전달하고 처리한다. √ 불만 해결 사항을 알기 쉽게 설명한다. √ 어려운 것을 먼저 정중하게 말하고, 가능한 것을 나중에 책임지고 해결해 드린다고 설명한다.

(7) 불만 환자 응대의 기본 요령

① 환자의 성향을 잘 파악하여 대처한다.

② 환자의 입장을 깊이 생각하고 공감해주며, 환자의 마음을 먼저 위로한다.

③ 병원의 규정을 거론하거나 변명하려 들지 말고, 환자의 말을 먼저 경청하도록 한다.

④ 환자의 불편을 업무적으로 받아들이고 인격적으로 상처받지 않도록 한다.

⑤ 상담자의 개인감정을 드러내지 않는다.

⑥ 환자를 바꿀 수 없다는 것을 명심하고, 환자의 가치관을 바꾸려 하지 않는다.

(8) 불만 환자 응대 시 태도 및 주의 사항

① 당황하지 말고 겸손하게 끝까지 환자의 말을 경청하며 필요한 내용은 메모한다.

② 대화할 때 차트정리, 전화통화와 같은 산만한 행동을 하지 않는다.

③ 환자가 매우 화가 나 있다는 것을 잘 알고 있음을 감정이입을 통해 보여준다.

④ 문제 발생 원인을 동료나 조직에 전가하지 않는다.

⑤ 자신 있게 환자와 눈을 마주치면서 대화하도록 한다.

⑥ 설명은 사실대로 하며, 성의 있게 답변하고 사과한다.

⑦ 문제점을 해명하거나 변명을 늘어놓지 않도록 한다.

⑧ 환자의 불만을 잘 처리하여 병원 이미지를 향상시킨다.

⑨ 환자로 하여금 내가 기꺼이 도울 것이라는 느낌을 주고, 신속하게 해결해 나간다.

⑩ 감정이 다소 상하더라도 동요되지 말고 침착하고 차분하게 이야기한다.

⑪ 환자가 의문을 제기한 사항에 대해서는 명확하게 답변을 하고, 잘 모르는 사항에 대해서는 양해를 구한 다음 사실을 확인하여 답변한다.

⑫ 무리하게 "Yes"라고 답하지 말고, 최선을 다한 "No"가 되도록 한다.

5) 상담일지 작성

병원의 신환은 매일 있다. 그래서 정리되지 못한 환자데이터는 병원경영과 소개환자 창출 및 환자 관리에 도움이 되지 못한다. 상담일지는 환자의 인적 사항과 연락처, 상담 일정 및 내용, 상담 결과 등을 일목요연하게 기재하면 된다. 상담 일지를 작성하면 치료 진행 사항을 파악할 수 있으며, 향후 필요에 의해 활용할 수도 있다. 상담자가 일일이 환자를 기억하는 것에 대한 불확실한 기억보다는 정확한 기록으로 향후 환자응대와 한 사람의 환자가 평생 동안 이용할 수 있게 하는 것이 좋다. 상담일지는 상담 기간에 이루어진 상담 내용을 기록하는 문서이므로, 사실에 근거하여 정확하게 작성하여야 한다. 그리고 외부에 유출이 되지 않도록 신경을 써야 한다.

(1) 상담일지의 종류

① 일일상담일지

② 신환 상담일지

③ CRM(customer relationship management, 고객관계관리)일지

④ 불만 환자 및 온라인 환자 상담일지

(2) 환자상담일지 작성

① 가능하면 매일 기록하여 데이터가 누락되는 일을 방지한다.

② 코디네이터나 상담자뿐만 아니라 원내 직원들이 아는 정보도 같이 기록한다.

③ 치료진행 여부 등을 자세하게 기록한다.

④ 상담일지는 특정 장소에 보관하여 정보유출에 주의한다.

(3) 신환 상담 통계 및 일지 작성

① 총 신환수 대비 소개환자나 내원경로에 따른 환자의 비율, 치료가 연결된 환자와 중단 환자도 기록하여 통계에 활용한다.

② 직원 및 지인소개는 CRM일지에 반영하여 소개환자에게는 감사의 표시를, 직원소개 경우에는 비용과 치료 규모에 따라 인센티브를 제공한다.

⋯▸ 상담일지 양식 예시

신환 상담일지								
	년 월 일							
차트 번호	성함	수술명	상담사	담당의	Result		비고
					수술일	보류사유	

6. 의료서비스 술 후 관리

1) 환자 사후 관리

환자 사후관리는 환자 정보관리의 결과물을 효과적으로 활용할 수 있는 범주 가운데 하나이다. 먼저 환자 사후관리를 어떠한 목적으로 해야 하는지와 사후관리를 통해서 무엇을 얻고자 하는가에 대한 질문과 해답을 얻으려는 노력을 기울여야 한다. 일반적인 통계를 보면 기존환자 유지비용보다 신규환자 유치 비용이 평균 7배나 더 많은 것으로 나타났다. 따라서 병원에서는 신규환자를 유치하는 것도 중요하지만, 기존 환자의 유지에 더 많은 관심을 가지고 다양한 전략을 진행해야 할 것이다. 특히, 치료나 시술 혹은 수술 후 경과관리 만족도를 높이는 것은 소개 환자를 유치하는 데 있어 매우 중요한 부분이라 할 수 있다.

(1) CRM의 개념

고객관계관리(customer relation management, CRM)란, 관계마케팅의 일환으로서 고객정보를 효과적으로 이용하여 고객과의 상호적인 관계를 구축하고 관리하는 행위 또는 활동을 뜻한다. 즉, 병원에서 CRM이란 다양한 수단으로 환자 연락 정보를 기록하고, 그 정보들을 이용해서 환자들의 선호 사항이나 필요한 요소들을 얻고 활용하는 것으로 요즘은 컴퓨터 프로그램화되어 많이 활용되고 있다.

(2) CRM의 특성

① CRM은 환자지향적이다.
② CRM은 환자 개개인을 대상으로 하는 1:1 마케팅이다.
③ CRM은 환자 생애가치를 통한 장기적 이윤을 추구한다.
④ CRM은 쌍방향적이면서도 개인적인 소통을 필요로 한다.
⑤ CRM은 환자에 대한 상세한 데이터베이스의 구축이 필요하다.
⑥ CRM은 조직내부의 모든 운영과정의 통합과 교재화하는 매뉴얼(manual)을 요구한다.

(3) CRM의 장점

환자의 정보들을 획득할 수 있으며, 환자의 요구에 맞추어 서비스를 제공할 수 있다. 또한 CRM을 통하여 치료, 시술, 수술의 장점 및 부작용 등 정확한 정보를 제공할 수 있으며, 내원경로를 통한 환자 소개자 관리, 상담 예약시 사전 문자발송 등을 함으로써 기존 환자들과 장기간 관계를 유지할 수 있다. 병원의 경우 구전효과도 매우 높은 분야여서 새로운 환자 유치에도 도움이 된다.

··· CRM의 단계별 목표(출처: 대한병원 코디네이터협회, 병원 코디네이터)

환자유치	환자유지	평생 환자
환자확보	관계유지	관계강화
어떤 특성을 가진 잠재환자가 우량환자가 될 가능성이 높은가?	신규환자를 어떻게 유지시킬 수 있는 것인가?	이탈환자의 이유는 무엇이며 어떻게 이탈을 막을 것인가?
잠재환자는 어디에 있으며 어떤 요구를 가지고 있는가?	어떻게 하면 환자의 이용률을 높일 수 있는가?	일반환자를 어떻게 우량환자로 만들것인가?

(4) 해피콜(Happy call)

해피콜은 당일 상담이나 진료를 받고 간 환자에게 병원 서비스에 대한 만족도를 직접 확인하는 방법이다. 이를 통해 불만은 병원 자체 내에서 흡수하고 만족도를 높이자는 의도인데, 환자의 만족도를 확인하는 차원에서 이루어지는 특별한 서비스라고 생각하면 된다.

환자와의 원활한 인간관계를 지속적으로 유지함으로써 환자 관리가 수월해지고, 횟수를 거듭하면서 직접 판매와도 연결시킬 수 있다는 장점 때문에 처음에는 서비스 분야에서 많이 이용하였다. 차츰 환자에 대한 서비스에 관심이 높아지고, 환자들의 서비스 요구 역시 높아지면서 이제는 대부분의 판매 활동에서 해피콜 서비스를 하지 않으면 판매가 되지 않을 정도로 일반화되었다. 그래서 규모가 크거나 네트워크(network)가 되어있는 병원의 경우 자체 콜센터를 통해 이러한 업무를 조직적으로 실시하고 있다.

※ 해피콜의 종류

① 처음 내원 후 만족을 묻는 해피콜
② 환자 생일날 생일 축하 메시지
③ 계절별 특성을 활용하여 안부를 묻는 메시지
④ 검사 및 치료 결과에 대한 안내 메시지

(5) 리콜(Recall)

리콜은 환자과의 지속적인 교류를 위해서 실시하는 방법 중의 하나로 이미 진료를 받은 환자에게 다음에 필요한 정기적인 관리나 이후 필요한 진료의 시기와 방법 등을 미리 알려주는 일종의 맞춤 환자서비스이다. 매스컴에서 자주 오르내리는 자동차나 기타 제조업체에서 말하는 리콜과는 다른 개념이다. 코디네이터는 리콜을 할 때 다음과 같은 목표를 달성해야 한다.

※ 리콜의 목표

① 병원에서 지속적인 관심을 보이고 있음을 환자가 알게 한다.

② 환자가 병원에 대한 신뢰감을 갖도록 만든다.

※ 리콜 방법

과거에는 리콜 방법으로 우편엽서나 카드 형태의 메시지를 통해 환자에게 정보를 주었다. 최근에는 인터넷과 스마트폰의 발달로 전자우편이나 문자메세지등의 형태로 리콜 하는 병원들이 대부분이지만, 정보화 시대에 손으로 직접 쓴 편지 한 장이 더욱 인간적일 수도 있다. 단, 환자가 원치 않아 할 수도 있으므로 사전에 동의를 구하는 것이 좋다.

리콜 방법은 병원 사정에 따라 여러 가지 방법 중 하나를 선택할 수도 있고 병행할 수도 있는데, 1차 리콜 후 반드시 직접 통화하여 다시 확인하는 것이 가장 확실한 방법이다.

※ 리콜의 종류

종류	방법	장점	단점
내원 당일 다음 약속	진료가 끝난 환자와 약속 차후 내원의 중요성 강조 (진료기록지에 내원일 기록)	시간이 들지 않음	확신이 없다. 담당자가 챙기지 않으면 잊혀진다.
전화 시스템	일정 기간 후 전화상으로 리콜하는 방식	환자의 반응 즉각 확인 반응 결과에 따른 진료 계획 수립 가능	부재중 직접 연락 불가 제3자 통화 시 확인 불가
메일 시스템	규칙적인 우편물 발송으로 환자와의 정기적인 접촉을 시도하는 방식	환자가 언제든지 볼 수 있고, 환자의 반응을 기다릴 수 있다.	단순 광고물로 무시할 가능성이 높다. 반응을 즉시 알 수 없다.

2) 환자만족도 조사

병원이 제공하는 서비스에 대하여 서비스 이용자인 환자가 서비스 활동 전반이나 특정 서비스를 평가하고 조사하는 것이다. 병원이 제공하는 서비스가 환자 중심적으로 구체적이고 다양하게 이루어지고 있는지의 여부, 환자의 기대 충족 여부를 측정함으로써 향후 병원 서비스의 방향과 수준 설정을 위한 기준으로 활용한다. 이러한 활동의 궁극적인 목적은 환자 만족을 극대화하여 환자 충성도를 확보하는 데 있다. 고객마다 특성이나 가치판단 기준 및 경험이 다르므로 같은 의료서비스를 받은 환자라도 이에 대한 만족도나 반응이 다를 수 있다. 의료서비스에 대한 환자 만족도는 다음과 같은 특징들을 갖게 된다.

① 환자 만족도의 의료서비스의 다양한 차원과 속성들이 복합적으로 작용하여 환자에게 평가된다.

② 환자 만족도는 동적인 과정을 통해 형성되며, 시간이나 상황에 따라 변화한다.

③ 환자 만족도는 태도나 행위 등을 통해 반응이 표현된다.

④ 환자 만족도의 형성에는 환자의 다양한 특성이 반영된다.

(1) 환자 만족도 서비스 평가의 측정

구분	고객 만족도 평가 요소
신뢰성 (reliability)	약속한 서비스를 믿게 하며 정확하게 제공하는 능력. 약속한 진료 및 서비스 시간 준수, 환자의 문제 발생 시 대처 태도, 진료비 청구의 적절성 등이 평가 대상
확신성 및 보장성 (assurance)	환자들에게 보여 주는 의료 서비스의 질과 예절, 환자들로 하여금 신뢰, 능력, 신용을 느끼게 해 주는 능력 등을 평가
유형성 (tangibles)	서비스는 보이지 않으므로 소비자들은 유형의 설비나 장치, 직원들의 외모 및 차림새 등으로 서비스의 질을 측정
공감성 (empathy)	문제를 해결할 때 환자의 개인적인 요구에 대한 배려, 환자에 대한 관심, 환자 요구의 경청, 환자 지향적인 시간 배려, 진심 어린 서비스 등을 평가
고객 반응성 (responsiveness)	환자들의 다양한 요구에 얼마나 즉각적인 서비스를 제공하는지의 여부를 평가

(2) 환자 만족도 조사방법 – 서베이(Survey) 조사

조사방법	장점	단점
대인 면접법	– 응답자를 직접 대면하여 충분한 시간을 갖고 조사를 실시하기 때문에 질문 내용을 정확하고 자세히 설명해 줄 수 있어 양질의 정보를 얻어낼 수 있다. – 응답자의 확인이 가능하고, 상대적으로 응답률이 높은 편이다. – 정해진 조사기간 내에 조사를 할 수 있다. – 표본분포의 통제가 가능하다.	– 현장조사로 인해 조사비용이 비교적 많이 소요된다. – 질의응답 과정에서 조사원이 응답자의 응답에 영향을 미칠 수 있다. – 응답자의 익명성이 보장되지 않는다.
전화 조사법	– 비교적 저렴한 비용의 조사방법이다. – 신속하고 간편하게 실시할 수 있다. – 익명성이 보장되어 응답률도 높은 편이다. – 지역, 거리와 관계없이 조사표본의 분포의 폭을 넓힐 수 있다.	– 조사시간이 짧아야 하는 특성으로 질문내용이나 질문유형을 다양하게 하는 데 있어서 한계가 있다. – 응답자와 통화가 불가능하거나 안되는 경우 제외되는 문제점이 있다.

조사방법	장점	단점
우편 조사법	– 조사원을 투입하지 않으므로 조사원 사용비용을 절약할 수 있다. – 익명성이 보장되어 솔직한 응답을 기대할 수 있다. – 면접의 오류 발생이 낮다. – 지역 관계없이 조사표본의 분포 폭을 넓힐 수 있다.	– 응답자가 질문내용을 잘 이해하지 못할 경우 설명이 불가능하다. – 응답률은 전체 발송량의 10~20% 정도로 낮은 수준이다.
인터넷 조사법	– 조사 대상자수의 증가에 따른 추가 비용의 발생이 미미하다. – 설문문항에 동영상, 3차원 이미지 등의 입체적인 질문이 가능하다. – 24시간 장소를 구애받지 않고 쌍방향 커뮤니케이션을 통해 조사를 할 수 있다. – 설문의 회수가 빠르고 실시간으로 분석이 가능하다. – 조사 대상자의 범위를 광범위하게 할 수 있다.	– 인터넷 설문을 스팸 메일로 생각하여 응답에 참여하지 않을 가능성이 높다. – 조사 대상자가 인터넷을 사용하는 사람으로 한정되고, 조사에 능동적인 사람만이 응답하게 되어 조사의 대표성을 상실할 가능성이 있다.

(3) 고객의 소리(VOC)

고객의 소리(voice of customer)란 병원의 고객인 환자들이 병원에 들려주는 소리로서, 병원에서는 다양한 채널을 통해 환자의 소리를 들을 수 있다. 병원 홈페이지의 게시판, 전화, 환자 의견 카드, 편지 등 환자의 소리에 잘 응답하여 불만사항을 해결해 주어야 한다. 또한 환자의 소리를 잘 정리하고 분류하여 병원 서비스 품질을 개선하는 데 필요한 정보로 활용할 줄 알아야 한다. 환자 소리함은 익명성이 보장되기 때문에 많은 정보를 획득할 수 있다는 장점이 있는 반면 회수율이 낮다는 단점이 있다.

① 환자 의견 카드, 홈페이지 게시판 등 채널을 다양화한다.
② 환자의 소리를 한 곳으로 모아 정리한다.
③ 정리한 환자의 소리를 검토하고 내용별로 분류하여 그 결과를 병원 전체 직원에게 알리고 공유하도록 한다.
④ 환자들이 제기하는 내용에 대해 대응자료를 표준화하고, 이를 병원서비스 매뉴얼에 반영한다.
⑤ 정리된 환자의 소리를 토대로 하여 새로운 서비스를 기획하거나 더 나은 서비스를 위한 정보로 활용한다.

(4) 설문 문항 작성시 유의사항

① 문항의 구성은 간결하고 명확하게 한다.

② 각 문항의 구성은 단 하나의 질문으로 한다.

③ 부정하는 표현은 사용하지 않는다.

④ 해석이 두 개 이상으로 될 수 있는 문장은 되도록 사용하지 않는다.

⑤ 응답자들이 이해하기 쉬운 단어를 사용한다.

⑥ 항상, 모두, 절대로, 아무도 등과 같은 전체 긍정이나 전체 부정어를 포함하는 문장을 사용하지 않도록 한다.

⑦ 만약에, 왜냐하면 등의 단어를 포함하여 쓰지 않는다.

(5) 환자 만족도 조사 과정

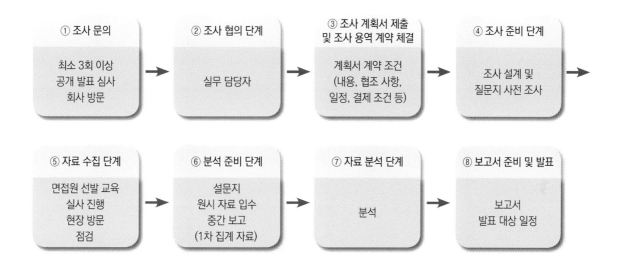

(6) 환자 만족도 개선안 도출

　도출된 각각의 문제점들에 대하여 원인을 분석하고, 결과를 토대로 타당성이 높은 개선안을 선정하고, 선정된 개선안의 실행 계획을 세우는 단계이다.

　개선계획은 팀원 및 팀 관리자와의 논의를 통해 수립하도록 한다. 의료서비스의 특성상 개선단계에서 중요한 것은 현장에서 직접 부딪히는 실무자들의 아이디어가 최대한 반영된 개선안을 찾는 것이다. 현장 실무자의 의견을 수렴하지 않고 개선안을 만들게 되면 실행에 많은 어려움을 겪을 수 있고 효과적이지 않기 때문이다.

(7) 환자 만족도 개선 프로세스

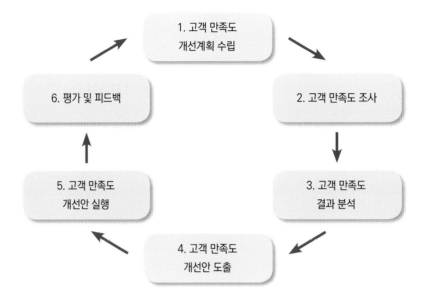

(8) 환자 만족도 개선활동 평가 및 피드백(Feedback)

① 의료서비스는 지속적인 관리가 매우 필요하다.

② 개선안을 실행하고 난 후에는 반드시 평가가 이루어져야 한다.

③ 코디네이터는 각 개선안을 실행하고 얻은 성과를 파악하고 자료를 수집한다. 평가 결과물을 통해서 개선안이 바람직한 결과를 얻었는지 확인하고, 그렇지 못한 경우에는 해당 부서에 피드백을 주어 해당 개선안의 실행을 중단하거나 단점을 보완해 나가야 한다.

④ 개선안을 실행한 후에는 꾸준히 효과를 거두는지 정기적인 관리가 필요하다.

⑤ 환자 만족도의 수치로 보아 개선안의 효과가 작거나 감소하고 있다면 적절한 조치를 취할 수 있도록 대응 계획안을 수립한다.

(9) 서비스 설문조사표 예시

서비스 설문조사

안녕하세요 OO성형외과입니다. 저희는 환자분들이 원하시는 친절하고 쾌적한 병원을 만들기 위해
여러분의 소중한 의견을 듣고자 합니다.
설문에 응해주시는 내용은 환자분의 진료기록과는 전혀 상관이 없으며, 여러분의 의견 하나하나를 소중히 생각하고
반영하여 더욱 편안하고 환자를 생각하는 병원이 될 수 있도록 하겠습니다.

1. 병원에 들어섰을 때 직원들은 미소와 큰소리로 인사하며 맞이해 줬나요?
　　① 항상 그렇다　　② 가끔 그렇다　　③ 아니다　　　　④ 전혀 아니다

2. 직원들끼리 잡담을 하며 모른 체 하거나 무표정으로 응대한 적이 있나요?
　　① 항상 그렇다　　② 가끔 그렇다　　③ 아니다　　　　④ 전혀 아니다

3. 병원내부가 항상 청결하다는 생각이 드시나요?
　　① 매우 그렇다　　② 그렇다　　　③ 보통이다　　　④ 아니다　　　⑤ 매우 아니다

4. 대기시간에 활용할 만한 것들이 충분히 구비되어 있다고 생각 하시나요?
　　① 매우 그렇다　　② 그렇다　　　③ 보통이다　　　④ 아니다　　　⑤ 매우 아니다

5. 원장님은 환자의 질문에 관해 충분한 설명을 해주나요?
　　① 매우 그렇다　　② 그렇다　　　③ 보통이다　　　④ 아니다　　　⑤ 매우 아니다

6. 우리병원 방문 시 가장 불편했던 점은 무엇인가요?
　　① 교통편　　　　② 직원들의 불친절　　　③ 의사의 불친절　　　④ 대기시간
　　⑤ 병원시설　　　⑥ 기타(　　　　　　　　　　　)

7. OO성형외과를 다른 사람에게 추천한 적이 있나요?
　　① 있다　　　　　② 없다

8. 있다면 그 이유는 무엇인가요?
　　(　　　　　　　　　　　　　　　　)

9. OO성형외과에 개선점이나 바라는 점이 있다면 간략하게 적어주세요.
　　(　　　　　　　　　　　　　　　　)

귀하의 의견을 귀중한 자료로 삼아 보다 나은 서비스로 모시겠습니다.
설문에 응해서 좋은 의견 주셔서 대단히 감사합니다.

제**2**장

임상 총론

1. 미용성형의 안전관리지표

미용성형 환자의 안전한 수술과 만족스런 결과를 위해서는 의사뿐만 아니라 업무를 보조하는 간호사, 상담사 등 모든 직원들이 의학미용의 의료서비스 자세와 기본 임상지식을 갖추어 치료와 감염예방을 익히며, 수술의 목적과 방법을 이해하면서 응급상황에서 대처 능력을 갖추어야 한다. 환자 안전에 최선을 다할 수 있는 환자 안전 관리지침을 익히기 위해서는 이러한 미용성형의 의료서비스와 임상지식을 쉽게 이해할 수 있도록 평소 교육이 되어야 환자와의 원활한 소통과 안전한 진료의 목표를 달성할 수 있다.

안전한 성형수술을 위해서는 수술 전에 직접 수술할 의사와 충분히 상담하는 것이 무엇보다 중요하다. 대부분의 경우에 운영의 편의를 위해 상담실장이 환자와 상담하고 수술을 결정하는데, 이는 불법이며 환자에게 수술의 정확한 정보를 제공하지 못한다. 상담실장이나 코디네이터의 역할은 수술할 의사와 상담한 수술 내용의 충분한 이해를 돕기위해 부연설명을 하거나 수술 전 준비사항과 수술 후 주의사항을 설명하고, 수술 일정과 비용 등을 정하는 것이다. 수술 전 상담에서는 어떤 부위를 수술할 것이며, 수술방법, 수술 전후 주의사항, 수술 후 부작용과 합병증에 대해서도 꼼꼼히 설명하여 의사와 환자 간의 충분한 소통이 필요하다. 이러한 수술 전 설명 사항은 진료기록부에 잘 기록해 둬야 하고, 설명을 바탕으로 수술동의서도 환자로부터 받아야 한다.

안전한 수술을 위해서는 수술 전 점검사항을 잘 파악하고 유의사항을 잘 알려줘야 하는데, 환자의 평소 건강상태와 질병 유무를 파악하여 수술에 지장 없게 검사하고 수술 전에 유의해야 할 사항과 준비사항을 알려줘야 한다. 수술 당일에는 환자의 신상정보, 수술 부위, 수술방법, 마취 방법에 따라 수술에 차질이 없도록 수술 준비가 되어야 하며, 의사와 환자는 수술 전에 서로 정확히 확인하여야 한다.

수술실에서 직원은 수술실 장비와 기구들을 숙지하여 수술방법에 맞게 장비와 기구가 준비되어야 하고,

마취방법에 따라 마취의 종류와 마취제의 특성에 대해 숙지해야 한다. 특히 마취제는 환자의 몸에 들어가 직접 약물작용과 마취작용을 하므로 엄격히 관리되어야 한다.

수술 후에는 환자의 상처치료와 약물치료가 필요한데, 성형외과에서 사용하는 상처 치료방법과 소독약물의 종류에 대해 숙지해야 하며, 약물치료에 사용되는 항생제, 소염제, 진통제, 소화제 등 사용 약물에 대해서도 관리를 잘 해야 한다. 수술이란 마취상태에서 마취약과 약물이 투여되는 과정에 이루어지는 것이기 때문에 언제 어떤 방식으로 응급상황이 발생할지 예측할 수 없으므로, 응급상황에 대처할 수 있는 기구와 약물을 항상 준비해 둬야 하며 유사시 문제없이 해결할 수 있는 능력을 갖추어야 한다.

2. 의료분쟁 예방을 위한 진료기록부와 수술동의서

질병치료를 위한 외과적 수술에 비해 성형수술은 환자의 자율적인 선택이 강한 의료행위이기 때문에 의사의 설명 내용과 환자의 선택권이 매우 밀접한 관계에 있다.

성형수술 관련 의료분쟁은 의사와 환자 간의 복합적 문제가 결부되어 있는데, 설명 부족에 따른 비현실적 기대와 사소한 불만족에서부터 장애, 사망에 이르기까지 다양하게 나타난다. 이러한 의료분쟁은 의료인의 설명의무와 주의의무가 관건이며, 이러한 의무들에 최선을 다했는지를 진료기록부에 작성하지 못하면 책임을 묻게 되므로 진료기록부와 수술동의서를 신중하게 설명하고 꼼꼼하게 기록해 두어야 한다.

1) 진료기록부

진료기록부에는 환자의 기본정보, 외래기록지, 수술기록지, 외래 또는 입원 경과기록지, 간호기록지 등 다양하다. 환자의 기본정보에는 개인 신상, 과거 또는 현재 앓고 있는 질환(특히 정신과 병력), 수술 과거력(특히 성형수술 포함), 현재 복용 중인 약물 등을 기록하고, 키, 몸무게, 혈압 등을 측정한다.

외래기록지에는 환자와 처음 진료를 보며 상담했던 내용을 자세히 기록하는 초진기록지가 있는데, 첫 상담을 통해 수술여부를 결정하는 과정이 들어있으므로 의사의 설명내용과 환자의 선택권에 있어 매우 중요한 자료가 된다. 그러므로 진료에서 수술까지 최대한 설명하고, 설명을 바탕으로 환자 스스로 결정하게 해야 하며, 특히 분쟁의 소지가 있는 경우에는 설명을 더욱 신중하게 하여 문제 중심의 진료기록을 꼼꼼히 해야 한다.

수술 후에는 수술기록지를 양식에 맞추어 자세히 기록하여야 하며, 수술 중 특이사항이 있었던 부분에 대해서도 자세히 기록해 둬야 한다.

수술 후 입원 여부에 따라 외래 또는 입원 경과기록지를 통해 수술 후 환자의 상태, 상처의 상태, 특이사항 등을 자세히 기록하며, 이때 간호사도 경과에 대한 간호기록지를 작성한다.

의료법에 의하면, 의료인은 진료기록부, 간호기록부 등 진료에 관한 기록을 갖추어 두고, 환자의 주된 증상, 진단 및 치료 내용 등 의료행위에 관한 사항과 의견을 상세히 기록하고 서명하여, 일정 기간 보관하여야 한다. 진료기록부를 거짓으로 작성하거나 고의로 사실과 다르게 추가 기재, 수정하여서는 안 된다고 법으로 규정해 두었으며, 위반할 경우 행정처분을 받는다.

2) 수술동의서

수술동의서는 그동안 의료진이나 의료기관의 자율적 결정에 따른 것이지 의료법의 의무사항은 아니었지만, 2017년 6월부터 의료법에 의해 환자에 대한 설명과 동의 의무를 법으로 부과하였다.

의료법에 의하면, 의사는 생명이나 신체에 중대한 위해를 발생하게 할 우려가 있는 수술, 수혈, 전신마취의 경우에는 환자에게 의료내용을 설명하고 서면 동의를 얻어야 한다. 동의 내용은 환자에게 발생하거나 발생 가능한 증상의 진단명, 수술의 필요성, 방법과 내용, 설명의사 및 수술에 참여하는 주된 의사 성명, 수술 후 발생 예상되는 후유증 또는 부작용, 수술 전후 환자의 준수사항 등이다. 또한 환자에게 동의를 받은 사항 중 수술방법 및 내용, 수술에 참여하는 주된 의사가 변경된 경우에는 변경 사유와 내용을 환자에게 서면으로 알려야 한다. 이러한 내용이 포함된 수술동의서(마취동의서)는 수술과 마취 방법에 맞추어 설명되고 환자에게 서명 받아야 한다. 그러므로 수술과 마취에 대한 전반적 수술동의서와 수술별 수술동의서를 따로 서명받아야 하며, 수술별 수술동의서는 임상 각론의 수술부위별 소개에서 수술별로 소개한다.

의료분쟁은 생기지 않게 예방하는 것이 좋으나, 피할 수 없는 상황이므로 현명하게 대처하고 해결하는 것이 중요하다. 이상의 모든 문제들을 해결하기에 앞서 의사 스스로 정직과 도덕성이 기본되는 윤리적 규범이 필요한데, 이는 의사의 개인적 생활태도, 환자에 대한 윤리, 진료 윤리, 의료광고 윤리를 지키며, 의료분쟁에 있어서도 윤리적 규범을 준수하여 환자와 사회로부터 신뢰를 굳건하게 해야 한다.

		등록번호	
		성 명	

□ 수술
□ 시술
□ 검사
□ 마취
□ 의식하진정

동의서

공정거래위원회
표준약관 제10003호
(2016. 6. 22. 개정)

1. 환자의 현재 상태(검사결과 및 환자의 고지에 따라 유/무/미상으로 나누어 기재)

진단명			
수술, 시술, 검사명			
참여 의료진	주치의(집도의 1) (이름:)	□ 전문의(전문과목:), □ 일반의(진료과목:)	
	주치의(집도의 2) (이름:)	□ 전문의(전문과목:), □ 일반의(진료과목:)	
시행예정일			

과거병력(질병 · 상해 전력)		알레르기	
특이체질		당뇨병	
고 · 저혈압		마약사고	
복용약물		기도이상 유무	
흡연여부		출혈소인	
심장질환(심근경색증 등)		호흡기질환(기침 · 가래 등)	
신장질환(부종 등)		기타	

* 수술참여 집도의가 다수인 경우 모두 기재해 주시기 바랍니다.
주치의(집도의 1, 2) 기재란 기재요령: 주치의(집도의 1) 항목에는 환자의 주치의(집도의) 정보를 기재. 주치의(집도의 2) 항목에는 당해 수술 · 시술 등에 있어 주치의(집도의 1) 이외에 추가적으로 주치의의 역할(주된 수술역할 등)을 담당하는 의사가 있는 경우에 한하여 작성

2. 설명사항

* 각 항목의 구체적인 내용은 수술 · 시술 · 검사의 특성에 따라 개별적으로 기재할 수 있습니다.
* 개별적 기재 내용 중 중요한 사항에 대하여는 굵은 글씨로 표시하거나 밑줄을 강조하는 것이 바람직합니다.

		등록번호	
		성 명	

20 년 월 일 시 분

환자명 :   (서명 또는 날인)
주민등록상의 생년월일: 집 전 화:
주소: 휴대전화:

대리인(환자의   ):   (서명 또는 날인)
주민등록상의 생년월일: 집 전 화:
주소: 휴대전화:

* **대리인이 서명하게 된 사유**
    □ 환자의 신체적 · 정신적 장애로 인하여 약정 내용에 대하여 이해하지 못함
    □ 미성년자로서 약정 내용에 대하여 이해하지 못함
    □ 설명하는 것이 환자의 심신에 중대한 나쁜 영향을 미칠 것이 명백함
    □ 환자 본인이 승낙에 관한 권한을 특정인에게 위임함
        (이 경우 별도의 위임계약서를 본 동의서에 첨부하여야 합니다)
    □ 기타
* 의사의 상세한 설명은 이면지 또는 별지를 사용할 수 있습니다.(이 동의서에 첨부함)
* 환자(또는 대리인)는 이 동의서 또는 별지 사본에 대한 교부를 요청할 수 있으며, 이 요청이 있을 경우 지체 없이 교부하도록 합니다. 단, 동의서 또는 별지 사본 교부 시 소요되는 비용을 청구할 수 있습니다.
* 수술(검사, 시술) 후 보다 정확한 진단을 위하여 추가로 특수 검사를 시행할 수 있으며, 이 경우 추가비용을 청구할 수 있습니다.

_____ **병원(의원)장 귀하**

K 성형외과병원
K-plastic surgery hospital

성형외과 수술 · 마취 동의서

| 등록번호 : |
| 이　　름 : |
| 생년월일 : |
| 병　　실 : |

| 진단명 : |
| 수술명 : |
| 주치의(설명의사) :　　　　　　　　　　　　　　　　　㊞ |
| 키 :　　　　　　　　몸무게 :　　　　　　　　혈액형 : |

본인은 본인(또는 환자)에 대한 수술(검사, 마취)의 필요성, 내용, 예상되는 합병증, 후유증
(

　　　　　　　　　　　　　　　　　) 등에 대한 설명을 의사로부터 들었으며, 본 수술
(검사, 마취)로써 불가항력적으로 야기될 수 있는 합병증 또는 환자의 특이체질로 인해 우발적 사고가 일어날
수 있다는 것을 이해하고, 수술(검사, 마취)에 협력할 것을 서약하며, 이에 따른 의학적 처리를 주치의 판단
에 위임하여 수술(검사, 마취)하는데 동의합니다. 또한 환자의 수술 전/후에 시행한 혈액검사, 조직검사, 방사선
촬영 및 이미지 촬영은 교육 및 연구 자료로 익명으로 사용될 수 있음을 허락합니다.
I understand that photography/video recording taken before/during/after the operation & specimens of
blood, tissue or other body products obtained for diagnostic purposes or removed at operation may
be retained for possible use in medical reserch and development.
When used, all data will be anonymous.

1. 환자가 평소에 알고있던 질환이나 복용 중인 약물을 자세히 기술하세요.
　고혈압(　), 심장병(　), 당뇨(　), 간염(　), 결핵(　), 천식(　), 약물 / 음식 알레르기(　)
　현재 감기(　), 현재 임신 (　), 기타 (　), 없음(　)

2. 환자가 과거에 수술하신 적이 있으십니까?
　(예 / 아니오 :　　　　　　　　　　　　　)

　　　　　　　　20　　　년　　　　월　　　　일　　　　시　　　　분

환　　　자 :　　　　　　　　　㊞
보호자(대리인) :　　　　　　　㊞　　(환자와의 관계 :　　　　　　　　　　　　　)
생년월일 :
주소 또는 연락처 :

● 대리인이 서명하게 된 이유
　□ 환자의 신체, 정신적 장애로 인하여 진정에 대하여 이해하지 못함
　□ 미성년자로서 약정 내용에 대하여 이해하지 못함
　□ 설명하는 것이 환자의 심신에 중대한 나쁜 영향을 미칠 것으로 명백함
　□ 환자 본인이 승낙에 관한 권한을 특정인에게 위임함
　　(이 경우 별도의 위임 계약서를 본 동의서에 첨부하여야 합니다.)
　□ 기타 :　　　　　　　　　　　　　　　　　　　　　　　　　　　　
● 의사의 상세한 설명은 이면지 또는 별지를 사용할 수 있으며(본 동의서에 첨부) 환자(또는 대리인)가
　본 동의서 사본을 원하는 경우 이를 교부합니다.
● 수술에 대한 전반적 설명은 따로 들었으며 수술전후 주의사항에 대해선 안내문과 함께
　설명 들었습니다.

K성형외과병원 귀하

3. 수술 전후 임상사진

1) 임상사진의 표준화

임상사진은 진료기록부 중의 하나로서, 글이나 그림으로는 묘사할 수 없는 신체의 변화를 상세히 묘사할 수 있기 때문에 성형수술 환자에게는 매우 중요한 정보가 된다. 임상사진은 수술 전, 수술 중, 수술 후로 나누어 찍는데, 수술 전 사진은 환자의 수술 전 모습을 그대로 보관하고 환자가 바라는 바를 구체적으로 아는데 도움을 주며, 수술 후 사진은 수술 전 사진과 비교해서 수술이 잘 되었는지 평가하는 데 필요하며, 수술 중 사진은 수술 중 절제된 신체부위나 수술 중 특이사항에 대해 보관하는 것이다.

이외에도 임상사진은 교육과 홍보에도 사용되며, 의료분쟁 때 의사를 변호할 수 있는 매우 중요한 자료가 되므로, 수술 전후 정확하고 일관성 있게 찍어 두어야 한다.

임상사진에 있어 가장 중요한 것이 사진의 일관성이기 때문에 항상 동일한 장비, 환경, 조건을 사용하는 것이 중요하므로, 과거에는 이런 조건들을 맞추기 위해 카메라 본체, 렌즈, 필름, 조리개, 셔터스피드, 초점거리 등 기술적인 부분까지 모두 갖추어야 했지만, 요즘은 디지털 카메라의 발전과 대중화로 이런 복잡성은 많이 해결되면서 임상사진의 활용이 쉬워졌다.

각각 다른 광원의 빛은 다른색을 쓰고 있는데, 백열등 아래 찍은 사진은 노란색을 많이 띠고, 형광등은 푸른색을 많이 띤다. 그러므로 조명이 항상 일정한 사진실(그림 3-1)을 두는 것이 좋으며, 그렇지 못하더라도 사진 촬영 장소와 환경은 일정한 곳에서 시행한다.

그림 3-1. 조명이 항상 일정한 사진실

촬영할 때 환자와 카메라 간 거리에 조금만 차이가 있어도 크기에 변동이 생기므로 일관된 사진을 찍기 위해서는 미리 일정한 거리를 정해두는 것이 좋고, 환자의 자세가 조금만 달라져도 사진에는 상당한 차이가 있으므로 환자의 자세도 일정하게 표준화해야 한다. 그러므로 수술 전후 사진이 임상적으로 정확히 기록되고 서로 비교해 볼 수 있으려면 일관성을 유지하기 위해서 장비, 조명, 환자의 자세, 카메라의 각도 등 항상 표준화된 조건으로 촬영되어야 한다.

진료기록부와 마찬가지로 수술 전후 임상사진도 윤리적 규범에 따라 취급해야 하므로 사진을 찍기 전에 환자로부터 승낙의 동의서를 받아야 하며, 환자는 임상사진을 거부할 권리가 있다. 또한 환자의 사진을 출판물, 강의, 홍보 등에 사용하려면 사전에 환자로부터 이러한 목적에 사용해도 좋다는 승낙의 동의서를 받아야 한다.

2) 수술부위별 기본 임상사진

임상사진 중 얼굴에서 가장 많이 사용되는 환자의 자세와 사진의 종류는 정면사진(AP view), 측면사진(lateral view), 45도 사면사진(oblique view), 비저사진(worm's eye view)이다(그림 3-2).

얼굴 정면사진은 머리의 두정부에서 쇄골까지 포함되게 찍으며, 측면사진은 정면사진 자세에서 90도 돌려 앞은 코끝 전방에 여백이 있게 하고 뒤로는 귀를 포함하여 후두부까지 포함되게 찍으며, 45도 사면사진은 정면사진 자세에서 45도 돌려 찍으며, 비저사진은 턱 끝을 치켜 올려 코끝이 양쪽 눈썹 사이에 있도록 해서 찍는다.

이러한 기본 사진을 중심으로 수술 부위별 기본적 표준임상사진을 찍는데, 어떤 부위를 찍든 환자의 정보와 얼굴 정면사진은 항상 찍어두어 환자를 식별할 수 있게 한다.

정면사진(AP view)　　　우측 측면(Right lateral view)　　　우측 45도 사면(Right oblique view)

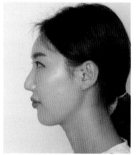  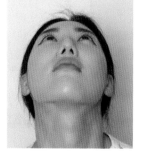

좌측 측면(Left lateral view)　　　좌측 45도 사면(Left oblique view)　　　비저(worm's eye view)

그림 3-2. **수술부위별 기본 임상사진**

(1) 얼굴사진(그림 3-3)

　얼굴 정면사진, 우측 측면사진, 우측 45도 사면사진, 좌측 측면사진, 좌측 45도 사면사진, 비저사진 등 기본적으로 6장이다. 안면거상술 때는 목 전체가 보이도록 쇄골까지 포함시키며, 안면윤곽 또는 턱교정수술 때에는 구강견인기(mouth-lip retractor)를 이용하여 정면과 양측 45도 사면의 치아교합상태를 추가로 촬영한다.

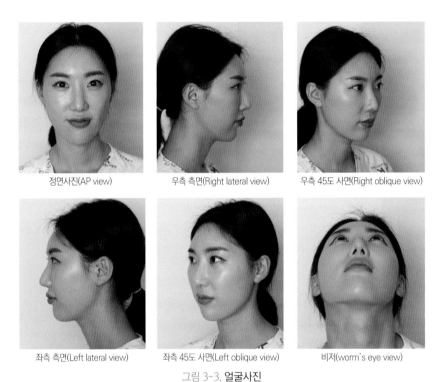

| 정면사진(AP view) | 우측 측면(Right lateral view) | 우측 45도 사면(Right oblique view) |

| 좌측 측면(Left lateral view) | 좌측 45도 사면(Left oblique view) | 비저(worm's eye view) |

그림 3-3. 얼굴사진

(2) 눈사진(그림 3-4)

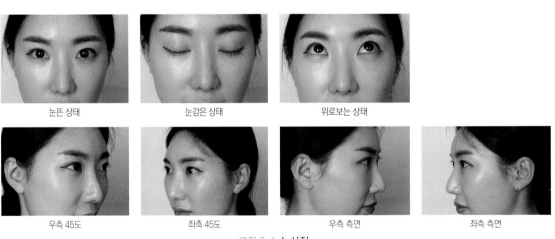

| 눈뜬 상태 | 눈감은 상태 | 위로보는 상태 |

| 우측 45도 | 좌측 45도 | 우측 측면 | 좌측 측면 |

그림 3-4. 눈사진

쌍꺼풀 수술, 상안검 또는 하안검성형술 때 촬영하는 것으로, 카메라를 수평으로 눕혀서 위로는 눈썹과 이마, 아래로는 코끝이 보일 정도로 근접 촬영하는데, 근접 정면사진(눈뜬 상태, 눈감은 상태, 위로 보는 상태), 근접 양측 45도 사면사진, 근접 양측 측면사진 등 기본적으로 7장이다.

(3) 코사진(그림 3-5)

코성형 때 촬영하는 것으로, 카메라를 수직으로 세워 코를 중심으로 근접촬영 하는데, 근접 정면사진, 근접 양측 45도 사면사진, 근접 양측 측면사진, 근접 비저사진 등 기본적으로 6장이다.

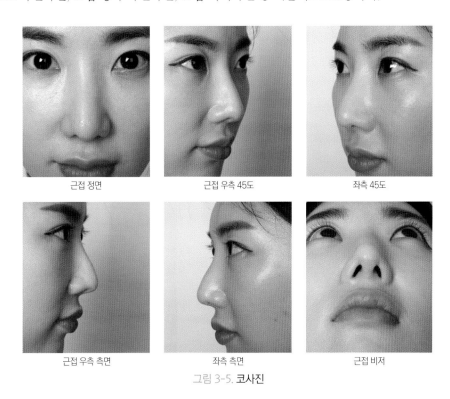

| 근접 정면 | 근접 우측 45도 | 좌측 45도 |

| 근접 우측 측면 | 좌측 측면 | 근접 비저 |

그림 3-5. **코사진**

(4) 가슴사진(그림 3-6)

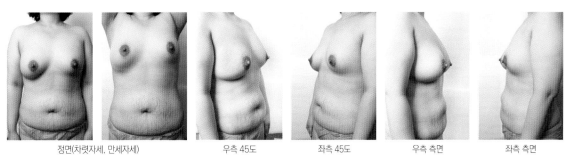

정면(차렷자세, 만세자세)   우측 45도   좌측 45도   우측 측면   좌측 측면

그림 3-6. **가슴사진**

유방확대술, 유방축소술, 함몰유두 등 유방성형술 때 촬영하는 것으로, 카메라를 수직으로 세워 위로는 어깨와 쇄골이 포함되고, 아래로는 하복부가 포함되게 찍는다.

정면사진(차렷자세, 만세자세), 양측 45도 사면사진, 양측 측면사진 등 기본적으로 6장이다.

(5) 복부사진(그림 3-7)

복부성형술, 지방흡입술 때 촬영하는 것으로, 배꼽을 중심으로 카메라를 수직으로 세워 위로는 쇄골이 포함되고, 아래로는 허벅지가 포함되게 찍는다. 정면사진, 양측 45도 사면사진, 양측 측면사진, 후면사진 등 기본적으로 6장이다.

가슴사진 또는 복부사진 등 사진을 찍기 위해 환자가 옷을 벗어야 할 때에는 직원이나 보호자가 함께 있도록 한다.

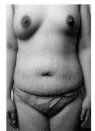  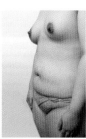 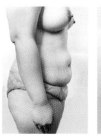 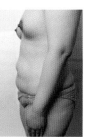 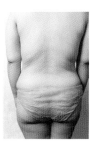

| 정면 | 우측 45도 | 좌측 45도 | 우측 측면 | 좌측 측면 | 뒷면 |

그림 3-7. **복부사진**

4. 성형수술 환자의 정신과적 측면

성형수술은 개인의 심리적인 요구와 밀접한 연관을 갖고 있을 뿐만 아니라 그 시대와 사회문화적 현실 상황과도 깊이 관련되어 있다.

평가방식에 따라 다를 수 있지만, 성형수술을 원하는 사람 중 정신질환을 가진 경우가 많고, 약 20%는 정신과적 약물을 복용하고 있다고 한다. 성형수술을 받고자 하는 사람들은 나름대로의 충분한 이유가 있겠지만, 다른 부위의 기형이나 질환을 치료하는 환자들보다 정신과적 문제점을 가진 비율이 높으므로, 환자 자신뿐만 아니라 환자의 가족과 친구 등 주위 사람들의 조언이 매우 중요할 수 있다. 그러므로 수술 전 상담을 통해 환자의 성격, 심리상태, 생활환경, 직업, 사회활동 등을 파악한 후 환자의 궁금증과 욕구, 수술에 대한 이해 정도, 수술 후 만족 가능성 등을 서로 이해해야 신뢰를 만들 수 있다.

성형열풍, 성형공화국이라는 말이 생길 정도의 사회분위기를 감안하면 성형수술에 대한 정신과적 측면은 좀 더 넓게 해석되어야 하지만, 환자의 주장이 과도한 환상을 갖거나 현실성이 떨어지고, 성형수술에 대한 기대치와 욕구가 커지면 실망도 커질 수밖에 없다.

예를 들어 신체의 한 부분 못생긴 것이 실패, 조롱, 불행의 원인이라 생각하거나 수술 받고나면 자신의 생활이 신통하게 좋아질 것으로 기대하는 경우, 잘 지내다가 최근에 슬픔, 실패, 좌절 등을 맛보고 수술로써 이러한 정신적 수렁에서 벗어나려는 경우, 지나친 기대 또는 비현실적인 성형결과를 집요하게 요구하는 경우, 작은 기형인데도 집착하는 경우, 기형이 없는데도 있다고 우기며 수술을 조르는 경우, 오랫동안 여러 가지 수술을 탐닉하면서 계속 수술을 요구하는 성형수술중독 등 현실감에서 동떨어진 생각과 목적으로 성형수술을 받으려 하는 사람이 있다면 가족과 친구 등 주위 사람들의 관심과 조언이 매우 중요하며, 필요하다면 수술 전 상담 때 같이 동행하여 그러한 수술 동기를 의사와 솔직히 상담해야 한다. 수술 전에 심한 불안감을 느끼는 환자일수록 수술 후에 정신과적 문제가 일어날 확률이 높으므로 수술 전에 환자의 불안 정도를 파악하는 것도 중요하다.

최근에는 성형수술이 많이 일반화되다보니, 중학교 저학년의 어린 나이에도 불구하고 성형수술을 받기 원하거나 실제로 많이 행해지는 것을 볼 수 있다. 하지만 우리 몸은 부위별로 성장시기가 다르고, 그래도 아직은 성형수술이 우리 문화에는 대중화되지 못해 주위의 편견으로 어린 나이에 정신적 갈등을 느낄 수 있기 때문에 적절한 수술시기를 선택해야 한다.

성형수술을 받고자 하는 환자 중 수술해서는 안 될 주의를 요하는 환자를 정리해보면 다음과 같다. 타인의 압력에 못이겨 수술을 받으려는 사람, 과도한 기대를 가진 사람, 다른 더 큰 기형이 있음에도 사소한 기형에 집착하는 사람, 사소한 기형을 과장하는 사람, 우울증 성향이 있으면서 그 중 최근 생활변화로 인해 우울한 사람, 자신의 신체를 지나치게 완벽하게 만들고 싶은 사람, 자기애 성향이 강해 남의 칭찬에 의존하는 사람,

수술 목적이 애매한 사람, 상담 중 의사를 불편하게 느끼도록 하는 사람, 상담 중 귀찮게 요구하는 것이 많은 사람 등이다. 이러한 성형수술 환자의 심리와 정신과적측면은 상담 중에만 파악되는 것이 아니라, 접수, 의사 상담, 상담사 상담, 예약, 수술 및 치료 과정에 모두 드러나기 때문에 상담 의사뿐만 아니라 간호사, 상담사, 행정직원 모두가 관심을 가지고 서로 소통해야 한다.

크든 작든 성형수술을 받는다는 것은 소중한 시간, 육체적 고통, 경제적 부담을 안으며 시행하는 큰 용기이기에 자신감을 갖는 계기로 만들어야 한다. 이러한 과정 속에 병원에서 일하는 모든 직원들은 환자의 심리상태를 이해하고 친절하게 정성을 다해야 한다.

성형수술은 다른 외과적 수술에 비해서 더욱 밀접한 의사와 환자관계의 형성이 요구되므로, 수술 전에 반드시 개인 상담을 통해 수술의사와 환자 사이의 신뢰 형성과 대화소통을 확립하는 것이 매우 중요하다.

5. 안전한 수술을 위한 수술 전후 점검과 유의사항

1) 활력징후(Vital sign)

안전한 수술을 위해서는 수술 전후에 항상 환자의 전신상태를 면밀히 관찰하면서 유사시에 대비해야 한다. 그 중 활력징후는 환자의 몸 상태를 파악할 수 있는 객관적 자료이며, 환자의 상태에 따라 민감하게 변하기 때문에 혈압, 맥박, 호흡, 체온의 활력징후를 수시로 측정해야 한다.

(1) 혈압(Blood pressure, BP)

혈압은 수축기와 이완기 혈압으로 구분하며, 심장이 수축하여 심장 밖으로 혈액이 나올 때의 혈압을 수축기 혈압, 반대로 심장이 이완되면서, 심장으로 혈액이 들어갈 때의 혈압을 이완기 혈압이라 하고, 120/80mmHg(수축기/이완기 혈압)과 같이 동시에 표기한다.

혈압을 재는 부위는 심장의 위치와 비슷한 상박부의 상완동맥에서 주로 측정하며, 성인의 정상범위는 100~140/50~90mmHg 정도이다. 그러므로 고혈압은 140/90mmHg 이상, 저혈압은 90/60mmHg 이하이다.

(2) 맥박(Pulse rate, PR)

심장에 있는 피가 동맥으로 밀려나오면서 심장박동에 따라 일어나는 동맥의 주기적인 파동을 말하는데, 주로 손목부위의 요골동맥(radial artery), 목의 경동맥(carotid artery)에서 검지와 중지를 대고 지긋이 눌러 잴 수 있다. 성인의 정상 맥박수는 분당 60~100회 정도이며, 100회 이상인 경우를 빈맥(tachycardia), 60회 이하인 경우를 서맥(bradycardia), 규칙성을 잃고 불규칙하게 뛰는 경우를 부정맥(arrhythmia)이라고 한다.

(3) 호흡수

호흡수는 숨을 들이마시고 내쉬는 것을 한 번으로 보는데, 호흡을 잴 때는 가슴과 복부 부위의 상하운동으로 확인할 수 있으며, 성인의 정상호흡수는 분당 12~20회 정도이다.

요즘은 맥박-산소포화도 계측기(pulse oximeter)(그림 5-1)를 비침습적으로 손톱에 간단히 장착하여 환자의 혈중 산소 포화농도를 간접적으로 측정할 수 있어 호흡 상태를 파악할 수 있을 뿐만 아니라 환자의 맥박 상태도 같이 측정할 수 있다.

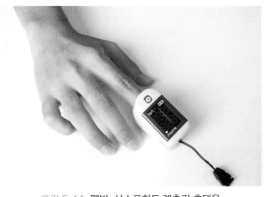

그림 5-1A. 맥박-산소포화도 계측기 휴대용

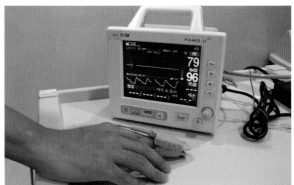

그림 5-1B. 맥박-산소포화도 계측기

(4) 체온

체온의 측정부위는 수은 체온계를 이용하여 입안, 겨드랑이에서 주로 측정하지만, 근래에는 귀속 온도를 측정할 수 있는 귀 체온계(그림 5-2)를 이용하여 신체 내부의 온도 변화를 알수 있으며, 적외선 체온계의 측정 원리를 이용한 비접촉식 체온계로 피부 접촉없이 이마의 측두부에서 간단히 체온을 측정할 수 있다. 성인의 정상체온범위는 35.8~37.5도(평균 36.5도)이다.

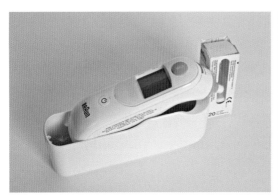

그림 5-2A. 귀 체온계

그림 5-2B. 귀 체온계 재는 방법

2) 수술 전 점검사항

환자의 전반적 건강상태에 대해 먼저 알아봐야 하는데, 과거 또는 현재 앓고 있는 병, 과거 시행받은 수술, 수술 또는 마취로 인한 부작용과 후유증, 현재 복용중인 약물, 과거 복용했던 약물 중 부작용, 술과 흡연 여부, 기타 알레르기 등 환자의 과거력에 대해 충분히 알아봐야 한다.

요즘은 중년의 환자들이 증가하는 추세이므로 당뇨와 고혈압에 대해 관심을 가져야 하는데, 마취에서부터 영향을 줄 수 있고, 수술 중 출혈이 많아 붓기나 멍이 오래갈 수 있으며, 특히 당뇨의 경우에는 상처가 잘 낫지 않을 수 있을 뿐만 아니라 염증과 감염의 문제를 일으켜 좋지 않은 결과를 초래할 수 있다. 당뇨약의 경우에는 수술 당일 아침에 금하며, 고혈압약과 갑상선약은 복용하게 권한다.

특히 심혈관 질환이 있어 혈액순환을 위해 아스피린, 와파린, 비타민E 등 항응고제를 복용 중이거나 호르몬제, 한방성분 등을 평소 복용하고 있는 경우에는 수술 중이나 수술 후에 출혈 경향을 높이므로 1~2주 전부터 중단해야 한다.

흡연은 니코틴으로 인해 피부 혈관수축과 저산소증을 일으켜 상처회복에 좋지 않을 뿐만 아니라 전신마취를 할 경우에는 수술 후 폐 합병증 가능성이 있으므로 수술 전 1~2주는 금연하는 것이 좋고, 음주는 상처회복에 좋지 않으므로 수술 1주 전부터 상처가 회복될 때까지 금주하는 것이 좋다.

또한 수술 전에는 감기 등 상기도 감염에 걸리지 않도록 주의시켜야 하며, 가래와 기침이 있는 경우에는 전신마취와 수면마취가 위험할 수 있다.

환자가 수술 당일 수술실에 들어왔을 때에는 환자의 신상 확인, 수술명과 수술부위(특히 좌측과 우측 구분), 액세서리와 귀금속 부착 여부, 마취종류에 따른 금식시간 확인 등 수술에 필요한 준비사항을 꼼꼼히 확인해야 한다.

3) 수술 후 점검사항

국소마취 또는 수면마취로 수술을 시행했더라도 마취제에 민감하거나 수술로 인한 긴장으로 정상적 상태가 아닐 수 있으므로 수술 직후 무리하게 일으켜 세우거나 움직이게 하지 말고, 의식이 완전 회복된 후에도 수술실 간호사의 도움 하에 회복실로 옮겨져야 하고, 정맥주사의 수액을 유지한 채 회복실에서 충분히 회복한 후 귀가할 수 있도록 도와준다.

전신마취로 수술을 시행한 경우에는 환자가 마취에서 깨어 자발적 자가호흡이 완전히 돌아온 후, 마취의사의 지시에 따라 수술대에서 회복실로 이동하는 침대에 옮겨져 회복실로 간다. 회복실로 옮겨진 후에는 산소마스크를 연결하여 마취제의 농도를 낮게 하고 빨리 호흡이 안정되게 하며, 환자가 완전히 회복될 때까지 맥박-산소포화도 측정기를 통해 맥박과 산소포화도를 측정할 뿐만 아니라 혈압을 수시로 측정해야 한다.

환자가 전신마취에서 완전히 회복되면 입원실로 옮기면서 입원실 담당 간호사에게 수술명, 수술방법, 수술부위의 출혈정도, 주의사항 등을 잘 인계해 줘야 한다.

환자가 입원해 있는 동안에도 규칙적으로 활력징후를 측정해야 하며, 특히 수술부위에 출혈은 없는지, 환자가 특별히 불편해하는 부분은 없는지 확인해야 한다.

수술 다음날부터 상처치료를 시작하는데, 상처치료와 약물치료 이외에도 수술부위의 안정과 붓기 관리를 위해 가볍게 찜질을 한다. 수술 후 첫 2~3일 동안은 붓기가 생기는 시기이므로 혈관수축을 위해 냉찜질이 좋고, 그 후에는 온찜질을 해줌으로써 혈관확장을 시켜 붓기를 빨리 빠지게 해준다.

6. 수술 후 상처치료와 약물치료

1) 상처치료 소독제

인체의 피부에는 정상적으로 많은 정상세균총(normal flora)들이 존재하므로 피부를 절개하고 수술하는 동안 이런 정상세균총이 상처에 침입하게 되므로 수술부위를 잘 소독하여 정상세균총의 숫자를 수술 전에 최대한 줄여야 하고, 수술 후에는 상처에 염증이나 감염이 발생하지 않도록 상처치료를 잘 해야 한다.

이때 사용되는 피부 소독제와 상처 치료제로는 베타딘, 제파논, 보릭, 알코올, 과산화수소, 식염수 등이 많이 사용되고 있는데, 희석농도는 사용 부위와 목적에 따라 다르다.

(1) 베타딘(Betadine)(그림 6-1)

포비돈(povidone), Iodine, Iodophor로도 분류되며, 세균, 결핵균, 진균, 바이러스 등 가장 광범위한 살균작용 효과가 있으면서 눈이나 점막에 자극이 적고, 착색현상이나 알러지 반응도 적은 것으로 알려져 있다. 성형외과 영역에서는 얼굴을 제외한 모든 부위에 가장 많이 사용되고 있는데, 소독 효과는 마르면서 나타나기 때문에 사용 후 3~5분 정도 경과해야 효과가 있으며, 염증 또는 감염이 의심되는 상처에 가장 효과 있다.

그림 6-1. 포비돈(povidone)

(2) 제파논(Zephanon)(그림 6-2)

염화벤잘코늄(benzalkonium chloride)을 증류수에 희석한 것으로, 세균, 진균, 바이러스에 광범위한 살균작용이 있다.

과산화수소나 알코올 소독제와는 다르게 눈, 점막, 상처 부위에 자극을 주지 않으므로 성형외과 영역의 얼굴 부위 피부 소독과 상처치료에 널리 사용되고 있다.

그림 6-2. 염화벤잘코늄(benzalkonium chloride)

(3) 보릭(Boric acid)

붕산을 증류수에 희석한 것인데, 가장 약한 소독 약품이므로 눈, 점막, 상처 치료에 많이 사용된다.

(4) 알코올(Alcohols)(그림 6-3)

에탄올(ethanol)의 농도가 효력을 결정하는 요소이며, 세균, 진균, 바이러스 등에 광범위하게 작용하지만, 눈과 상처에 자극을 주어 손상을 일으킬 수 있으므로 주로 피부 소독제로 사용된다. 지방 성분을 녹이는 특성이 있으므로 피지(皮脂)가 있는 부위에 효과적이다.

그림 6-3. 에탄올액(ethanol)

(5) 과산화수소(H_2O_2)(그림 6-4)

호기성과 혐기성 세균, 진균, 바이러스 등에 광범위한 살균작용을 나타내는데, 상처에 닿으면 산소를 유리시켜 흰색의 거품이 발생하는 발포작용으로 상처 표면을 소독하므로 상처 초기의 피딱지(blood clot)가 있거나 거즈가 피와 상처에 엉킨 상처치료에 효과적이다.

그림 6-4. 과산화수소수(H_2O_2)

(6) 식염수(Saline)

성형외과 영역의 가장 많은 수술 부위가 얼굴이며, 특히 쌍꺼풀 수술 등 안검성형술이 많은데, 이러한 수술들은 대부분 수술 부위에 감염이 없는 상태에서 이루어지는 무균수술(clean surgery)이면서 예방적 항생제도 복용하기 때문에 상처부위에 염증이나 감염이 잘 발생하지 않으므로 식염수 젖은 솜이나 거즈로 상처 부위를 잘 닦아 치료하고 연고제품을 도포하는 것이 좋다.

수술 후 첫날 상처치료가 가장 중요한데, 상처부위에 흘러나온 피가 응고되어 봉합선에 붙어 있으면 염증과 흉터를 남길 수 있으므로 식염수 또는 과산화수소로 응고된 피를 깨끗이 제거해준다(그림 6-5).

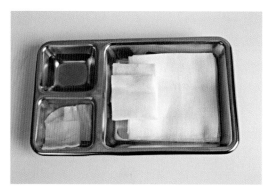

그림 6-5. 드레싱 통에 식염수 적신 솜과 거즈

2) 상처치료 연고

(1) 안연고(그림 6-6)

테라마이신, 토브라마이신 안연고가 많이 사용되는데, 성형수술의 가장 많은 부위가 안검수술이며, 안검수술 후에 일반 항생제 연고는 눈을 자극할 수 있으므로 안연고가 사용되고, 안검수술 후 각막염 또는 결막염 예방에도 효과가 있다.

그림 6-6. 토브라마이신 안연고

(2) 항생제 연고(그림 6-7)

네오마이신 황산염(마데카솔), 퓨시드산 나트륨(후시딘) 등 항생제 성분이 들어있는 연고로서, 상처의 세균증식을 억제하여 염증이나 감염을 예방할 수 있다.

또한 상처에 딱지가 생기면 상처의 치유력을 방해하고 회복을 늦게하기 때문에 이러한 항생제 연고를 도포해줌으로 상처부위가 건조해지지 않고 촉촉하게 유지하는 보습 환경을 제공하여 상처에 딱지가 생기지 않고, 상처치유를 보다 빠르게 도울 수 있다.

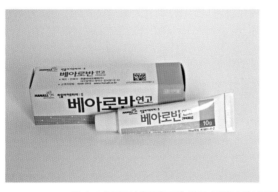

그림 6-7. 무피로신(베아로반) 연고, 퓨시드산 나트륨(후시딘) 연고

(3) 상처 재생연고(그림 6-8)

안연고나 일반 항생제 연고 이외에 상처치유에 좋은 역할을 하는 성분들을 이용하여 세포기능 촉진, 염증반응 조절, 상피화 촉진 등을 일으켜 상처치료에 도움을 주는 연고들이 있다. 상피성장인자(epidermal growth factor, EGF)의 경우에는 상피화를 촉진하고 섬유모세포를 자극하여 육아조직형성, 혈관 생성을 도와준다.

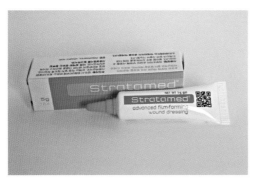

그림 6-8. 상처 재생연고(stratamed), EGF 연고

(4) 흉터 연고(그림 6-9)

상처가 생기면 치유과정을 3단계로 나누는데, 1단계는 지혈과 세균 제거의 염증기, 2단계는 새로운 혈관과 콜라겐을 합성하는 증식기, 3단계는 채워진 새살이 원래의 피부 모양으로 자리를 잡아가는 성숙기로 나누어진다.

상처치료 연고는 1단계 염증기와 2단계 증식기에 사용되고, 흉터연고는 3단계 성숙기에 사용하게 되는데, 이러한 성숙기가 보통 6개월 정도 지속되므로 이 기간 동안 흉터연고를 꾸준히 사용한다.

여러 종류의 흉터연고가 있는데, 포함된 성분에 따라 추출물 연고와 실리콘 연고로 크게 나눌 수 있다. 추출물 연고는 양파, 병풀 추출물, 헤파린, 알란토인 등의 성분을 함유하여 성숙기의 흉터조직에 존재하는 각질세포와 섬유모세포를 안정화 시켜 콜라겐의 과대생성을 막고 콜라겐을 정상화시키는 효과가 있다. 실리콘 연고는 피부와 흉터에 바르면 얇은 실리콘 막이 형성되어 피부를 코팅하므로 피부와 실리콘 막 사이에는 수분과 산소가 머물게 되어 흉터보습을 유지해준다. 이것은 흉터의 건조함을 막아주는 보습기능으로 흉터가 비대해지는 것을 막고 흉터를 안정화시킨다.

요즘은 추출물과 실리콘이 같이 함유된 흉터연고도 있다.

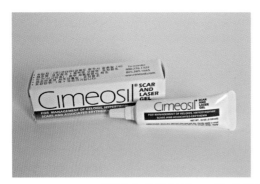

그림 6-9. 흉터연고(cimeosil), 흉터연고(contractubex)

3) 상처치료 제품(Dressing materials)

상처치료의 원칙은 삼출물과 독소를 제거하고, 염증과 감염을 예방하며, 상처표면의 보습환경을 유지해주는 것인데, 이러한 목적을 위해 다양한 종류의 상처치료 제품이 있다.

(1) 거즈(Gauze)

일반적인 치료 방법으로 앞서 설명된 상처치료 소독제와 연고를 사용한 후 거즈로 상처를 덮어주고 반창고를 고정하는 방법이다. 요즘은 거즈 위에 접착테이프가 부착되어 있는 제품도 많다.

(2) 파라핀 거즈(Paraffin gauze)(그림 6-10)

파라핀과 항생제 성분이 흡수된 거즈로써 표면이 부드럽고 삼출물이 자유롭게 통과할 수 있다. 제품으로는 Sofratulle, Bactigras 등이 있다.

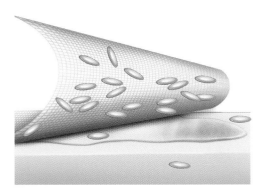 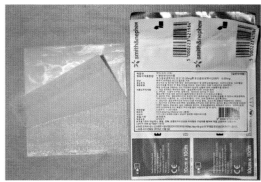

그림 6-10. 파라핀거즈(bactigras), 파라핀거즈 단면

(3) 투명 필름(Transparent film)(그림 6-11)

반투과성 보호막을 사용하여 산소와 수증기는 통과하고, 세균의 침입은 방지하며, 얇고 유연한 투명필름이라 상처관찰도 용이하다는 장점이 있으나, 흡수력이 없어 분비물이나 삼출물이 있는 상처에는 사용되지 않는다. 제품으로는 Tegaderm 등이 있다.

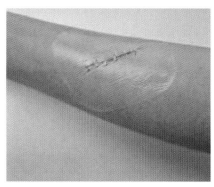
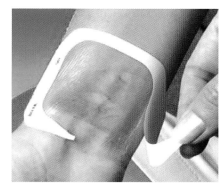

그림 6-11. 투명필름(tegaderm), 상처부위에 투명필름을 적용

(4) 폼(Foam)(그림 6-12)

상처 접촉 필름 · 흡수 폼 · 보호 필름으로 구성되어, 상처의 보호와 구션을 제공할 뿐만 아니라 삼출물이 많은 상처의 흡수 효과가 있다. 제품으로는 Allevyn, Medifoam, Mepilex 등이 있다.

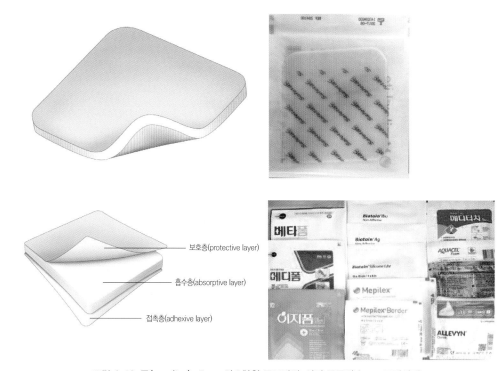

보호층(protective layer)
흡수층(absorptive layer)
접촉층(adhexive layer)

그림 6-12. 폼(mepilex), Foam의 3차원 구조단면, 여러 종류의 foam 드레싱제

(5) 하이드로콜로이드(Hydrocolloids)(그림 6-13)

친수성 미립자와 소수성 고무입자로 구성되어, 흡수성, 접착성, 폐쇄성 특성을 지니고 있는데, 친수성 성분이 삼출물 흡수와 괴사조직 제거의 효과가 있으며, 겔을 형성하여 상처표면의 치유환경을 유지하여 육아조직 형성과 상피화를 동시에 진행시킨다. 제품으로는 duoderm 등이 있다.

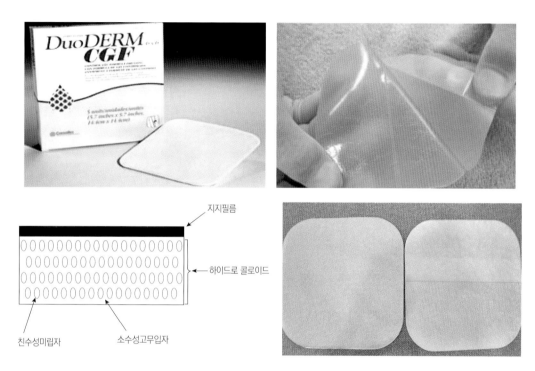

지지필름

하이드로 콜로이드

친수성미립자   소수성고무입자

그림 6-13. hydrocolloids (duoderm), 하이드로콜로이드 드레싱제의 구조

4) 약물치료

수술 후 염증과 감염을 예방하기 위해 상처치료와 관련된 소독제, 연고, 상처치료 제품들을 앞서 소개했으며, 염증과 감염의 예방을 위한 항생제뿐만 아니라 진통제, 소염제, 소화제도 다양하게 사용되고 있다.

(1) 항생제(Antibiotics)

무균수술의 원칙을 잘 지켜 수술을 시행한다면 항생제의 사용은 필요 없다는 보고가 많지만, 최근 보형물의 사용이 늘어나고 미용목적의 수술 후에 감염이 발생했을 때 돌이킬 수 없는 결과를 초래할 수 있기에 일반적으로는 수술 후 짧은 기간 동안 예방적 목적의 항생제를 투여하는 경우가 많다.

그람양성과 음성균에 작용하는 항생제로는 페니실린계 항생제로 아목시실린(amoxicillin), 암피실린

(ampicillin) 등이 있으며, 페니실린 내성균에 효과 있는 1, 2세대 세팔로스포린(cephalosporin)계 항생제가 있고, 아미노글리코사이드(aminoglycoside)계 항생제로 겐타마이신(gentamicin), 아미카신(amikacin) 등이 널리 사용되고 있다.

(2) 진통소염제

수술 후 통증이 예상되거나 통증과 염증을 예방하기 위한 목적으로 진통소염제가 사용되는데, 아세트아미노펜(acetaminophen), 이부프로펜(ibuprofen), 염산 트라마돌(tramadol HCl) 등이 사용된다.

(3) 소화제

수술 중 투여되는 마취에 의해 수술 후 구토와 메스꺼움을 호소할 수 있고, 수술의 스트레스로 인해 소화위장관의 문제를 예방하며, 항생제와 소염신동제의 투여로 인한 소화위장관 부담을 줄이기 위해서도 소화제나 제산제를 같이 사용한다.

(4) 스테로이드(Steroid)

부신피질호르몬인 스테로이드는 보형물이 사용되는 성형수술이나 수술 후 부종이 예상되는 경우에는 급성 붓기를 완화시키고 염증예방에 도움이 되기 위해 1~2일 단기간 사용되나, 오래 사용하면 오히려 상처 회복을 방해하므로 주의해야 한다.

7. 수술실 위생관리

1) 멸균소독기

상처소독에서 소개된 소독약들은 상처소독뿐만 아니라 수술부위의 소독과 수술기구의 소독에도 사용되고 있는데, 수술실과 치료실에서 사용되는 장비와 기구의 멸균소독을 위해서는 고압증기 멸균소독기와 EO 가스 멸균소독기가 널리 사용되고 있다.

(1) 고압증기 멸균소독기(Autoclave)(그림 7-1)

고압증기 멸균소독기는 1기압보다 높은 압력을 가하여 물의 끓는 점을 100℃ 이상으로 높일 수 있으므로, 15 psi 고압과 120~130℃ 고온의 증기를 30~40분 동안 가해 기구에 묻은 각종 병원균과 미생물을 제거하는 물리적 멸균소독 방법이다.

그림 7-1. 고압증기 멸균소독기(autoclave)

단단하고 열에 강한 대부분의 수술기구, 수술포와 같은 면제품을 대량으로 쉽고 간단히 소독할 수 있으며, 1회 소독으로 관리를 잘하면 2주 정도의 유효기간을 둘 수 있다. 그러나 열에 약한 플라스틱과 고무제품인 마취튜브, 내시경이나 테이프 종류, 보형물 등은 소독할 수 없다.

(2) EO가스(Ethylene oxide gas) 멸균소독기(그림 7-2)

38~55℃ 저온, 40~60% 습도에서 EO 가스를 농도에 따라 3~7시간 통과시켜 기구에 묻은 각종 병원균과 미생물 제거하는 화학적 멸균소독 방법이다.

EO가스 특성상 피부에 닿으면 화상을 입을 수 있고, 장시간 노출 시 오심, 구토, 현기증을 초래하므로 배기시설이 잘 되어야 한다. EO가스 멸균 후 소독물품을 공기에 노출시키는 시간은 소독물품에 따라 달라질 수 있으나, 일반적으로 50~60℃에서는 8~10시간 가량이며, 실내온도에서는 24시간 정도 노출시키는 것이 좋다.

고압고열의 고압증기 멸균소독기로 멸균하기 힘들었던 섬세한 수술기구, 플라스틱, 고무제품, 테이프 종류, 보형물 등의 종류가 소독에 좋으며, 1회 소독으로 4주 정도의 유효기간을 둘 수 있고, 밀봉포장한 경우에는 6개월 장기 보관이 가능하다.

그림 7-2. EO 가스(ethylene oxide gas) 멸균소독기

2) 수술실 공기정화설비(그림 7-3)

수술실은 효율성, 안전성, 감염조절을 고려하여 설계되어야 하며, 온도는 20~24℃를 유지하고, 습도는 최소한 50%를 유지하며, 수술실 내 공기를 여과시키는 환기와 냉난방 시설을 잘 갖추어 세균감염을 최소화해야 한다. 수술실의 좋은 환경을 유지하기 위해 공기정화설비는 필수적이며, 특히 전신마취를 시행하는 경우에는 수술의 감염 위험도에 따라 고효율 미립자 공기필터(HEPA filter) 또는 시간당 15회 이상 공기순환하면서 시간당 3회 이상 외부 공기 유입이 가능한 95% 이상의 고성능 필터 사용을 의무화하고 있다.

그림 7-3. 수술실 - 고효율 미립자 공기필터(HEPA filter)

3) 수술 준비

수술실은 병원 내 어느 공간보다도 위생과 청결이 유지되어야 하기 때문에 수술실 복장에서부터 손소독 세척, 수술부위 드랩까지 어느 하나 소홀해서는 안된다.

(1) 수술실 복장

수술복은 일단 수술실에 들어오면 경의실에서 매일 수술복으로 갈아입어야 하고, 수술실 밖으로 나갈 때는 수술복을 벗고 수술실에 입고 들어온 옷으로 다시 갈아입는다. 수술복 이외에 수술모자를 착용하며 머리카락이 모자 밖으로 나오지 않도록 하고, 마스크를 착용하여 코와 입을 덮어주어야 하며, 수술실 내 전용 수술신발을 신어야 한다.

(2) 외과적 손 씻기(Hand scrub)^(그림 7-4)

수술 장갑을 끼고 수술을 하지만, 수술 중에 수술 장갑에 구멍이 나거나 찢어지면 수술부위를 감염시킬 수 있으므로 수술 전에 손과 팔뚝을 소독제를 이용하여 깨끗이 씻어주므로 피부에 있는 정상 세균층을 제거할 수 있는데, 이것을 외과적 손 씻기라고 한다. 외과적 손 씻기의 순서는 흐르는 물에 손과 팔뚝을 먼저 씻고, 7.5% 베타딘 비누로 손가락 끝에서 팔꿈치관절 위까지 솔을 이용하며 거품을 내면서 문지르는데 손바닥, 손톱, 손톱밑, 손가락 사이사이, 손등의 순서대로 반복하여 2분 정도 문지른다. 그 후 흐르는 물에 문지른 거품을 헹굴 때는 물이 손가락 끝에서 팔꿈치 쪽으로 씻겨 내리도록 한다. 그 후 멸균수건으로 물을 닦을 때에는 먼저 수건의 윗부분으로 손을 먼저 닦고, 다시 수건을 길게 접어 손목에서 팔꿈치 방향으로 물기를 닦는다. 손을 닦고 난 후에는 팔꿈치보다 손을 높게 들고, 두 손을 마주 잡지도 않는다. 외과적 손 씻기에 소요되는 시간은 손과 팔뚝을 포함하여 5분 정도이다.

그림 7-4. 외과적 손 씻기(hand scrub) 방법

(3) 수술 가운(Gown)(그림 7-5)

외과적 손 씻기가 끝나면 멸균된 수술가운을 입고 수술대로 가서 환자의 수술부위를 소독하고 포로 덮어 수술 준비를 하게 되는데, 수술가운은 면 수술가운과 일회용 수술가운으로 나눌 수 있다.

면소재의 면 수술가운은 수술 후 고압증기 멸균소독기에서 멸균 후 재사용 가능하다는 경제적 장점이 있으나, 시간과 공간의 관리측면과 안전측면에서 요즘은 일회용 수술가운이 많이 사용되고 있다.

일회용 수술가운도 친환경 소재를 이용하여 소각 후 물과 이산화탄소로 분해되며, 통풍이 좋아 인체의 땀은 외부로 배출되고 외부의 오염물질은 내부로 흡수되지 않는 방수 특성과 가볍고 착용감이 좋으므로 안전하고 편리하다.

수술가운을 입는 과정은 외과적 손 씻기가 잘 된 상태에서 가운을 집어 들어 먼저 양손을 넣고 수술가운이 밑으로 펼치도록 한다. 등쪽에서 간호사가 옷 안쪽의 팔 부분을 잡아당겨 손이 수술가운의 소매 밖으로 나오게 한 후 등과 목의 끈을 묶는 동안 수술자는 수술장갑을 착용 후 수술가운 전체를 고정하는 끈을 묶는다.

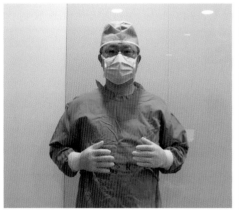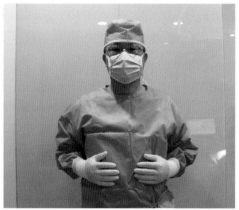

그림 7-5. 면 수술가운 착용상태, 일회용 수술가운 착용상태

(4) 수술장갑(Glove)

수술장갑의 재질은 일반적으로 천연고무 라텍스를 사용하는데, 파우더(powder)가 포함되고 천연고무 라텍스 수술장갑을 사용할 경우 파우더가 라텍스의 단백질과 결합해 장갑을 쓰거나 벗을 때 공기 중에 비산되어 라텍스 알레르기를 유발할 수 있고, 파우더가 염증, 호흡기 질환 등을 유발할 수 있어 파우더 없는 수술장갑의 사용을 의무화하고 있다.

수술장갑은 수술가운을 입는 과정에 수술간호사 도움으로 끼는 방법이 있고, 스스로 수술 장갑을 끼는 방법이 있다(그림 7-6). 수술간호사의 도움으로 수술장갑을 낄 때는 좌측과 우측에 맞추어 장갑 속으로 손을 집어 넣은 후 수술가운의 소매 위를 덮어주면 된다. 수술자 스스로 수술장갑을 끼는 경우에는 요령을 숙지해야 하는데, 먼저 왼손으로 오른쪽 수술장갑의 접어진 부분 가장자리를 잡고 장갑 속으로 오른손을 집어 넣은 후 오른손으로 왼쪽 수술 장갑의 접어진 사이로 오른손 손가락들을 넣어 잡은 채 장갑 속으로 왼손을 집어넣는

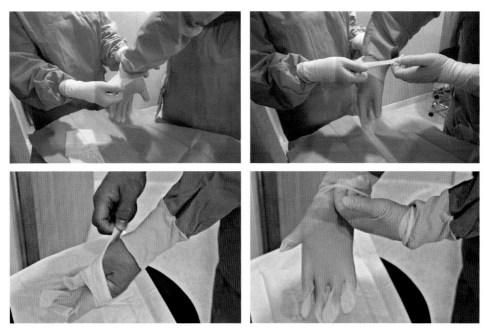

그림 7-6. 수술장갑(glove)을 수술간호사 도움으로 착용하는 방법, 수술장갑(glove)을 스스로 착용하는 방법

다. 양손을 끼운 후 위로 올리면서 수술가운의 소매 위를 덮어주고 손가락들을 깊이 집어넣으면서 정리해 준다. 수술 장갑의 크기는 6, 6.5, 7, 7.5, 8번이 일반적으로 사용되며, 번호가 클수록 크다.

(5) 외과적 드랩(Surgical drape)

외과적 드랩은 멸균된 수술가운과 수술장갑을 착용한 상태에서 수술부위를 소독제로 소독하고 멸균된 수술포를 이용하여 수술부위만 노출 시킨 후 그 주변은 오염되지 않게 덮어주는 것이다.

수술부위를 소독하는 소독제는 인체 피부에 정상적으로 존재하는 정상세균총의 숫자를 수술 전에 최대한 줄여 피부를 절개하고 수술하는 동안 정상세균총이 상처에 침입하는 것을 예방해 준다. 성형외과 영역에서 많이 사용되는 피부소독제로는 얼굴에는 제파논 또는 보릭, 얼굴 이외에는 베타딘 또는 알코올이 사용되며, 앞서 상처치료 소독제에서 자세히 기술하였다.

수술포는 수술부위를 소독제로 소독한 후 소독되지 않은 부위를 덮는 것으로, 면 수술포와 일회용 수술포로 나눌 수 있다. 면 소재의 면 수술포는 수술 후 고압증기 멸균소독기에서 멸균 후 재사용 가능하므로 경제적 장점이 있으며, 성형외과 영역의 얼굴부위 수술의 경우에는 외과적 드랩이 간단하기 때문에 면 수술포가 많이 사용되고 있다. 일회용 수술포는 수술 중 혈액이나 세척액이 묻어도 흡수되지 않고, 세균을 차단 할 수 있으며, 먼지가 발생되지 않아 감염예방에 우수한 점이 있으므로, 성형수술에서는 안면거상술, 유방성형술 등 수술시간이 길거나 전신마취 수술에 좋다(그림 7-7).

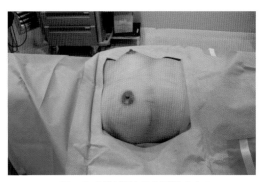

그림 7-7. 유방성형술의 일회용 수술포

수술포에는 크기별 사각포, 중앙에 구멍이 작은 소공포(50×50cm 크기), 얼굴을 노출시킬 수 있는 크기의 구멍이 있는 대공포(150×270cm 크기) 등으로 나눈다. 일반적으로 많이 시술되는 눈 성형이나 코 성형을 할 때는 수술부위를 소독한 후 사각포를 머리 밑에 깔고 대공포를 덮어 수술을 한다(그림 7-8).

그림 7-8. 소공포, 대공포로 얼굴 노출시키는 모습

얼굴 전체를 노출시키거나 귀와 목을 노출시켜야 할 때는(그림 7-9), 얼굴을 소독한 후 머리카락과 접하는 부위, 귀 앞뒤를 베타딘으로 소독하고, 머리를 싸기 위해 소독된 사각포와 수건을 머리 밑에 깔고, 수건으로 먼저 머리를 싼 후 타올클립으로 고정하고 어깨과 가슴을 대각선으로 사각포를 덮으면서 몸 전체를 사각포로 덮는다.

그림 7-9. 사각포, 사각포로 얼굴 전체를 노출시키는 모습

4) 의료폐기물

의료폐기물이란 병원에서 발생하는 환자의 적출물, 혈액으로 오염된 거즈, 주사기 등의 의료용품을 말하는데, 2차 감염 위험성이 높으므로 일반쓰레기와 분리해서 처리되어야 한다. 의료기관 내에 소각시설이 없기 때문에 대부분 외부에 위탁처리하는데, 종류별로 포장하여 처리해야 한다(그림 7-10).

성형외과에서의 주된 의료폐기물에는 적출물, 혈액이 오염된 거즈, 수술 가운, 일회용 수술포, 수술장갑, 일회용 주사기, 수술용 칼, 주사바늘, 봉합바늘, 붕대, 수액세트 등 혈액과 접촉된 경우에는 의료폐기물로 간주한다.

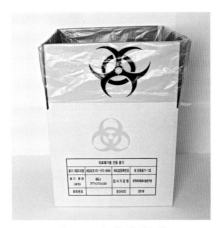

그림 7-10. 의료용 폐기물 박스

8. 수술장비와 수술기구

1) 수술장비

수술실에서 수술을 위해 사용되는 수술장비들의 종류를 정리하고, 장비들의 관리 및 사용법에 대해 알아본다.

(1) 전신마취기(그림 8-1)

전신마취를 시행하는 장비로서, 산소와 마취제의 적당한 혼합으로 환자의 정상적 활력징후를 유지하면서 수술할 수 있는 전신마취 상태를 유지한다.

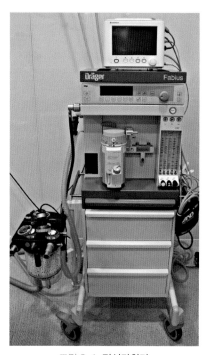

그림 8-1. **전신마취기**

전신마취 과정에 필요한 기구로는 후두경(laryngoscope), 기관 내 삽입튜브(endotracheal tube), 기도유지기(airway) 등이 있다(그림 8-2). 마취가 진행되는 동안 환자의 활력징후를 수시로 측정하는 마취모니터 장치를 통해 수술 중 환자의 마취를 안정적이고 효과적으로 유지시키는데, 전신마취 때에는 환자의 심전도, 혈압, 심박수, 호흡, 혈중 산소포화도, 체온, 마취약의 농도, 마취의 깊이 등을 한번에 볼 수 있는 마취 모니터 장치를 사용한다(그림 8-3). 수면마취의 경우에는 마취모니터 장치(맥박-산소포화도 측정기)를 통해 혈압, 심박수, 혈중 산소포화도를 측정할 수 있다.

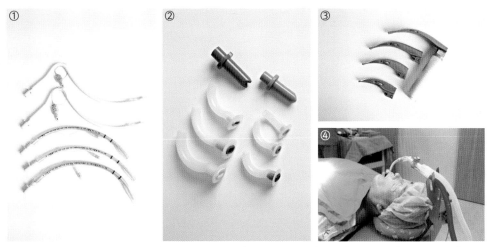

그림 8-2. ① 기관 내 삽입 튜브(endotracheal tube), ② 기도 유지기(airway), ③ 후두경(laryngoscope),
④ 기관 내 삽입하여 전신마취 시행한 환자

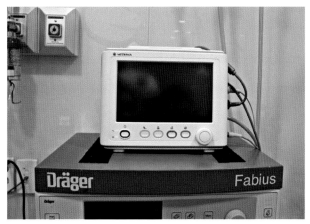

그림 8-3. 마취모니터 장치

(2) 수술대(그림 8-4)

성형수술은 대부분 천장을 보고 누운 자세로 시행하며, 가슴수술이나 눈 성형 수술 후 전체적 모양을 확인하기 위해 앉은 자세를 취하는데, 수술 중 수술의사의 필요에 따라 환자의 위치를 조절할 수 있기 때문에 높낮이, 등판의 각도, 좌우 경사의 각도, 상하 경사의 각도 조절이 전동 조절되는 전동식 수술대를 많이 사용한다. 사용 전에 수술대의 바닥에 있는 수술대 고정상태를 확인해야 하고, 수평상태를 유지해야 한다.

일반적인 누운자세에서는 환자의 머리끝을 수술대의 끝과 일치시키고, 환자의 수술내용과 수술부위에 따라 머리와 다리의 위치, 좌우 위치 등 수술대의 위치를 바꾸어 준비하며, 특히 수술 중에 수술의사의 요구에 맞게 조절해야 할 때는 마취의사의 협조를 구하여 마취에 위험이 없도록 한다.

수술대는 수술 전후 깨끗이 닦아주며, 매주 1회는 반드시 소독제로 전체를 닦도록 한다.

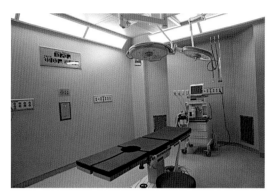

그림 8-4. 수술대

(3) 무영등(그림 8-5)

수술 무영등은 벽쪽과 무영등에 각각 스위치가 있으며, 수술의 종류와 수술부위에 따라 조명의 각도와 초점이 다르기 때문에 무영등의 조작법에 대해 익혀둬야 한다. 무영등은 주등과 보조등을 동시에 사용할 것인지, 주등 또는 보조등만 사용할 것인지 알아야 하고, 밝기 조절과 초점 조절에 대한 방법을 숙지해야 한다. 무엇보다도 수술 전에 무영등의 적절한 높이와 각도를 맞추어 수술에 불편함이 없을 뿐만 아니라 수술의사가 앉고 일어날 때 머리가 부딪히는 것이 없도록 해야 하며, 밝기와 초점이 잘 맞춰졌는지 확인해야 한다.

요즘은 LED 무영등을 주로 사용하는데, 내구성이 뛰어나 에너지가 효율적이고, 낮은 열 방사율을 제공하여 눈의 피로감을 감소시키며, 수술부위의 상태를 더욱 정확하게 파악할 수 있다.

그림 8-5. LED 무영등

(4) 헤드라이트(Headlight)(그림 8-6)

헤드라이트는 수술 중에 무영등으로는 조절이 어려운 입 안이나 코 안 같은 부위를 밝히기 위해 수술의사의 머리에 고정시키는 조명기구로서, 안면거상술 또는 유방성형술 때 조직을 박리하여 포켓(pocket) 공간을 만드는 수술 중에도 유용하게 사용된다. 요즘은 일반적인 유선형 헤드라이트 이외에도 무선형 헤드라이트도 있으며, 확대경과 함께 사용되는 루페라이트(loupe light)도 있는데, 대부분 배터리 충전식으로 되어 있어 손쉽게 이용 가능하다.

그림 8-6A. 유선형 헤드라이트(headlight)

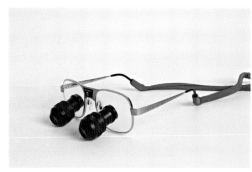

그림 8-6B. 루페(loupe)

그림 8-6C. 무선형 루페라이트(loupe light)

(5) 전기소작기(Electrocautery, bovie)(그림 8-7)

전기소작기는 기구에 따라 단극성(monopolar)과 양극성(bipolar)이 있는데, 전류를 이용하여 고온의 절연체로 혈관을 지혈하거나 조직을 자르는 기계로써 스위치를 통해 지혈모드(coagulation mode)와 절단모드(cutting mode)로 전환할 수 있다.

단극성은 연필이나 바늘모양의 끝이 하나인 것으로 활성전극이 있어, 환자의 몸에 접지전극(bovie plate)을 부착하여 활성전극에서 나온 전류가 환자의 몸에서 빠져나오도록 되어 있다. 그러나 양극성은 전극을 겸자(forcep) 모양으로 변화시킨 것으로 한쪽은 활성전극이 있고, 다른 쪽은 접지전극이 있어 전류가 환자의 몸을 따라 흐르지 않으므로 접지전극을 따로 부착할 필요가 없다. 단극성은 활성전극에서 나온 전류가 주위의 근육이나 신경을 자극하거나 손상시킬 수 있으나, 양극성은 겸자 사이로 전류가 흐르므로 주위의 근육이나 신경을 자극할 염려가 없다. 또한 단극성은 심장박동기(cardiac pacemaker), 인공와우(cochlear implant) 같은 전기시스템이 몸에 삽입된 환자에게는 전기시스템에 손상을 줄 수 있어 사용하면 안 된다.

전기소작기를 사용하기 전에 수술 전 처치를 하면서 화상 예방을 위하여 환자가 시계, 반지, 목걸이, 보청기, 틀니 등 금속을 완전히 제거했는지 확인해야 한다.

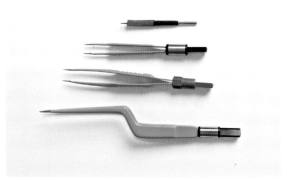

그림 8-7. 전기소작기(electrocautery, bovie), 전기소작기 팁(bovie tip)

(6) 흡입기(Suction)(그림 8-8)

수술 중 수술 부위의 혈액, 체액, 세척액이 있을 때 음압을 이용해 빨아들임으로써 수술 시야를 좋게 하는 장비이다. 일반적 구성으로는 흡입기 본체, 흡입병(bottle)과 뚜껑, 고무재질의 흡입선(line), 흡입관(tip)으로 구성되며, 성형외과 영역에서 많이 시행되는 지방흡입술 때에도 다양한 종류의 지방흡입기에 같이 연결하여 수술한다.

수술이 끝난 후에는 흡입관에 물을 충분히 통과시키고, 흡입병과 뚜껑, 흡입선을 분리하여 소독제를 세척한 후 말려서 사용한다.

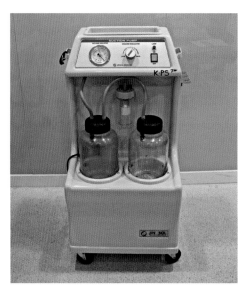

그림 8-8. 흡입기(suction)

(7) 지방흡입기(그림 8-9)

지방흡입술 때 사용되는 수술장비로서, 사용되는 원리에 따라 고주파 지방흡입기, 초음파 지방흡입기, 진동식 지방흡입기 등으로 나뉜다. 지방흡입하는 수술 부위에 따라 실제 피하지방층으로 삽입되는 다양한 굵기와 길이의 금속 삽입관(cannula)이 있으므로 부위와 용도에 맞추어 선택할 수 있다.

　일반적으로 지방흡입술을 할 때는 수술 전에 수술부위에 투메슨트(tumescent) 용액을 미리 넣기 위한 지방용액 주입기(infusion pump)가 필요하며, 지방용액 주입기에는 발로 밟는 발 스위치(foot switch)와 주입관(infusion line)이 연결된다.

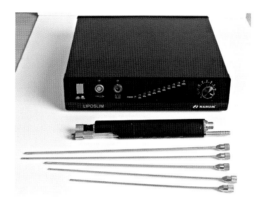

그림 8-9. 지방흡입기, 다양한 굵기와 길이의 금속 삽입관(cannula)

(8) 지방 원심분리기(Centrifuge)(그림 8-10)

　지방이식술 때 사용되는 장비로서, 지방이식을 위해 배, 허벅지, 엉덩이에서 흡입 채취한 지방을 원심분리시켜 지방세포, 파괴된 지방 오일(oil), 마취용액, 혈액 등으로 잘 분리시킨 후 불순물을 제거한 지방세포만 선택적으로 이식해 줌으로써 이식된 지방의 생존율을 높일 수 있다. 일반적으로 지방 원심분리는 3,000rpm의 회전속도에서 3분 정도 시행한다.

그림 8-10. 지방 원심분리기(centrifuge)

(9) 성형수술 내시경 장비(Endoscope system)(그림 8-11)

성형수술에서 내시경이 사용되는 경우는 주로 이마거상술, 유방확대술 때이다. 내시경 본체는 카메라, 모니터, 광원(light source), 광섬유케이블(fiberoptic light cables), 카메라 헤드(camera head) 등으로 구성되어 있다.

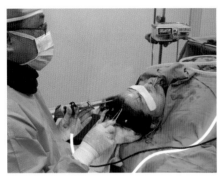
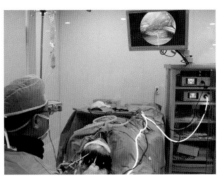

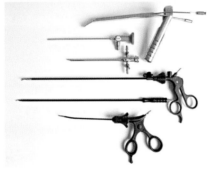

그림 8-11. 내시경 장비(endoscope system)를 이용하여 이마거상술을 시술하는 모습, 내시경 장비 팁(endoscope system tip)

(10) 전기 절골기(Electric saw)(그림 8-12)

전기 절골기는 성형수술에서는 주로 얼굴뼈 수술에 사용되는 수술장비로서, 뼈를 절단, 갈아내거나 다듬기, 구멍뚫기 등의 용도로 사용된다. 대부분 본체인 전기모터와 연결된 전선을 통해 절골기의 손잡이에 부착되는 사용 용도에 따른 다양한 톱과 기구들이 있다.

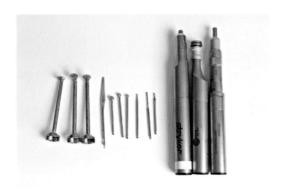

그림 8-12. 전기 절골기 팁(electric saw tip)

2) 수술기구

성형수술이 다양하지만, 각 수술부위별 사용되는 기본 수술기구는 일정하며, 수술부위 또는 수술내용에 따라 특별히 사용되는 기구들도 있다.

(1) 겸자(Forceps)(그림 8-13)

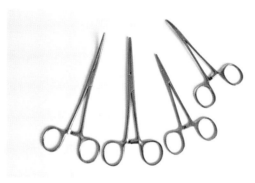

그림 8-13. 지혈겸자(켈리, 모스키토)

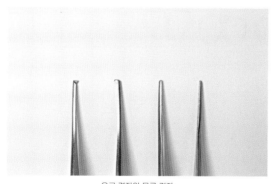

유구 겸자와 무구 겸자

에디슨 포셉, 미세 에디슨 포셉, 카스트로 비조 포셉, 비숍 포셉, 아이리스 포셉, 쿠싱 포셉

겸자는 수술 중 조직을 잡거나 봉합 바늘을 집을 때 사용되는 기구로서, 용도에 따라 형태가 매우 다양하며, 겸자 끝에 이(tooth) 모양의 돌기의 유무에 따라 유구 겸자(tooth forceps, tissue forceps)와 무구 겸자(non-tooth forceps, smooth forceps)로 구분된다.

에디슨 포셉(Adson forceps)은 성형수술에 가장 많이 사용되는 겸자로서, 중간에 넓고 편평한 엄지부분을 가지고 있으며 끝으로 갈수록 좁아진다. 에디슨 포셉보다 더 섬세하게 조직을 조작하기 위한 미세 에디슨 포셉(micro-Adson forceps)도 있다. 미세 에디슨 포셉처럼 조직을 섬세하게 잡고 조작하기 위한 기구로는 카스트로 비조 포셉(Castro viejo forceps), 비숍 포셉(Bishop forceps), 아이리스 포셉(Iris forceps) 등이 있으며, 특히 카스트로 포셉은 끝부분이 가늘고 날카로워 안검성형술에 주로 사용된다. 쿠싱 포셉(Cushing forceps)은 일반 겸자보다 길이가 길어 롱포셉(long forceps)이라고도 불리며, 다용도로 사용된다. 여러 다양한 종류의 일반 드레싱 포셉(dressing forceps)들도 있다. 람버트 포셉(Lambert forceps)은 안검성형술 중 안검을 뒤집을 때 사용하는 기구로서, 한쪽은 링(ring) 모양으로 열려있고 한쪽은 닫혀있는 겸자의 양쪽 사이에 안검을 위치시킨 후 나사 잠금장치를 조여 고정한다. 지혈겸자(hemostat forceps)는 수술 중에 지혈을 위해 혈관을 잡는 용도로 사용될 뿐만 아니라 보형물, 이물질, 봉합사와 바늘, 조직 등을 잡는데 사용되는데, 모스키토(mosguito)와 켈리(kelly) 형태로 있으며, 둘 다 모양은 비슷하지만 모스키토는 모양이 작은 반면 켈리는 더 크고 튼튼하다. 앨리스 조직겸자(Allis tissue forceps)는 많은 양의 조직을 잡고 수술할 때 편리하며, 골 고정겸자(bone holding forceps)는 뼈와 같은 단단한 조직을 잡고 수술할 때 편리하다.

(2) 수술 가위(Scissors)(그림 8-14)

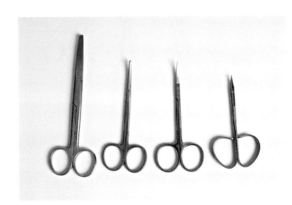

그림 8-14. **수술가위**

직선형 가위와 만곡형 가위

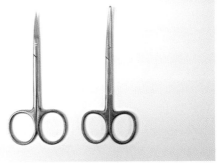

뾰족한 가위와 무딘 가위

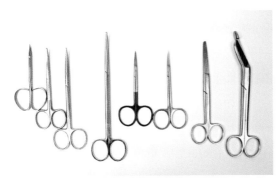

메젬바움 가위, 메이오 가위, 아이리스 가위, 오퍼레이팅 가위, 밴디지 가위

수술 가위는 수술부위의 조직을 절개, 절제, 박리, 봉합사를 자를 때 사용되는데, 각 종류의 수술 가위마다 모양에 따라 직선형 가위(straight scissors)와 만곡형 가위(curved scissors)로 나누며, 가위의 끝이 뾰족한 가위(sharp scisssors)와 무딘 가위(blunt scissors)로 나눈다. 메젬바움 가위(Metzembaum scissors)는 성형수술에서 가장 일반적으로 사용되는 끝이 무딘 가위로서, 수술 중 조직의 절개, 절제, 박리에 많이 사용되고, 메이오 가위(Mayo scissors)는 메젬바움 가위와 비슷하게 생겼지만 크기가 크므로 보다 두꺼운 조직의 절개, 절제 때 주로 사용된다. 아이리스 가위(Iris scissors)는 다른 가위보다 일반적으로 얇고 섬세한 뾰족한 가위 형태로서, 안검성형술에 주로 사용되며, 만곡형은 얇고 세밀한 조직의 절개에 주로 사용되고, 직선형은 얇은 봉합사의 절단에 주로 사용된다. 오퍼레이팅 가위(operating scissors)는 수술 중 굵은 봉합사 또는 거즈 절단에 주로 사용되며, 밴디지 가위(bandage scissor)는 붕대를 자를 때 주로 사용되는데 중간에 120° 정도 꺾이면서 가위 끝이 무딘 형태이다. 또한 안면거상술 때 조직의 박리를 위해 사용되는 다양한 크기와 형태의 안면거상술 가위(facelift scissors)가 있다.

(3) 수술칼(Mes)과 수술칼 대(Mes handle)(그림 8-15)

수술가위가 수술 부위 조직의 절개, 절제, 박리 역할을 할 수 있도록 수술 시작 때 수술부위의 도안(design)한 계획을 절개하는 것이 수술칼(mes, scalpel)이고 수술 용도에 따라 다양한 모양의 칼날을 꽂아 사용할 수 있는 손잡이를 수술칼 대(mes handle)라고 한다. 수술칼은 수술 용도에 따라 다양하게 있는데, 성형수술 영역에서는 10번, 11번, 15번 수술칼이 주로 사용된다. 15번 수술칼이 가장 일반적으로 사용되며, 칼끝의 좁은 부위에만 날이 있어 섬세한 성형수술에 적합하고, 10번은 15번보다 큰 칼로써 끝 부분이 둥글게 넓으므로 비교적 절개가 크거나 조직의 절제가 클 때 사용되며, 11번은 곧은 칼날에 칼 끝이 뾰족하게 날카롭기 때문에 미세한 조직 절개 또는 섬세한 미세 봉합사의 제거에 사용된다(그림 8-16). 수술칼 대는 수술 용도에 따라 3번, 4번, 7번으로 분류되며, 3번과 4번은 모양이 유사하지만, 7번의 경우 손잡이 부분이 좁고 길어 입안 수술 때 주로 사용된다(그림 8-17). 수술칼을 수술칼 대에 끼우고 뺄 때는 모스키토 같은 기구로 안전하게 사용한다.

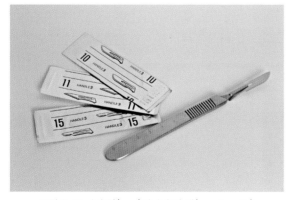

그림 8-15. **수술칼(mes)과 수술칼 대(mes handle)**

그림 8-16A. **10번**

그림 8-16B. **11번**

그림 8-16C. **15번**

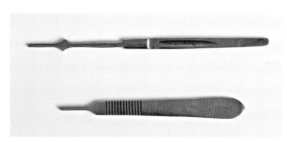

그림 8-17. **수술칼 대**(mes handle)

(4) 지침기(Needle holder)(그림 8-18)

지침기는 수술부위를 봉합할 때 봉합사에 달린 바늘을 잡는 것으로, 실과 바늘의 굵기에 따라 지침기의 크기와 모양도 다양하다. 실과 바늘이 가늘수록 섬세하고 정교한 지침기를 사용해야 봉합할 때 실 또는 바늘을 잡는 것이 수월해진다. 실과 바늘이 굵을수록 지침기 또한 굵고 커야 하므로, 가는 실과 바늘용 지침기로 굵은 실과 바늘을 잡고 사용하면 지침기가 느슨해지면서 고장이 난다.

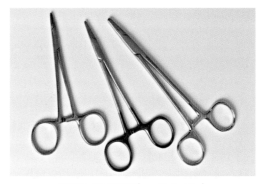

그림 8-18. 지침기(needle holder)

지침기를 손으로 잡는 방법은 주로 손가락 집기(finger grip)와 손바닥 집기(palm grip)가 있다. 손가락 집기는 엄지와 네 번째 약지를 지침기의 손잡이 구멍에 넣고 중지와 시지를 지침기의 앞 뒤쪽에 얹어 쥐는 방법이고, 손바닥 집기는 지침기의 손잡이 부분을 엄지의 손바닥 부분과 중지, 약지, 소지의 손바닥 부분에 두고 시지를 지침기의 앞 쪽에 얹어 쥐는 방법으로, 수술부위에 따라 편리하게 사용할 수 있다(그림 8-19).

지침기로 봉합바늘을 잡을 때에는 바늘의 중간보다 약간 더 뒤쪽에서 잡으면 봉합이 더 수월하다.

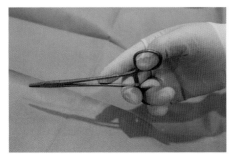

그림 8-19. 지침기 잡는 법-손가락 집기(finger grip), 손바닥 집기(palm grip)

(5) 견인기(Retractor)

견인기는 수술부위의 절개면 또는 상처면에 대고 벌리거나 당겨줌으로써 수술부위를 잘 보이게 노출시켜 주는 역할을 하며 수술부위, 수술내용 등에 따라 다양한 종류가 있다.

성형외과 영역에서 많이 사용되는 견인기의 종류로는 스킨 혹(skin hook), 라그넬(Ragnell) 견인기, 쎈 (Senn) 견인기(그림 8-20), 아미내비(Army Navy)(그림 8-21), 리차드슨(Richardson)(그림 8-22), 리본(Ribbon, malleable) 견인기, 떼지어(Tessier) 견인기 등이 있다. 스킨 혹은 안검성형술 등 미세한 수술 때 주로 사용되는 견인기로서, 당기는 끝부분이 하나인 경우 싱글 혹(single hook), 두 개인 경우 더블 혹(double hook)이라 하며, 더블 혹이면서 끝이 둥근 방울 혹(Fomon hook)은 코성형 때 많이 사용되고, 본 혹(bone hook)은 뼈수술 때 사용된다. 라그넬 견인기와 쎈 견인기는 스킨 혹 사용 후 조직 박리가 더 커지거나 깊어질 때 사용되는데, 라그넬 견인기는 위와 아래의 크기가 다른 견인기로 되어 있으면서, 쎈 견인기보다는 더 작고 섬세하다. 아미내비와 리차드슨의 경우에는 쎈 견인기 사용 후 조직박리가 더 넓고 깊어질 때 사용되며, 위와 아래의 크기가 다른 견인기로 되어 있는데, 아미내비는 끝부분이 직사각형으로 길어 깊은 박리의 조직 견인에 좋고, 리차드슨은 끝부분이 넓은 사각형 모양이라 넓은 박리 때 좋다.

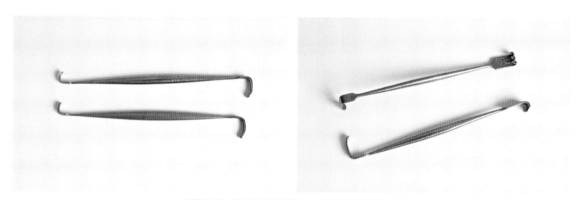

그림 8-20. 라그넬 견인기(Ragnell), 쎈 견인기(Senn)

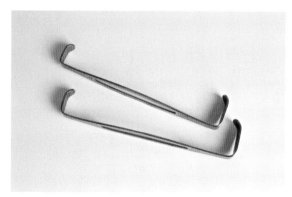

그림 8-21. 아미내비(Army Navy)

그림 8-22. 리차드슨 견인기(Richardson)

리본 견인기와 떼지어 견인기는 안면거상술이나 안면골성형 등 조직의 박리가 깊고 넓을 때 주로 사용되는데, 떼지어 견인기는 미리 제작된 형태의 견인기인 반면 리본 견인기는 조직 박리 때 상황에 맞추어 형태를 구부려 쓸 수 있어 말러블(malleable) 견인기라고도 부른다.

(6) 골막 거상기(Periosteal elevator)(그림 8-23)

골막 거상기는 뼈 또는 연골 조직의 박리 때 사용되는 기구로서, 양쪽 끝이 다르게 생겼는데, 칼로 조직 절개 후 뼈 또는 연골에 도달하면 골막 또는 연골막을 절개하고 먼저 가늘고 날카로운 끝 부분으로 골막 또는 연골막 밑으로 박리한 후 계속 박리가 필요할 때에는 반대쪽 뭉퉁한 끝부분으로 박리한다. 얼굴뼈 수술을 위한 골막 거상기는 양쪽 끝이 다른 형태가 아니라 앞쪽이 골막 거상용이며 뒤쪽은 손잡이 부분이다.

그림 8-23. 골막거상기(periosteal elevator)

(7) 측정 자(Caliper, ruler)(그림 8-24)

수술 중 길이나 거리를 측정하기 위한 기구로서, 안검성형 중 쌍꺼풀의 폭을 재는 섬세한 측정은 캘리퍼(caliper)를 주로 사용하고, 일반 길이와 거리 측정에는 금속 자(ruler)가 주로 사용된다.

그림 8-24. 측정자-금속자(ruler), 캘리퍼(caliper)

(8) 흡입관(Suction tip)

수술 중 수술부위의 혈액, 체액, 세척액을 흡입하는 기구로서, 흡입기(suction bottle)와 고무재질의 흡입관(suction line)에 연결하여 사용한다.

(9) 기타 코성형 기구(그림 8-25)

앞서 설명된 기본 수술기구 이외에 코성형 수술에 추가되는 기구로는, 비경(nasal speculum)이 견인기로 사용되고, 오프리히(Aufricht) 견인기가 보형물 삽입 때 쓰이며, 수술기구 중 허리부분이 45도 꺾인 코 가위와 겸자(nasal scissor & forceps)가 있고, 매부리코 부분을 다듬는 줄(rasp)이 있으며, 앤드슨 골도(Anderson osteotomes)와 망치(mallet)가 코뼈를 절골하고, 연골의 크기를 측정하면서 연골을 다듬고 깎는 그리드(greed)가 사용된다.

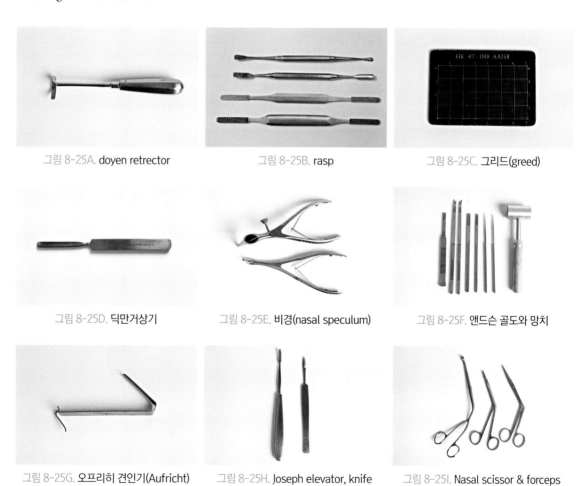

그림 8-25A. doyen retractor　　　그림 8-25B. rasp　　　그림 8-25C. 그리드(greed)

그림 8-25D. 딕만거상기　　　그림 8-25E. 비경(nasal speculum)　　　그림 8-25F. 앤드슨 골도와 망치

그림 8-25G. 오프리히 견인기(Aufricht)　　　그림 8-25H. Joseph elevator, knife　　　그림 8-25I. Nasal scissor & forceps

(10) 기타 가슴성형 기구(그림 8-26)

앞서 설명된 기본 수술기구 이외에 가슴성형 수술에 따로 추가되는 기구로는, 디버(deaver) 견인기가 있으며, 유륜의 크기를 측정하고 디자인하는 유륜 표식기(areolar marker)가 있고, 보형물이 들어갈 공간을 박리하는 박리기(dissector)로 검 박리기(blade dissector), 딩만 박리기(Dingman dissector), 림보 박리기(Limbo dissector) 등이 있으며, 내시경 시술을 위한 내시경 견인기(endoscopic retractor)와 전기소작기 팁(bovie tip)이 있다.

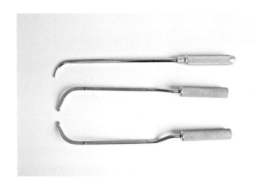

그림 8-26A. 가슴 박리기(dissector)

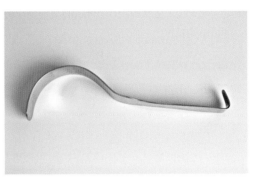

그림 8-26B. 디버 견인기(deaver)

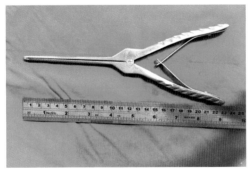

그림 8-26C. 림보 박리기(limbo dissector)

그림 8-26D. 유륜표식기(areolar marker)

(11) 기타 안면골수술 기구(그림 8-27)

앞서 설명된 기본 수술기구 이외에 안면골수술에 추가되는 기구로는 주로 뼈를 자르고 다듬는 기구들이다. 먼저 절골에 사용되는 전기절골기(electric saw)의 본체와 연결되어 절골기의 손잡이에 부착되는 다양한 형태의 톱(saw)과 드릴 비트(drill bit)가 있으며, 수동으로 절골하는 골도(osteotomes)와 망치(mallet)가 있고, 뼈조각을 떼내는 론져(Rongeur)가 있으며, 절골된 뼈를 내고정시키기 위한 금속판(plates)과 나사(screws)가 종류별로 다양하게 있으며, 다양한 종류의 안면골 수술용 골막거상기(elevator)와 견인기(retractor)가 있다.

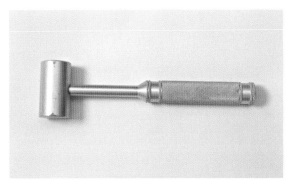

그림 8-27A. 망치(mallet)

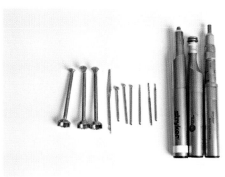

그림 8-27B. 드릴비트(drill bit), 톱(saw)

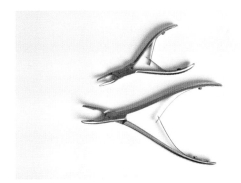

그림 8-27C. 론져(Rongeur)

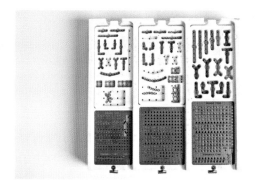

그림 8-27D. 스크류(screws), 플레이트(plates)

3) 소모품

(1) 봉합사(Suture materials)

봉합사는 수술한 조직을 봉합하는 실로서, 수술 후 상처가 치유될 때까지 상처를 안전하게 유지해 주는 것이다. 봉합방법은 크게 피하조직을 봉합하는 매몰봉합(buried suture, subcutaneous suture)과 피부봉합(skin suture)으로 나눌 수 있으며, 성형외과적 봉합의 가장 큰 특성은 봉합을 섬세하고 꼼꼼하게 하여 흉터를 최소화한다는 것이다. 매몰봉합과 피부봉합도 중요하지만, 신체부위에 따라 1~2주 안에 피부 봉합사를 제거해 주지 않으면 실밥자국(stitch marker)이 흉터로 남기 때문에 매몰봉합을 잘하여 피부 봉합사를 가능한 일찍 제거해 주는 것도 중요하다. 그러므로 다양한 봉합사의 분류와 종류를 숙지하고 상황에 맞는 봉합사를 선택해야 한다.

이상적인 봉합사의 조건으로는 용이한 매듭과 조작, 적은 조직반응, 적은 조직 손상, 높은 인장 강도가 필요하며, 흡수성 봉합사의 경우에는 적절한 시기에 인장 강도가 떨어지면서 빨리 흡수되는 것이 좋다.

성형외과 영역에서 주로 사용되는 봉합사의 종류에는 Chromic catgut, Dexon, Vicryl, PDS, Maxon, Silk, Nylon, Prolene, Ethibond 등이 주로 사용된다(그림 8-28).

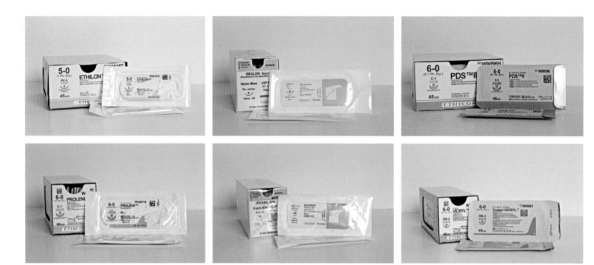

그림 8-28. **봉합사 종류별**

① 흡수성에 따른 봉합사의 분류

봉합사의 성질에 따라 흡수성(absorbable) 봉합사와 비흡수성(nonabsorbable) 봉합사로 나눠지는데, 조직 내에 봉합하는 매몰봉합에는 주로 흡수성 봉합사를 사용하고, 피부봉합에는 주로 비흡수성 봉합사가 사용된다. 흡수성 봉합사에는 Chromic catgut, Dexon, Vicryl, PDS, Maxon 등이 있으며, 흡수 예상기간은 대개 Chromic catgut은 2주 정도, Dexon은 1개월 정도, Vicryl은 1~3개월 정도, PDS와 Maxon은 3~6개월 정도이다. 비흡수성 봉합사에는 Nylon, Prolene, Ethibond, Silk 등이 있으며, 상안검성형 때 쌍꺼풀을 안쪽에서 고정해 주거나 안검하수 교정을 위해 근육을 고정해 주는 경우에는 가는 비흡수성 봉합사를 사용한다.

② 성분에 따른 봉합사의 분류

봉합사는 만드는 재료의 성분에 따라 자연(natural)봉합사와 합성(synthetic) 봉합사로 나누는데, 자연봉합사는 합성봉합사에 비해 조작하기 좋다는 장점이 있으나, 인장강도가 약하고 염증과 감염의 위험이 있다. 자연봉합사에는 Chromic catgut, Silk 등이 있고, 합성 봉합사에는 Vicryl, PDS, Dexon, Maxon 등이 있다.

③ 구조에 따른 봉합사의 분류

봉합사는 구조에 따라 한 가닥 구조의 실로 만들어진 단선(monofilament) 봉합사와 한 가닥 이상으로 꼬아 짠 복선(mutifilament) 봉합사로 나뉜다. 복선 봉합사는 단선 봉합사에 비해 보다 유연성이 있고 매듭의 안정성이 좋은 반면, 봉합사의 꼬인 공간 틈새로 세균 또는 이물질이 끼일 위험이 있을 수 있고, 표면이 다소 거칠다는 단점이 있어 요즘은 표면이 코팅(coating)된 복선 봉합사가 나온다. 단선 봉합사에는 Prolene, PDS 등이 있고, 복선 봉합사에는 Vicryl, Ehtibond, Dexon, Silk 등이 있는데, Nylon의 경우에는 단선 봉합사뿐만 아니라 코팅이 된 것과 코팅되지 않은 복선 봉합사 형태로도 만들어진다.

④ 굵기에 따른 봉합사의 종류

봉합사의 겉표지(그림 8-29)에 봉합사의 굵기를 표현하는 일반적인 단위가 USP로 성형수술에 많이 사용되는 USP는 7-0, 6-0, 5-0, 4-0, 3-0까지 다양하게 있는데, 이중 7-0가 가장 가늘고 숫자가 작아질수록 봉합사는 굵어진다. 그러므로 성형수술에 있어서는 안검성형에는 보통 7-0에서 5-0를 주로 사용하고, 코 성형은 6-0에서 4-0을 주로 사용한다. 참고로 사람의 머리카락 굵기는 6-0 또는 5-0 정도로 이해하면 된다.

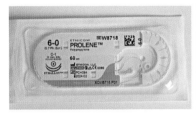
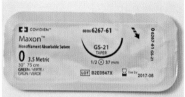
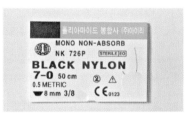

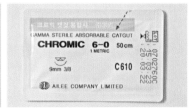
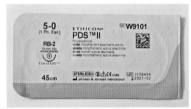

그림 8-29. 봉합사 겉표지

⑤ 봉합바늘(suture needle)의 종류

봉합바늘은 봉합사의 굵기에 맞게 구부러진 곡선의 환침(curved needle)이 연결된 제품으로 포장되어 나오는데, 봉합바늘의 종류는 바늘 끝의 단면모양, 바늘의 둥근 호의 크기(size of arc), 바늘의 길이에 따라 분류된다. 바늘 끝의 단면모양은 round, cutting, reverse cutting, diamond 등으로 분류되는데, round의 경우는 찢어지기 쉬운 조직이나 피하조직의 매몰봉합 때 주로 사용된다(그림 8-30).

바늘의 둥근 호의 크기는 반원에 해당하는 1/2 circle과 반원에 조금 못미치는 3/8 circle로 분류되는데, round 바늘의 경우 주로 1/2 circle이고, cutting 바늘의 경우에는 주로 3/8 circle이다. 바늘의 길이와 크기는 일반적으로 실의 굵기에 비례하여 커지는데, 성형수술에서 사용되는 바늘의 크기는 6mm에서 50mm까지 다양하므로 두꺼운 조직일수록 큰 바늘이 사용된다.

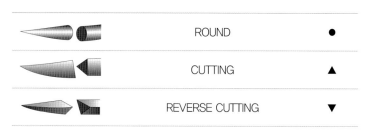

그림 8-30. **봉합사 바늘단면**

(2) 거즈(Gauze)(그림 8-31)

의료용 거즈는 일반적으로 면을 사용한 얇고 성글게 짜인 천인데, 접은 거즈, 부직포 거즈, 붕대 형태의 롤 거즈(roll gauze), 탭 거즈(tap gauze), 엑스레이 거즈(X-ray gauze) 등으로 분류된다.

일반적으로 가장 많이 사용하는 접은 거즈는 2×2인치(inch), 4×4인치이며, 4겹 또는 8겹으로 나누어 판매된다. 부직포거즈는 면 거즈에 비해 흡수력이 2배 정도 강하고 내수성도 강하다는 장점이 있고, 크기는 접은 거즈와 유사하게 판매된다. 롤 거즈는 붕대형태로 감겨있으며, 흡수력과 통풍성이 우수하고 크기는 45×1,800cm, 45×3,600cm 등이 있다. 탭 거즈는 10×20cm, 10×40cm, 20×40cm 크기의 8겹으로 봉재되어 나오는 것으로 한쪽 끝에 손잡이가 있으며, 유방성형술, 복부성형술, 안면거상술 등에 주로 사용된다. 엑스레이 거즈는 접은 거즈 형태에서 거즈 가운데 파란 방사선이 들어있기 때문에 수술 중 거즈가 환부 또는 체내에 들어갔을 때 확인 가능한 거즈이다.

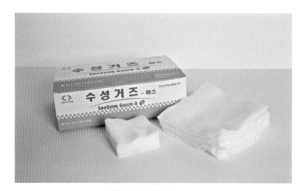

그림 8-31. 거즈(gauze)

(3) 반창고(Tapes)

의료용 반창고는 주로 면 또는 천으로 만든 반창고가 많지만, 성형외과 영역에서는 잘 사용하지 않고, 크게 종이반창고, 부직포 롤 반창고, 탄력반창고 등이 사용되고 있다. 종이반창고는 주로 3M micropore 종이반창고가 많이 사용되는데, 폭은 0.5인치와 1인치가 있으며, 색상은 갈색과 흰색이 있다(그림 8-32).

그림 8-32. 3M micropore 종이반창고, 면 반창고

부직포롤반창고(fixing roll tape)는 피부에 저자극성 부직포를 이용하여 상처 부위 접합뿐만 아니라 붕대와 거즈의 고정에 사용되는데, 접착력이 우수하고 탄력성도 있어 관절과 같이 굴곡있는 신체부위에도 사용 가능하다. 보통 폭은 2인치이므로 필요한 만큼 자른 후 붙어있는 종이를 떼고 부착하는데, 제품으로는 Fixmull, Hydrofix, Hypafix 등이 있다(그림 8-33).

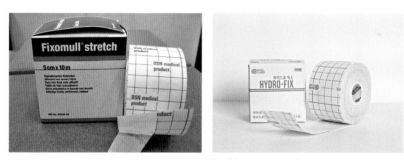

그림 8-33. 부직포롤반창고(fixing roll tape)

탄력반창고(elastic tapes)는 부직포롤반창고보다 두껍고 탄력성이 있어 압박 드레싱 또는 굴곡있는 신체부위의 수술 후 부종이 예상되는 부위에 사용한다. 주로 유방성형술, 복부성형술, 안면거상술, 안면골 수술 후에 사용되며, 보통 폭은 1인치, 2인치가 사용되고, 제품으로는 3M 탄력반창고, Elatex 등이 있다(그림 8-34A).

스테리스트립(steri-strip)은 일명 피부봉합 반창고라고 불리며, 멸균처리 되어 있으므로 상처부위에 직접 붙일 수 있다. 접착력이 강하기 때문에 봉합사를 제거한 후 상처가 벌어지는 것을 방지할 뿐만 아니라 흉터가 넓어지는 것도 방지할 수 있다. 피부에 저자극성이면서 다공성 구조를 가진 투과성 특성으로 상처소독제로 소독을 해도 잘 스며들기 때문에 봉합이 필요하지 않을 정도의 가벼운 열상에 봉합 없이 사용되기도 한다. 또한 스테리스트립은 신축성이 있어 굴곡있는 신체부위의 상처 벌어짐을 예방할 수 있을 뿐만 아니라 흉터예방을 위해 1개월~6개월까지 사용되기도 한다. 스테리스트립은 한 줄씩 떼서 필요한 길이만큼 잘라 사용하는데, 한 줄의 크기는 보통 6×100mm가 주로 사용되며, 3×75mm, 6×38mm, 6×75mm, 12×150mm 등 다양하고, 살색과 유사한 갈색의 경우에는 신축성도 있다. 스테리스트립의 사용방법은 봉합사를 제거한 후 상처의 길이방향과 수직으로 상처의 양쪽에서 엄지와 인지를 이용하여 상처방향으로 주변 살을 모은 상태에서 적당한 길이만큼 스테리스트립을 붙여 고정한다(그림 8-34B).

그림 8-34A. **탄력반창고(elastic tapes)**

그림 8-34B. **스테리스트립(steri-strip)**

9. 마취의 종류, 마취제, 주의사항

　마취는 크게 전신마취와 부위마취로 나눌 수 있는데, 전신마취에 수면마취도 포함된다. 일반적으로 말하는 전신마취가 근이완제를 사용하여 자발적 호흡을 억제하는 흡입마취라고 한다면, 수면마취는 환자의 자발적 호흡을 유지하면서 어느 정도 의식도 가지므로 전신마취보다 더 얕은 마취를 말한다. 부위마취에는 척추마취, 상완신경총마취, 국소마취 등으로 나누는데, 부위별로 약물을 주사하며 주사지점에서 감각신경을 차단하여 통증을 막아주므로 심장질환이나 호흡기 질환 때문에 전신마취가 어려운 경우에 주로 사용한다.

　수술 마취 전에 금식을 하는 이유는 전신마취 과정 중에 위 내용물이 입으로 역류하여 기도를 폐쇄하면 질식할 수도 있고, 위 내용물이 기관지 내로 넘어가면 폐렴을 초래할 수 있기 때문에, 성인의 경우 8시간, 소아의 경우 6시간 정도의 금식이 필요하다.

　성형수술의 특성상 마취는 전신마취, 수면마취, 국소마취로 분류되어 많이 사용되므로 각 마취의 종류와 특성에 대해 알아본다.

1) 전신마취(General anesthesia)

　흡입 전신마취 또는 흡입마취라고 하는데, 마취제를 투여하여 중추신경을 억제함으로 의식, 통증, 움직임을 소실시키는 마취방법이므로 혈압, 맥박, 호흡, 체온 등의 활력징후(vital sign)를 정상적으로 유지해야 한다. 전신마취는 마취제의 투여와 배설이 폐와 간을 통해 이루어지고, 마취의 깊이를 신속하게 변화시킬 수 있어 마취유도와 각성이 빠르다는 장점이 있으나, 폐를 통해 들어간 마취제는 혈액을 통해 중추신경계뿐만 아니라 다른 장기에도 영향을 미치기 때문에 수술 후 마취가 체내에서 완전히 배설되기까지에는 상당한 시간이 걸릴 수 있다. 전신마취로 수술해야 하는 환자의 전신상태를 파악하기 위해 미리 혈액검사, 방사선검사, 심전도검사, 소변검사 등을 시행한다. 수술 전에 반드시 8시간 이상의 금식이 필요하며, 수술 전 투약(premedication)으로 환자의 불안감을 해소하고 진정효과를 준다.

　마취튜브의 삽입은 대부분 입을 통해 기관 내 삽입(oral intubation)하며, 턱교정술이나 안면윤곽술을 할 때는 코를 통해 기관 내 삽입(nasotracheal intubation)한다. 전신마취를 하는 동안에는 방광에 소변이 고여도 정상적인 배뇨기능을 할 수 없으므로 수술 전에 반드시 소변을 보게 한다. 정상 성인은 300~400cc 소변이 방광에 고이면 배뇨가 일어나므로 수술시간이 3시간 이상 예상되거나 수술 중에 수술시간이 지연될 것으로 예상되면 마취 후에 도뇨관(foley catheter)을 삽입한 후 수술을 진행한다.

　그러므로 전신마취는 마취의사의 주도하에 안전하게 이루어져야 하며, 수술의사와 수술실 간호사들도 전신마취에 대한 약물과 특성, 마취기구, 환자상태 관리의 전반적 사항에 대해서는 숙지하고 있어야 한다.

2) 수면마취(IV anesthesia)

수면마취(intravenous anesthesia)는 정맥에 마취제를 주사하기 때문에 투여방법이 전신마취에 비해 간단하고, 환자가 자발적 호흡을 유지하면서 어느 정도 의식도 가지므로 전신마취보다 얕은 마취방법이다. 수면마취는 전신마취 영역에 해당하지만 엄밀히 말해 마취된 상태가 아닌 진정된 상태이므로 말을 걸거나 자극을 주면 환자가 반응을 하므로 감시하 마취관리(monitored anesthetic care, MAC)라고 한다.

마취제 투여 후 체내 대사가 빨리 일어나서 단시간 마취에 적합하며, 빠른 대사 속도로 인해 체내에 축적이 적고, 마취의 깊이 조절이 쉬우므로 마취 회복도 빠르다. 하지만 부작용으로 무호흡, 혈압 상승 또는 저하, 심혈관 기능저하, 어지러움, 오심, 구토, 환각, 착란 등의 증세를 일으킬 수 있으므로 활력징후를 면밀히 관찰해야 한다. 또한 수면마취 시 짧은 시간의 수면으로 피로가 사라지는 피로회복 효과와 뇌에서 도파민(dopamine) 분비로 인한 도취감과 행복감으로 중독성이 있을 수 있으므로 조심해야 한다. 수술 전에 감기 또는 천식 같은 호흡기질환, 비만, 만성질환으로 체력이 떨어진 환자, 수면 무호흡증 또는 코골이가 심한 경우에는 수면마취에 주의해야 한다.

(1) 케타민(Ketamine)(그림 9-1)

케타민은 투명한 액상형태로서, 일명 special K 또는 vitamin K라고 불리는 마약으로, 순식간에 기분을 좋게 하고, 호흡억제가 적어 기도유지가 되며, 통증효과가 뛰어나고, 뇌혈류가 증가되어 손상된 뇌회로를 복구함으로 우울증을 완화하는 효과가 있다. 반면 심장박동수와 혈압 상승효과가 있고 오심, 구토, 어지러움, 환각, 망상, 악몽 등의 부작용이 있다. 특히 해리작용으로 인해 환자가 마취에서 깨어나면서 발생하는 기분 나쁜 느낌을 호소할 수 있다.

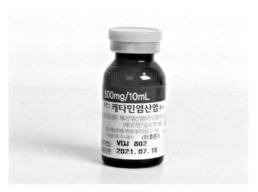

그림 9-1. 케타민(ketamine)

(2) 미다졸람(Midazolam)(그림 9-2)

미다졸람은 투명한 액상형태로서, 수면유도제, 항불안제, 진정제 효과가 뛰어나 단시간 외과수술이나 내시경 검사에 널리 사용되고 있다.

단기 기억상실 효과가 있으며, 중추신경이 억제되어 마취효과가 일어나므로 평안과 이완효과가 있으나, 호흡억제와 기도폐쇄의 부작용이 있다.

그림 9-2. 미다졸람(midazolam)

(3) 프로포폴(Propofol)(그림 9-3)

프로포폴은 우유처럼 흰 액상형태여서 우유주사라는 은어로도 불리는 향정신성 의약품(마약)이다. 수면, 진통, 진정효과가 있으면서 회복이 빨라 간단한 외과수술이나 내시경 검사에 많이 사용되는데, 정맥주사하면 1~2분 내에 의식소실이 되고 약물주입을 중단하면 2~3분 내 회복된다.

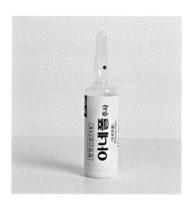

그림 9-3. 프로포폴(propofol)

체내에서 작용하는 시간이 짧고, 간에서 대사되어 소변으로 빠져나오므로 몸에 남지 않기 때문에 부작용이 적다. 단기 기억상실 효과가 있으며, 중독성이 적다고 하지만, 프로포폴의 양을 줄이더라도 오랜기간 반복적으로 사용하면 중독의 부작용이 있고, 호흡을 억제하여 무호흡증을 유발할 수 있다.

최근에는 중독성으로 인한 사회적 문제를 많이 일으켜, 집중관리 의약품으로 분류되고 있다.

(4) 덱스메데토미딘(Dexmedetomidine)(그림 9-4)

투명한 액상형태로서, 주사기 주입펌프(infusion pump)를 이용하여 약물을 자동주입하는 방식인데, 주입을 시작할 때 부하용량(loading dose)과 그후 유지용량(maintenance dose)으로 나누어 주입량을 지정한다. 호흡억제 효과가 거의 없어 비교적 안전하게 평가되고 있고, 다른 수면마취제와 같이 사용하는 경우가 많다.

부하용량 때 일시적 혈압상승 효과가 있으나, 전반적으로 혈압하강 효과와 서맥효과가 있어 서맥 또는 저혈압 환자에게는 조심해야 한다.

그림 9-4. 덱스메데토미딘(dexmedetomidine)

3) 국소마취(Local anesthesia)

(1) 국소마취제

국소마취는 크게 에스터(ester)와 아마이드(amide) 국소마취제로 나누는데, 요즘 많이 사용되고 있는 리도카인(lidocaine)과 부피바카인(bupivacaine)은 아마이드 국소마취제에 속한다. 에스터에 비해 아마이드 국소마취제는 알레르기 반응이 거의 없고, 수용액 내에서 안정성이 있으며, 주로 간에서 대사되어 신장으로 배출되기 때문에 대사속도가 대체적으로 느리지만, 다량 사용하면 빈맥, 혈압상승, 호흡수 증가 등의 부작용이 나타난다. 국소마취는 수술부위에 직접 마취제를 주사하여 수술부위만 마취시키는 방법으로 2% 리도카인(lidocaine)(그림 9-5)이 가장 많이 사용된다.

리도카인만 사용하면 수술 중 효과가 30분 정도 유지되지만, 리도카인과 에피네프린(epinephrine)을 100,000:1의 비율로 섞어서 주사하면 혈관 수축효과 때문에 출혈이 적고, 전신적 독성도 적으며, 리도카인의 흡수가 지연되어 1~2시간 정도 효과가 지속된다. 만들어진 제품으로는 치과용 주사기를 이용하는 자일로카인(xylocaine)(그림 9-6)이 있다. 2% 리도카인의 최대용량은 40cc이므로 많은 주사양이 필요하면 생리식염수와 희석해서 사용한다. 리도카인보다 2~3배 더 지속적인 마취를 위해서는 부피바카인(bupivacaine)도 사용되며, 안검성형술에 있어 각막과 결막을 마취하기 위해서는 알케인(alkaine) 점안 마취제를 사용한다.

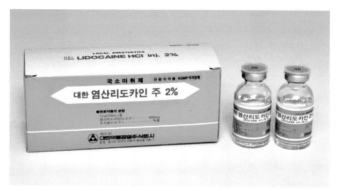

그림 9-5. 2% 리도카인(lidocaine)

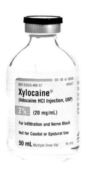

그림 9-6. 자일로카인(xylocaine)

(2) 국소침윤마취(Local infiltration anesthesia)

국소침윤마취는 신경차단마취(nerve block anesthesia)라고도 하는데, 얼굴 부위의 국소마취 수술 때 신경의 지배를 받고 있는 부위를 넓게 마취되게 하므로 유용하게 사용된다. 특히 얼굴의 감각신경은 삼차신경(trigeminal nerve)이 주로 지배하므로 삼차신경의 3개 분지에 국소침윤마취를 많이 시행하고 있다(그림 9-7). 삼차신경 중 첫 번째 분지에 해당하는 안신경 중 안와상신경(supraorbital nerve)과 활차상신경(supratrochlear nerve)을 차단마취하면 이마, 상안검, 콧대의 피부가 마취된다(그림 9-8). 삼차신경 중 두 번째 분지에 해당하는 상악신경 중 안와하신경(infraorbital nerve)을 차단마취하면 하안검, 콧날개, 상구순, 협부의 피부가 마취된다(그림 9-9). 삼차신경 중 세 번째 분지에 해당하는 하악신경 중 턱끝신경(mental nerve)을 차단마취하면 하구순과 턱끝의 피부가 마취된다(그림 9-10).

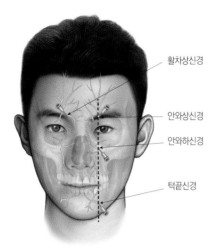

그림 9-7. **국소침윤마취-신경차단마취 3부위**

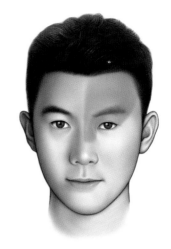

그림 9-8. **안와상신경과 활차상신경 마취범위**

그림 9-9. **안와하신경 마취범위**

그림 9-10. **턱끝신경 마취범위**

(3) 투메슨트 용액(Tumescent solution)

지방흡입술, 지방이식, 안면거상술, 복부성형술, 가슴성형 등을 할 때는 비교적 넓은 부위의 지혈 목적뿐만 아니라 수술 박리과정도 용이하기 위해 수술부위에 주사하기 위해 혼합한 약물을 투메슨트 용액이라고 한다.

혼합방식은 다양한데, 일반적인 방법은 생리식염수(normal saline) 1L, 2% 리도카인 25cc, 에피네프린 0.4cc, 중탄산염(sodium bicarbonate) 12.5cc를 섞어 사용하는데, 근래에는 중탄산염은 사용하지 않고 있다. 또한 최근에는 진통효과를 높이기 위해 넓은 부위의 수술에는 생리식염수 1L, 2% 리도카인 20ml, 부피바카인 20ml, 에피네프린 1ml를 섞어 필요한 양만큼 사용하기도 한다.

이런 혼합용액의 주입으로 에피네프린에 의한 혈관수축뿐만 아니라 주입된 용액에 의한 물리적 압박으로 출혈을 최소화할 수 있으므로 용액주입 때 골고루 많이 넣어주는 것이 좋고, 주입 후 15~20분 정도 기다린다.

4) 무통주사

무통주사의 정식명칭은 자가통증 조절장치(patient controlled analgesia, PCA)인데, 스스로 통증을 조절할 수 있는 장치로서 1회용 펌프 또는 조절장치를 사용하여 환자 스스로 약물주입을 조절할 수 있는 주사장치이다(그림 9-11). 무통주사의 성분은 환자의 상태에 따라 마취의사의 처방이 조금씩 차이는 있지만, 주로 마약성 진통제, 일반진통제, 항구토제가 들어 있다.

환자가 누르지 않아도 자동적으로 정해진 용량이 지속적으로 투여되며, 환자가 원할 경우 추가로 눌러 약물주입이 가능하지만, 15분에 한번만 추가로 들어가기 때문에 자주 눌러도 소용이 없다. 여러 종류의 제품과 모양이 회사에 따라 다양하며, 부작용으로는 어지러움, 오심, 구토, 혈압저하 등이 있다.

그림 9-11. **무통주사(PCA)-자가통증조절장치**

10. 응급상황과 응급처치

안전한 성형수술을 위해서는 수술 전에 환자의 건강상태와 병력을 잘 파악해야 하고, 수술하는 동안과 수술 후에 환자의 활력징후와 전신상태를 잘 관찰해야 하지만, 모든 성형수술이 수술자체뿐만 아니라 마취와 약물에 의해 언제든지 예상치 못한 응급상황이 발생할 수 있다. 그러므로 이러한 응급상황에 대처할 수 있는 지식을 갖추어야 하며, 이와 관련된 기구와 약물을 항상 준비해 두어 유사시 문제없이 해결할 수 있는 능력을 갖추어야 한다.

1) 심폐소생술(Cardiopulmonary resuscitation, CPR)

일반적 응급처치법으로 심폐소생술을 기본적으로 익혀 두어야 하는데, 정지된 심장과 폐의 역할을 회복시키는 응급처치 방법이다. 일반적으로 ABC를 유지시켜주는 것인데, A는 기도확보(airway)를 유지시켜주는 것이고, B는 호흡유지(breathing)하는 것이고, C는 심장 혈류순환(circulation)을 유지시켜 주는 것이다. 심폐소생술 방법은 먼저 심정지 및 무호흡 상태를 확인하는 것으로, 손목이나 목에서 맥박을 확인하고, 가슴과 복부의 움직임을 보면서 숨을 쉬고 있는지 확인하는 것이다. 심정지와 무호흡 상태가 확인되었다면, 환자의 가슴 중앙에 모은 두손으로 5-6cm 깊이로 가슴압박을 30회 시행한 후 환자의 코를 막고 인공호흡 2회를 반복적으로 시행한다(그림 10-1).

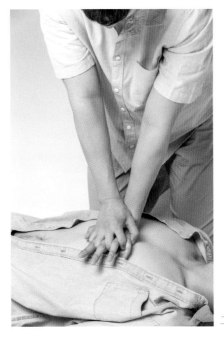

그림 10-1. **심폐소생술**(CPR-cardiopulmonary resuscitation)

그동안 자동심장충격기(AED)가 준비되었거나 기도확보를 위한 튜브의 기관 내 삽입이 준비되었으면 각
각을 시행해 준다(그림 10-2). 자동심장충격기는 심장이 불규칙하게 수축하는 심실세동 환자에게 강한 전류를
심장에 통과시켜 심근의 활동전위를 유발하여 심실세동을 종료시키고, 심장이 다시 정상적인 전기적 활동
을 할 수 있도록 유도하는 것이다. 자동심장충격기의 사용방법은 먼저 전원버튼을 눌러 전원을 켜고, 2개의
패드 중 하나는 우측 가슴상부에 부착하고, 하나는 좌측 가슴하부의 겨드랑이에 부착한 후, 쇼크 버튼을 누
르라는 음성지시가 나오면 버튼을 눌러 자동심장충격을 시행한다. 자동심장충격 후에는 즉시 가슴압박과
인공호흡을 30:2 비율로 다시 시행하며, 자동심장충격기는 2분마다 심장리듬 분석을 반복해서 시행한다. 이
때 감전의 우려가 있으므로 환자에게서 모두 멀어지도록 안내한 후 시행자와 환자 간의 접촉이 없음을 확인
한다.

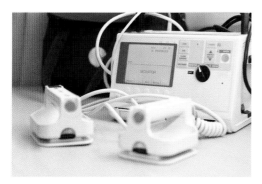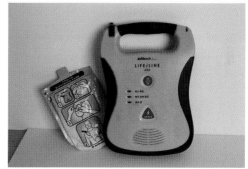

그림 10-2. 자동심장충격기(AED), 자동심장충격기 휴대용

2) 호흡관련 응급상황과 처치

특히 수면마취하에 수술하다 보면 호흡과 관련된 응급상황들이 많이 발생할 수 있는데, 수면 무호흡증인
지 호흡억제 또는 호흡폐쇄 상태인지를 빨리 확인하고 적절히 대처해야 한다.

수술 중에는 산소포화도 측정기(pulse oximeter)를 부착하므로 산소포화도만 잘 파악하여도 호흡관련 응
급상황은 쉽게 조절할 수 있기 때문에 산소포화도 90% 이하일 경우에는 경보가 울리게 맞추어 놓는다. 산소
포화도가 90% 이하로 떨어진다고 무호흡증은 아니지만, 호흡기능이 저하된 상태이므로 환자의 턱을 앞으로
당겨 기도를 넓히고, 산소공급이 원활해지면 산소포화도가 다시 상승하는 것을 확인한다. 환자가 깊게 잠들
거나 수면 무호흡증이 있는 경우에는 턱을 앞으로 당겨주거나 환자를 자극하여 깨우면 산소포화도는 다시
상승한다. 턱을 앞으로 당기고 환자를 깨워도 산소포화도가 상승하지 않고 계속 떨어진다면, 무호흡증을 의
심하고 마취제 주입을 중단하면서 산소마스크를 대어주거나 수동식 인공호흡기인 암부백(ambu bag)을 이
용하여 인공호흡 시켜준다. 수면마취에 의한 무호흡증은 대개 일시적이므로 5분 이내에 호흡이 돌아오지만,
호흡이 회복되지 않을 경우에는 즉시 기도확보를 위한 튜브의 기관 내 삽입이 되어야 한다.

3) 심혈관계 관련 응급상황과 처치

수술 중에 가장 흔히 접하게 되는 경우가 혈압, 맥박의 변동에 따른 심혈관계 변화이다. 수술 중 160/100 mmHg 이상으로 혈압이 상승하는 경우에는 먼저 상체를 약간 높이면서 환자를 안정시키고도 혈압이 떨어지지 않으면, 마취 시 고혈압 치료를 위해 많이 사용되는 라베타롤(labetalol)을 생리식염수에 섞어 1분가량 천천히 정맥주사 한다. 수술 중 혈압이 90/60mmHg 이하로 떨어지는 경우에는 머리를 약간 낮추면서 다리를 높여주면서 환자를 안정시켜도 혈압이 올라가지 않고, 80/40mmHg(평균 50mmHg) 이하로 떨어질 경우에는 에페드린(ephedrine) 0.1cc를 생리식염수에 섞어 천천히 정맥주사한다.

수술 중 맥박이 느려지는 경우에도 혈압이 떨어지는 경우처럼 머리를 낮추고 다리를 높여줘도 맥박이 안정되지 않고, 분당 40회 이하로 떨어질 때는 분비작용도 감소시키는 글리코피로레이트(glycopyrrolate) 또는 아트로핀(atropine)을 정맥주사 한다. 수술 중 맥박이 빨라져 분당 120~130회 이상 지속되면서 혈압도 높을 때에는 반감기 짧은 브레비블록(breviblock, 100mg/10ml) 1ml를 천천히 정맥주사한다.

일반적으로는 맥박이 느려지면서 혈압이 떨어지지만, 출혈이 많은 경우에는 혈압은 급격히 떨어지고 맥박은 상승하므로 이때는 수액과 혈액 보충한다.

4) 아나필락시스(Anaphylaxis)

아나필락시스(아나필락틱 쇼크)란 특정물질에 대해 몸이 과민반응을 일으키는 알레르기 과민반응이다. 주로 즉각적인 반응이 나타나며 즉시 치료가 이루어지면 별다른 문제없이 회복되지만, 진단과 치료가 지연되면 치명적일 수 있다.

그림 10-3. 에피네프린(epinephrine)

주로 페니실린계 항생제나 진통해열제, 벌 또는 곤충에 물린 경우, 백신, 특정 음식물에 의해 발생할 수 있으므로 수술 동안 또는 수술 후 사용되는 약물에 의해 발생할 수 있다. 과민반응 물질에 접촉한 직후부터 대부분 1시간 안에 기침, 흉통, 손발 저림, 빈맥, 소양증을 동반한 발진, 구토, 설사 등의 증상이 나타나며, 이어 호흡곤란, 저혈압, 의식소실 등이 나타나 사망할 수도 있는데, 피부와 점막, 심혈관, 소화기, 호흡기 등 여러 장기에 증상이 나타날 수 있다. 아나필락시스 때 최선의 약물은 에피네프린(epinephrine, 1:1,000, 1mg/ml)이며, 최선의 투약경로는 근육주사(IM)이고, 투여부위는 외측광근(vastus lateralis)이 있는 대퇴부의 중간 바깥쪽이며, 최대 0.5mg 사용 가능하나, 보통 0.3mg 근육주사 한다(그림 10-3). 정맥주사는 근육주사보다 심혈관 합병증을 많이 일으켜 가급적 피하는데, 필요하다면 용량을 근육주사보다 10%만 사용하여 천천히 주사한다.

11. 미용의학의 심미적 디자인

의학의 목적은 건강을 위한 것이며, 건강이란 인체의 생리구조가 완전하고 기능이 정상적인 상태를 말한다. 따라서 신체와 심리상태 및 정신체계가 균형을 이루는 것이 건강미이다. 미용의학의 목적은 사람의 외모가 보는 사람으로 하여금 눈과 마음을 즐겁게 함으로써 심미적인 기능을 실현하는 것이며, 이것은 자연미이다. 미용의학의 심미적 디자인은 본인이 만족해야 하며 잘 어울리는 개성미를 지향한다. 개성미란 자신만의 개성을 지닌 외모, 독특한 스타일, 그에 맞는 분위기, 섹시하고 활력이 넘치는 것을 가리킨다(그림 11-1).

건강미　　　　　　　　　자연미　　　　　　　　　개성미

그림 11-1. **미의 세 가지 형태**

1) 미(美)와 심미(審美의 기준)

인체미는 주로 인체의 세 가지 기본 요소인 색깔, 형태, 질감으로 구성된다. 색깔은 피부색이 예쁘고 혈색이 좋으며, 하얗고 투명하면서도 핑크빛 도는 것을 말한다. 형태는 얼굴의 형태가 단정하고 대칭적으로 균형을 이루는 것을 말하며, 질감은 전체적으로 볼륨감 있고 부드러운 질감을 말한다. 이 세 가지 조건이 서로 어우러져 표준미의 형태를 구성한다. 구체적으로 골격을 통해 지지구조를 형성하고 안면 연조직을 통해 메워주는 역할을 하며, 생리적인 기능(생리적 나이)을 통해 활력을 제공한다. 위와 같은 여러 요소들이 결합하여 현실에서 다양한 모습들을 이룬다(그림 11-2).

(1) 임상 얼굴분석

① 얼굴미용의 네 가지 요소

임상 얼굴분석(Clinical facial analysis, CFA)이란 의사가 환자 얼굴의 비율, 크기, 외관, 대칭상태 및 심각한 기형 여부를 평가 및 판단하는 것을 말한다. 이는 직접 관찰, 사진, X-ray 방사선촬영 및 CT스캔 등을 통해 이루어진다. 얼굴 미용에 관련된 네 가지 요건은 연조직의 질, 연조직의 수, 연조직의 운동학, 골격의 지지구조이다.

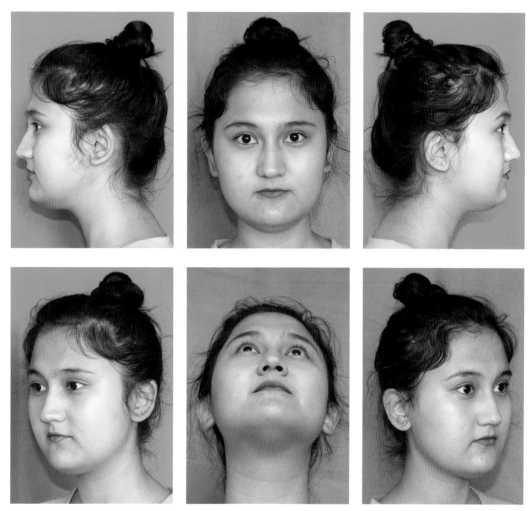

공통적특징: 민족성별나이, 개별적특징: 건강상태, 정신상태성격특징

그림 11-2. 얼굴의 시각언어 정보(순간적 • 직접적 전달)

a. **연조직의 질:** 젊음, 얼굴의 광채도, 얼굴의 긴장도를 결정한다. 구체적으로 피부색, 질감, 탄력, 자외선으로 인한 손상, 색소침착, 표피주름 및 상처와 관련된다. 또한, 모발, 눈썹 및 속눈썹, 입술의 특징, 홍채(iris)와 공막(sclera)의 색깔, 화장 등 모두 각각 다른 역할을 하며, 얼굴표면 질의 이미지에 영향을 미친다.

b. **연조직의 수:** 비만도, 연조직의 체적과 무게 등과 같은 포만도를 결정한다. 각 부위별 두께 및 공간 분포에 따라 결정된다. 예를 들면, 얼굴부위의 지방, 근육, 점막과 피부 등이 해당된다.

c. **연조직의 운동학:** 얼굴의 처짐, 피부의 장력, 연조직의 중량을 결정한다. 연조직의 운동은 주로 골격근육 운동 및 머리와 얼굴 부위의 형태와 관련된다. 같은 양의 근육활동으로 유지되는 머리형태는 관찰자가 얼굴 각 부위를 감지하는 데 주요 역할을 한다.

d. 골격 지지구조: 얼굴의 윤곽형태, 얼굴의 유형을 결정한다. 골격 지지구조는 외부 골성 브래킷, 비연골, 귓바퀴연골 및 앞니부분을 포함한다. 얼굴 부위에 특수한 지지구조 조직으로는 안구가 있는데, 안구의 크기와 공간위치는 얼굴 미용에 큰 영향을 미친다.

이 외에 안면은 두 부분으로 나뉘는데, 앞쪽 표정 운동근육군인 정면 얼굴과 기능성 운동근육군인 뒤쪽 얼굴로 나눌 수 있다(그림 11-3).

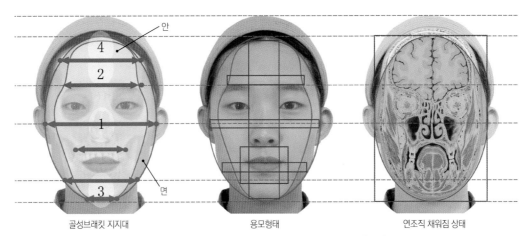

| 골성브래킷 지지대 | 용모형태 | 연조직 채워짐 상태 |

그림 11-3. 얼굴구조는 골성브래킷과 연조직으로 구성된다.

② 얼굴의 노화과정

얼굴의 전체적인 구조 유형은 골성브래킷에 따라 결정되고, 연조직형태는 주로 젊은 정도에 따라 나타나는데, 결국은 신체 기능상태의 문제이다. 젊음은 광채나는 피부색의 예쁘며 밝은 특징이 있는데 비해, 노화는 건조하고 함몰되며 처지는 것이 특징이다. 젊음에서 노화되는 것은 불가피한 과정(그림 11-4)으로, 주된 원인은 체내에 있는 호르몬의 변화 때문이다.

③ 얼굴미용 대상 세 가지 부류

얼굴 미용을 하는 사람들은 크게 세 가지 부류가 있다. 첫째, 외모 기형적이고 기능적으로 이상이 있어서 성형치료가 필요한 환자이다. 이 유형의 환자는 성형부류에 속하며 온전한 외모와 정상적인 기능을 기준으로 삼고 있다. 성형 목표는 정상적인 형태를 가진 공통적 미의 기준(1급)이며, 고품질 제품에 해당한다. 둘째, 용모 형태와 오관 기능은 정상이지만, 미용을 목적으로 하는 환자이다. 이 유형의 환자는 미용성형 부류에 속하며 모습이 단정하고 오관의 형태와 기능이 조화를 이루는 것을 기준으로 삼는다. 미용성형의 목표는 마음이 즐거운 심리상태의 미(2급)이며, 이는 공예품에 해당된다. 셋째, 용모와 오관의 기능 모두 정상적이고 얼굴도 비교적 예쁘지만 자신의 얼굴에 대해 만족을 못 느끼며 개성을 원하는 환자이다. 이 유형의 환자는 정신적인 수요를 충족시키려는 개성화된 심미적 환자이다. 형태는 뚜렷한 개성을 부여하고 오관 기능은 조화로울 것을 기준으로 한다. 성형 목표는 본인 마음에 들고 만족스러운 정신적 수요를 충족시킬 형태미(3급)이며, 이는 예술작품에 해당된다 (그림 11-5).

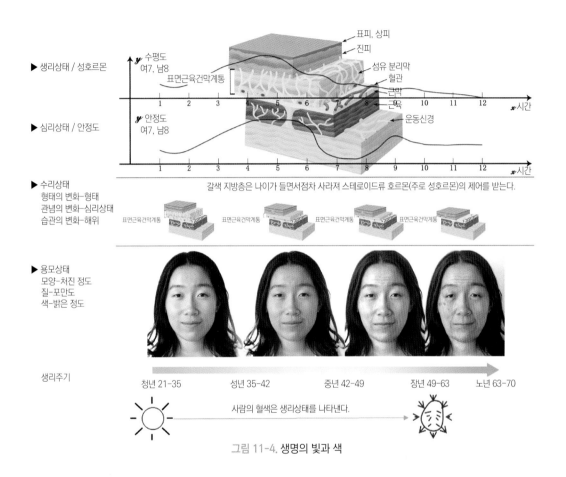

그림 11-4. 생명의 빛과 색

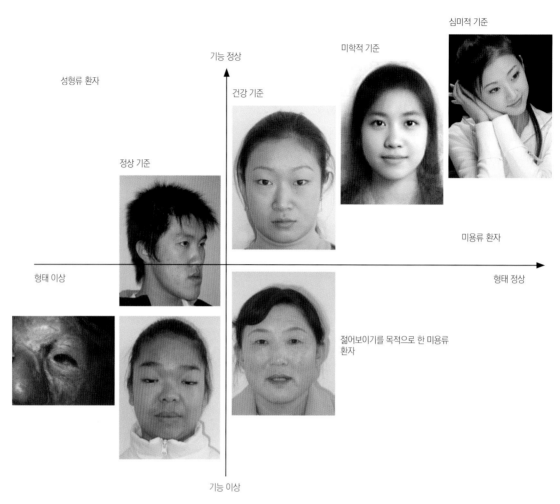

그림 11-5. 의학미용류 환자의 분류 – 뷰티의 레벨

(2) 얼굴미용의 세 단계 기준

얼굴미용의 세 단계 기준은 다음과 같다. 제1급은 일반기준으로 형태학적 기준이라고도 불린다. 제2급은 미학기준으로 심리상태학적 기준으로도 불린다. 제3급은 개성화 심미기준으로 표정학적 기준 또는 정신적 수요 기준이라고도 불린다.

① 건강기준(성형기준)

성형 기준은 일종 형태미적 기준으로 기본적으로 건강미에 초점이 맞추어 져 있다. 미학적 공통된 기준을 바탕으로 하여 최대한 보편적으로 인식되는 정상적인 형태를 완성하는 것으로, 핵심은 시각적인 균형을 맞추는 데 있다. 이는 주로 온전한 형태와 정상적인 기능을 포함한다. 이러한 성형기준은 전형적인 의료행위로 치료를 목적으로 하며 대칭과 균형, 비율과 조화 두 가지 방면으로 구성된다.

a. 대칭과 균형

대칭은 주로 중심점을 이용하여 측정한다(그림 11-6).

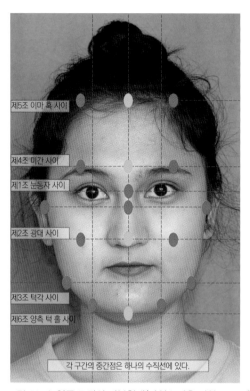

그림 11-6. 얼굴 표정의 기본형태(자연스러운 정위, 무보정)

첫 번째 중심점: 두 눈동자 사이의 중간 점. 두 번째 중심점: 양쪽 광대 사이의 중간 점. 세 번째 중심점: 양 쪽 아래턱 사이 중간 점. 네 번째 중심점: 양측 미간 가장 높은 곳 사이 중간 점. 다섯 번째 중심점: 양측 이마 혹 사이 중간 점. 여섯 번째 중심점: 양측 턱 홀 사이 중간 점.

대칭의 기준: 각 구간의 중간점은 하나의 수직선에 있어야 하며, 그렇지 않으면 비대칭으로 간주한다.

균형의 기준: 자로 측정할 때 개별적인 중간점이 비대칭이지만 육안으로 봤을 때 대칭이면 균형으로 간주한다.

대칭은 균형의 특별한 케이스이며, 얼굴이 완전한 대칭을 이루는 사람은 없다. 균형은 시각적으로 자세히 관찰하지 않으면 차이가 없지만 자세히 관찰하거나 측정했을 때에 차이가 존재하는 것을 말한다. 통속적으로 '최소 시각차이 해상도'라고도 말한다. 따라서 '디멘션(dimension) 공간'이라는 개념이 생성되었다. 간단한 측정 방법은 환자의 정면사진을 중간에서 좌우로 반반 나눠 각각 복사하고 뒤집어서 합성한 사진들을 놓고 좌우측의 얼굴을 비교하면 대칭과 균형의 차이점을 바로 확인할 수 있다(그림 11-7).

좌우합성을 통해 대칭과 균형에 대해 설명하는 방식은 직관적으로 환자와 소통할 수 있을 뿐만 아니라 정확한 측정을 통한 비교를 할 수 있다(그림 11-8).

얼굴 자연 정위 균형
좌우 양쪽 측정시 차이 있으나
육안으로는 표시 나지 않음

빨간 선은 좌측면적

빨간 선은 좌측면적

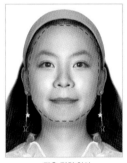

좌측 정위 합성

우측 정위 합성

그림 11-7. 얼굴 대칭과 균형의 기본형태(자연스러운 정위, 합성함)

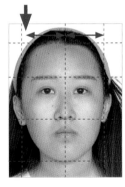

얼굴 자연 정위 불균형
좌측 폭의 차이 현저함
좌측 화살표 참고

빨간 색 면적은 좌측

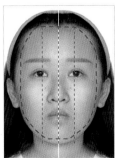

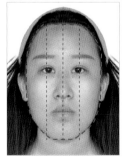

좌측 정위 합성

우측 정위 합성

그림 11-8. 얼굴 대칭과 균형의 기본형태(자연스러운 정위, 합성함)

b. 비례와 조화(그림 11-9)

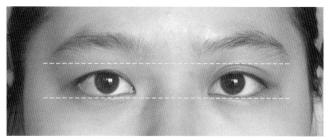

좌우 눈매 비례 관계 불일치

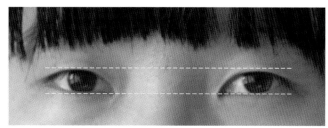

좌우 안구 크기의 비례 관계 불일치

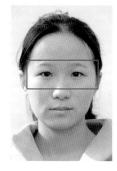
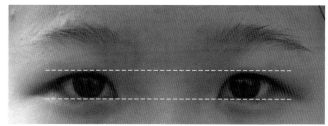

좌우 안구 크기비례 일치하나 눈빛 안쪽으로 몰림

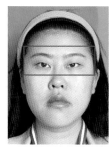
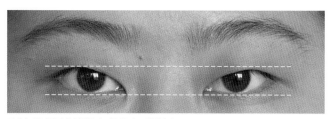

좌우 눈의 비례관계 일치하나 기울임 각도 상의하다.

그림 11-9. 두 눈의 비례 관계는 정상적인 상황에서도 불일치하다.

비례는 부분과 부분 혹은 부분과 전체 사이의 수량관계로 비율의 개념이다. 비례는 디자인 구성에서 단위의 크기 및 각 단위 사이의 배열 조합에 영향을 미치는 중요한 요소이다. 조화는 '함께'와 '일치', 즉 함께 일치를 이루는 뜻으로 같은 과정 중의 상태이다. 예를 들어 타원형의 얼굴에 타원형의 치열궁 형태를 세팅하면 어울리지만, 사각형의 치열궁 형태를 세팅하면 조화롭지 않다. 비례와 조화는 선분의 수량관계에서만 나타나는 것이 아니라 각도나 색채 등의 강약에서도 나타난다.

② **미용성형목표(미학적 기준)**

자연미는 심리인식의 의식적 기준으로 얼굴의 리듬감, 운율감 등과 같은 통용성을 지니고 있다. 자연미는 미학적 공통 기준으로 정해진 고정기능을 가진 사회적 기준이다(심리상태미). 자연미는 동적인 미를 핵심으로 하는 심미적 기준이고, 건강미를 바탕으로 하는 보다 높은 심미적 기준이다.

a. 리듬과 운율

리듬은 원래 음악에서 소리와 박자의 경중 완급의 변화와 반복을 말한다. 미용의학 스타일링예술 디자인에서 리듬은 동일한 요소가 지속적으로 반복할 때 생기는 운동감을 가리킨다. 리듬은 동적인 표현이고 균형은 정적인 표현으로 양자가 결합을 통해서 비로소 형상미의 효과를 만들어낼 수 있다. 운율은 연속적으로 규칙적 리듬감 있는 변화를 가리킨다. 라인이 웨이브 형태로 연속적인 기복이 운율을 이룬다고 보면, 색깔이 교차되고 중복되는 것도 운율이라고 볼 수 있다. 리듬감은 동적 심미의 기준으로, 얼굴의 리듬감은 주로 눈과 얼굴의 상중하 관계에서 나타난다. 일반적으로 말하는 '삼정오안(三庭五眼: 이마는 얼굴 길이의 삼분의 일이고 눈과 미간이 얼굴 폭의 오분의 일)'도 절대적이 아닌 상대적인 기준이다(그림 11-10). 얼굴의 프티성형에서 주사시술은 이마와 코의 곡선을 정적인 형태의 얼굴에서 동적인 형태로 만드는 시술이다. 얼굴의 운율감은 얼굴의 정면 및 측면 윤곽선을 동적이며 부드러운 것을 말한다(그림 11-11).

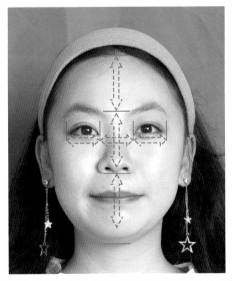

그림 11-10. 눈의 좌측, 중간, 우측 비례 일치하며 리듬감 비교적 강하다.

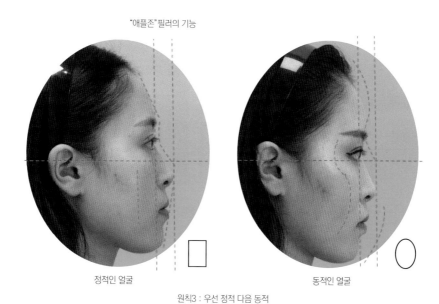

그림 11-11. 운율감-정적상태 직선과 동적상태 곡선의 형상관계

b. 대비와 통일

대비는 대조라고 부르기도 하는데, 통일적인 전제하에서 질적 혹은 양적으로 뚜렷이 대비되는 두 요소를 성공적으로 함께 배열하여 사람들에게 다르지만 통일감이 있는 느낌을 주는 현상을 말한다. 선명하고 강렬한 느낌을 주는 대비를 강조라고 하고, 주제를 더 선명하게, 작품을 더 풍성하게 만들 수 있다. 대비관계는 주로 형상의 크기, 굵기, 길이, 모양, 방향의 수직, 수평, 기울기, 구체적인 수량, 거리의 원근감과 밀도, 사진바탕의 허실, 흑백, 경중, 색조의 밝기와 느낌, 이미지와 자태의 동적 여부 등 복합적인 요소에 따라 다르게 나타난다.

통일은 모두가 일치하는 것을 가리키며, 대비와 통일이 양쪽 극점이라면 조화는 양자 중간의 상태이다. 조화는 차이에서 '같음(일치)'을 추구하는 것이다. 예를 들어, 색깔 중에서 빨강과 오렌지, 오렌지와 노랑, 원과 타원, 사각형과 직사각 등이 그러하다. 이에 비해 대비는 오히려 차이에서 '차이(대립)'를 만들어 가는 것이다. 통일은 종착점이다.

위 네 장의 사진에서 눈썹과 눈의 형태 관계를 대비를 한 것이다. 그림 11-12A, B는 양쪽 눈 사이의 거리를 대비한 것, 그림 11-12C, D는 눈썹각도와 눈의 각도를 대비한 것, 그림 11-12A는 두 눈 사이의 거리가 너무 좁다. 그림 11-12B는 두 눈 사이가 너무 멀다. 그림 11-12C는 눈썹각도와 눈의 각도가 일치하여 조화를 이룬다. 그림 11-12D에서 눈썹은 위쪽을 향해 있고, 눈꼬리가 아래로 처져 강한 대비를 이루어 일치하지 않는다.

두 눈 사이가 좁아서 미간과 눈안쪽 대비됨   두 눈 사이가 넓어서 미간과 눈안쪽 대비됨   눈썹과 눈의 각도 일치, 통일됨   눈썹과 눈의 각도 불일치, 대비됨

그림 11-12. **대비와 통일의 상관관계, 대비효과로 개성이 뚜렷하다.**

③ 개성화 심미의 예술적 기준(U량 기준)

개성화된 심미예술의 기준('U량 기준'으로 약칭)은 개성적인 인지 기준이다. 예를 들면, 입체적인 얼굴형에 그리스 스타일의 코, 유럽형 눈은 정신적인 수요에 속한다. 사회 공통된 심미의 전제하에서 개성적인 수요를 충족시키는 심미적 기준으로 '독특한' 미를 갖춘다. 예를 들면, 아시아인은 몽골인종으로 얼굴이 평면형태에 속하는 데 비해, 유럽인들은 코카서스계 인종으로 얼굴이 입체감이 강하다. 대다수 아시아 여성들은 얼굴의 입체감을 살리기 위해 유럽계 얼굴형으로 미용성형을 원하는데, 이것이 바로 개성적인 수요이다. 구체적으로 설명한다면 개체는 개인이 속해 있는 군의 심미 범주의 공통된 수요를 뛰어넘어 개성을 갖춘 심미적 수요를 강조한 것이 바로 예술적 기준이다. 기본 특징으로는 대비감이 강한 건강미, 자연미, 공통특성을 갖춘 개성미이다. 이는 고품질의 예술 창작으로 비유할 수 있다. 예를 들면, 고상한 얼굴형, 시크한 분위기, 우아한 스타일, 귀엽고도 섹시하며, 사랑스러운 분위기로, 주로 용모, 스타일, 분위기에 대해 디자인하며 심미적 디자인의 최고수준이다.

개성과 조화는 스타일링 예술과 일반 조형예술의 가장 중요한 차이점이다. 개성과 조화는 조형예술에서 대비와 통일로 표현된다. 반면에 미용의학에서는 '형(型)'과 '상(相)'의 관계로 심리학적 의식 범주에 속한다. 이는 두 가지 측면의 의미를 포함하고 있는데, 하나는 사회심리적 반응이고, 둘째는 개체심리가 개체 이미지에 미치는 영향이다. 미용의학에서의 개성과 조화는 용모의 아름다움, 스타일의 아름다움, 분위기의 아름다움으로 귀납할 수 있다.

이와 관련된 전형적인 표현으로는 아름답고 매력적이며 매혹적인 것이다. 아름답다는 것은 사람들 사이에서 관심을 받을 수 있고 관심도가 높은 것을 말한다. 매력적이라는 것은 사람을 끄는 힘이 있어서 주목을 받을 뿐만 아니라 사람을 좋아하는 마음이 생기게 한다. 마치 향기를 내뿜는 꽃처럼 매혹적이면서 감출 수 없는 성적매력을 말한다(그림 11-13).

얼굴을 통해 풍기는 분위기는 주로 양적 감도에서 나타난다. 사각형 얼굴은 양적 감도가 크고 기품이 있어 보이며 계란형 얼굴은 양적 감도가 작고 아담하게 보인다. 눈썹과 눈 사이 거리가 넓고 얼굴 중간 부분이 길어 차지한 비중이 크면 얼굴 중심이 위로 기울어 키가 커 보인다(그림 11-14).

스타일이란 주로 강유(剛柔)와 양적 감도의 비율 관계로, 상대적인 체양(體量)의 크기, 길이 및 폭의 비율관계이다. 얼굴 아래쪽이 작고 위쪽이 크면 무게중심은 위로 움직여 동적인 느낌이 강하다. 반면에 얼굴 아랫부분이 크고 윗부분이 작으면 무게중심이 아래에 있어서 안정감이 강해 보인다. 곡선형은 부드러워 보이며 여성적인 분위기고 직선형은 강직해 보이며 남성적이다. 얼굴의 각도 및 양감도의 조정을 통해 얼굴에서 풍기는 분위기를 조정할 수 있다(그림 11-15).

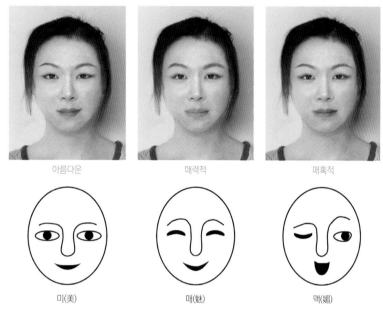

그림 11-13. 분위기 코드 : 아름다움, 매력, 매혹

그림 11-14. 얼굴 분위기 코드: 기품과 고상

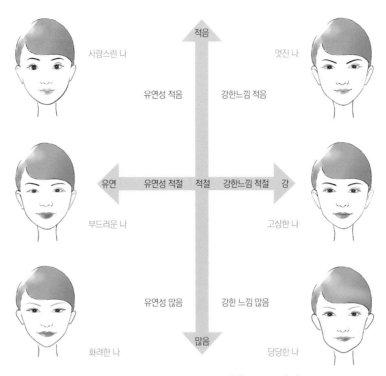

그림 11-15. **얼굴 스타일 코드 : 성(性)감도와 양(量)감도**

(3) 디자인 원리: 시각적 균형

① 시각적 균형의 원리

정의: 관찰된 객체대상의 각 시각적 요소(중심, 무게중심, 무게)가 사람들이 일정한 원칙에 따라 정해 놓은 마땅한 위치에서 각 요소의 관계가 합리적이고 조화롭고 균형감을 갖춘 시각적 효과를 거둔다 (그림 11-16).

a. 시각중심

시각중심은 일종의 잠재의식의 중심으로 의식표기의 통제를 받지 않는다는 것이 특징이다. 의식은 시각적 감각에서 나타나고 잠재의식은 가시화된 표기가 없더라도 인지할 수 있는 의식상태에서 나타난다. 쉽게 말하면 바로 인지점인데, 이는 표기점의 영향을 받지 않는다. 그림 11-17에서 두 원형의 중심은 표기 여부와 상관없이 그 위치가 중심에 있다는 것을 알 수 있다. 시각중심 전체중심의 균형점이며 이는 시각균형의 측정 기준점을 결정한다. 시각 균형은 이 중심점을 이용하여 수직좌표를 만들어 측정한다.

b. 시각 무게중심

시각 무게중심은 똑 같은 시각적 밀도의 면적 또는 부피의 중심이다. 그림 11-18의 왼쪽 그림은 밀도가 똑같아서 시각적 무게중심이 중앙에 위치하여 균형을 이룬다. 그림 11-18 오른쪽 그림은 밀도가 일치하지 않고 시각적 무게를 느끼면서 시각적 무게중심은 아래쪽으로 이동한다. 따라서 도형의 시각적 힘이 생기고 이는 물리적 힘과 일치하고 크기 및 방향도 느껴지는 심리적인 힘이다.

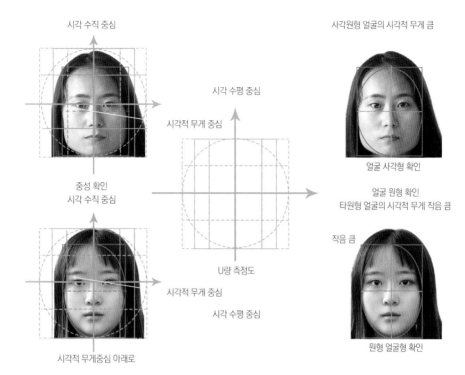

그림 11-16. **얼굴 좌우가 일치한 시각적 균형**

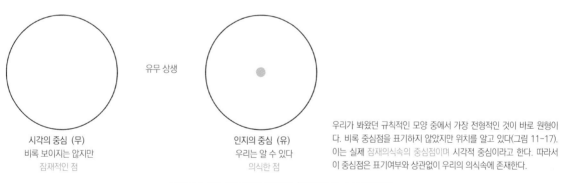

우리가 봐왔던 규칙적인 모양 중에서 가장 전형적인 것이 바로 원형이다. 비록 중심점을 표기하지 않았지만 위치를 알고 있다(그림 11-17). 이는 실제 잠재의식속의 중심점이며 시각적 중심이라고 한다. 따라서 이 중심점은 표기여부와 상관없이 우리의 의식속에 존재한다.

그림 11-17. **잠재적인 중심점 '유무상생', 동시존재감**

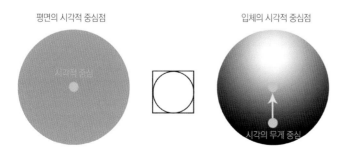

우리가 봐왔던 규칙적인 모양 중에서 가장 전형적인 것인 정사각형과 정원형이다. 중심을 표기하지 않아도 우리는 중심점의 위치를 알고 있다(그림 11-18). 이 중심점은 바로 의식의 중심점이다.

그림 11-18. **시각중심과 시각적 무게중심**

c. 착시

착시는 시각적인 불균형으로 인해 생긴 것으로 심리적인 힘이 착시를 일으킨 원인이다. 시각의 힘은 심리적인 힘의 물리측정에 바탕이 된다(그림 11-19).

두 눈사이 시각적 거리 단축됨
두 눈사이 물리적 거리 같음

길이에 대한 착각
길이 같음 길이감 상의함
위의 것 길고 아래 것 짧음

두 눈사이 시각적 거리 멀어짐
두 눈사이 물리적 거리 같음
위의 것 좁고 아래 것
넓음

그림 11-19. **착시와 응용**

② **시각균형의 기능 및 역할**

a. 시각균형의 기능

시각균형과 불균형은 관심을 일으키는 존재의 형태이다. 균형상태는 보편적으로 같은 형태에서 공통성과 개성이 밀접하게 결합된 것으로 나타내며, 불균형 상태는 같은 유형이 다른 유형으로 변화 및 발전하는 형식이다. 균형은 평화롭고 안정된 특징을 나타내고, 불균형은 동적이고 활력이 넘치는 특징을 보여준다(그림 11-20).

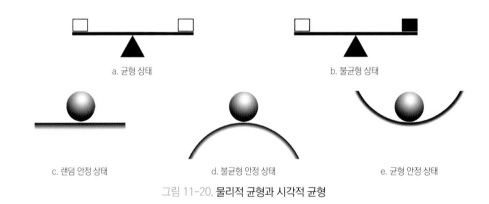

a. 균형 상태

b. 불균형 상태

c. 랜덤 안정 상태

d. 불균형 안정 상태

e. 균형 안정 상태

그림 11-20. **물리적 균형과 시각적 균형**

a-1) 선형의 점과 점 사이의 거리는 시각의 균형을 만들어주는 기능이 있다.

그림 11-20a 양쪽 물체의 밀도는 같고 물리상태와 시각상태도 일치하기 때문에 균형상태를 보여준다.
그림 11-20b에서 양쪽 물체의 밀도가 다르고, 검정색의 시각적 중량은 흰색보다 무겁다. 양측 면적과 사이즈는 같지만 시각적 무게중심을 오른쪽으로 치우쳐져 불균형상태를 보인다.

a-2) 공의 시각적 중심과 시각적 무게중심 모두 시각의 안정감을 만들어 주는 효과가 있다.

그림 11-20c, d, e에서 같은 공의 시각중심과 시각적 무게중심은 일치한다. 단순히 공 본체만 놓고 말하자면, 안정적이고 균형을 이룬다. 따라서 원형 얼굴은 균형을 이루고 안정적인 느낌이다. 공이 놓여 진 위치가 서로 대응하는 시각적 형태로 인해 공 본체의 상태가 결정된다. 그림 11-20c에서 공은 안정상태에 있다. 그림 11-20d에서 공은 불균형적 안정상태에 처해있다. 그림 11-20e에서 공은 균형을 이루는 안정상태에 있다. 따라서 안정상태는 전체의 균형과 관련이 있다.

③ **전체 및 일부의 구성체계 상태와 기능**

얼굴은 불규칙적인 총체로 얼굴 형태가 규칙에 맞을수록 전체적인 기능도 균형을 이루어 아름다운 느낌을 준다. 무게중심이 높을수록 불균형 느낌이 강하며 동적이고 활력이 넘치는 효과를 만든다. 반면에 무게중심이 낮을수록 안정감은 강해진다. 동적인 느낌 강하고 활력이 있으며 젊어 보이고 반면에 안정감이 강하면 듬직하고 성숙한 느낌을 준다(그림 11-21).

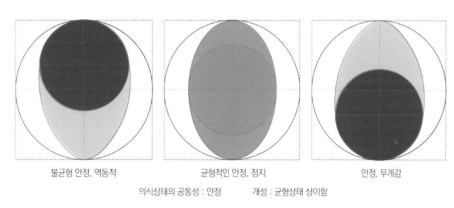

| 불균형 안정, 역동적 | 균형적인 안정, 정지 | 안정, 무게감 |

의식상태의 공통성 : 안정   개성 : 균형상태 상이함

그림 11-21. **얼굴 무게중심 안정적인 의식상태(모양과 모습)**

④ **시각적 균형의 응용**

시각적 균형이론은 주로 얼굴의 심미분석과 심미디자인에 응용된다. 인류의 얼굴 형태는 인류사회에서 사람과 사람이 사회활동을 하는 기초가 된다. 사람은 주로 생김새로 구분되고 얼굴의 전체적인 외모, 스타일, 분위기는 개인의 이미지를 구성한다. 얼굴의 시각적 정보는 매우 풍부하고 질서가 있다. 이러한 정보의 규칙을 파악해야 효과적인 디자인을 할 수 있다. 따라서 얼굴 시각적 균형원리를 알게 되면 각종 정보의 규칙, 예를 들어 인종, 종족, 성별, 나이 등에 대해 효과적으로 이해하고 개성화 된 심미 디자인을 할 수 있다('U량 디자인'이라 약칭한다).

a. 심미분석

심미분석은 주로 시스템에 대해 전체적인 균형성, 특징, 양적 감도를 분석한다. 그 중 시스템 균형은 좌우의 대칭 및 균형을 가리키는데 시각중심과 시각적 무게중심이 하나의 수직선에 있는 것을 말한다. 특징성은 상대적인 강함과 부드러움을 가리키며 양적 감도는 전체적인 의식면적과 얼굴의 시각적 면적과의 비율을 가리킨다. 그림 11-22에서 빨간 선 안쪽은 의식 면적이고 검은색과 남색 선 안쪽은 얼굴의 시각적 면적이다.

b. 심미 디자인

심미 디자인은 주로 시각적 균형을 기준으로 좌우 균형을 조정하는 것을 말한다. 눈 부분의 심미적 디자인을 예로 들면 그림 11-23에서 좌우 눈 부분의 시각적 면적이 같지 않아 균형감을 잃는다. 안검선를 조정하여 시각적 면적의 균형을 맞춘다.

c. 심미 조정

시각적 균형은 물리적인 형태의 비균형점의 조정을 통해 물리적 형태의 불변성을 보완한다. 예를 들어 눈 사이 거리와 면적 등 형태를 조절한다. 또는 착시 원리를 이용해 넓이를 늘리거나 줄이는 등 시각적 조정이 가능하다.

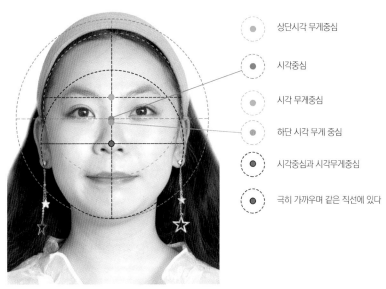

그림 11-22. **시각적 균형원리의 응용분석**

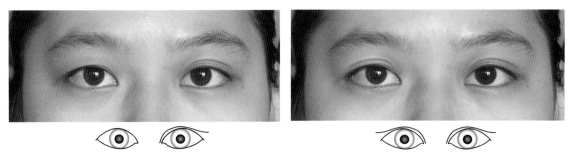

그림 11-23. **눈의 좌우 균형 조정**

2) 심미디자인의 원칙

(1) 심미디자인의 원칙

① 디자인 원칙

a. 전체와 부분

심미디자인의 기본원칙 중 하나는 전체가 우선이고, 부분이 부차적인 것이다. 부분은 전체의 일부분으로 전체적인 각도에서 일부분을 보는 것이다. 이 원칙의 기본원리는 시스템과 기능 간의 관계이다. 예를 들면, 얼굴은 전체이고 그 기능은 개성적인 특징을 나타냄으로써 같은 유형의 다른 개체와 구분한다. 개인의 외모는 오관의 부분적 형태와 구조를 종합적으로 나타낸 것이다(그림 11-24).

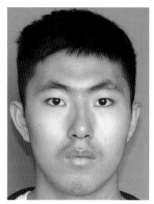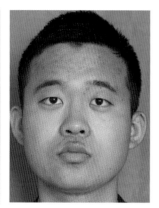

그림 11-24. 외모 – 얼굴전체 시스템 기능과 부분구조의 관계

② 공통성과 개성

공통성은 전체가 공통적으로 가지고 있는 특징이다. 예를 들면 사람의 특징으로 남녀 성별 차이, 몽고인종과 코카서스인종 간의 특징, 개성은 개인이 갖는 개별적인 특징이다. 그림에서 보듯이 개별적인 사람에게 형태정보의 순서는 다음과 같다. 1) 누군가 동물과는 구분되는 종속적 코드, 2) 여성은 남성과 구분되는 성별 코드, 3) 한족은 몽골인종으로 코카서스 인종과 구분되는 종족 코드, 4) 북방인은 남방인과 구분되는 지역적인 특성의 코드. 5) 젊은이는 노인과 비교되는 나이의 코드 등을 들 수 있다. 이런 코드들은 개개인이라면 누구나 가진 공통적인 특성으로 공통성이라고도 부른다. 그림 11-26과 같이 개개인마다 가지는 개성적인 특징은 이런 각기 다른 유형들이 가진 공통성의 집합이다. 얼굴 형태를 예로 들면, 사각형, 원형, 각진 형 등이 있고, 콧대나 눈 형태의 유형 등도 마찬가지다. 유형별로 가지는 기하학적 형태를 '형'이라고 부르며, 서로 다른 유형의 기하학적 형태가 가진 특징을 '모습'이라고 부른다. 전형적인 유형의 특징을 가진 개체는 바로 그의 개성적 특징이다. 그림 11-25에서 여성의 외모는 귀여운 '원숭이'의 특징을 보이는데, 이러한 비교를 통해 얻은 결론이다. 그림 11-26에서는 각종 유형의 개성적 특징에 대해 분류를 했으며, 이를 '형상의 표현'이라 부른다.

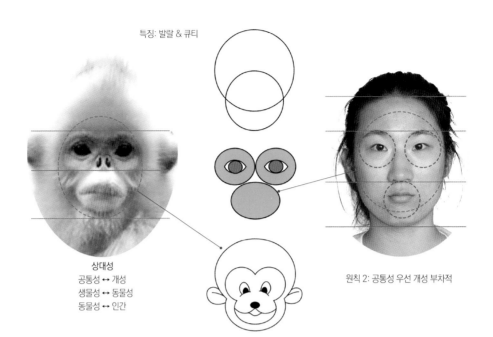

특징: 발랄 & 큐티

상대성
공통성 ↔ 개성
생물성 ↔ 동물성
동물성 ↔ 인간

원칙 2: 공통성 우선 개성 부차적

그림 11-25. **형상은 같지만 비례 및 이미지는 상이함**

그러므로 개성은 공통성에 속한 개성이며, 양자는 상대적인 관계로 공통성을 떠나 개성을 관찰할 수는 없다. 심미디자인의 두 번째 기본원칙은 공통성이 우선적이고 개성이 부차적이라는 점이다.

③ **정적인 상태와 동적인 상태**

운동은 영원한 것이고, 정지는 상대적인 것이다. 정지는 운동의 특별한 경우에 속한다. 얼굴형태 역시 동적 또는 정적의 특징을 가지고 있는데, 전체적인 균형은 정적인 특징이고, 불균형 상태는 동적인 특징이 있다. 심미적 디자인의 세 번째 기본원칙은 정적인 것이 우선이고, 동적인 것이 부차적인 것이다.

a. **점**

세 개의 점이 균형 상태를 결정한다. 그 기본 특징은 거리의 동일여부에 따라 결정된다. 그림 11-27에서 왼쪽 사진은 균형처리를 한 사진으로 두 눈 사이 거리가 같아 균형을 이룬다. 반면 오른쪽은 균형처리를 거치지 않은 사진으로 양 눈 간 거리가 달라서 불균형적이다.

b. **선**

안면의 윤곽곡선은 직선은 정적인 상태이고 곡선은 동적인 상태를 나타낸다. 그림 11-28에서 왼쪽 남성의 전체적인 윤곽선은 직선에 가깝고, 오른쪽 여성의 전체 윤곽선은 곡선에 가깝다.

c. **면**

양 측의 균형 및 안정감은 면적의 크기에 따라 결정된다. 기하학적인 도형의 시각면적의 중심은 양측 대칭성의 기점을 결정한다. 그림 11-29에서 양쪽 눈의 시각면적의 대칭도는 눈 부위의 동정(動靜)

특징:
일자형 눈썹/
일자형 코

특징:
아치형 눈썹/ 매부
리코

특징:
일자형 눈썹/
일자형 콧대

특징:
아치형 눈썹/매
부리콧대

특징:
일자형눈 썹/
콧대 없음

특징:
아치형 눈썹/콧
대 없음

그림 11-26. 서로 다른 개체가 같은 유형의 특징을 가지고 있으며, 서로 다른 유형은 서로 다른 이미지를 연출한다.

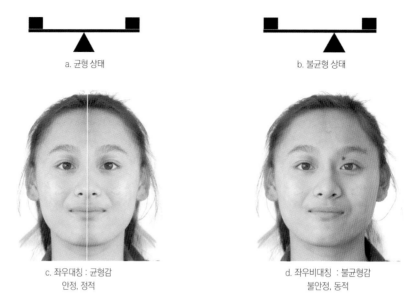

a. 균형 상태

b. 불균형 상태

c. 좌우대칭 : 균형감
안정, 정적

d. 좌우비대칭 : 불균형감
불안정, 동적

그림 11-27. **동적상태와 정적상태의 대조**

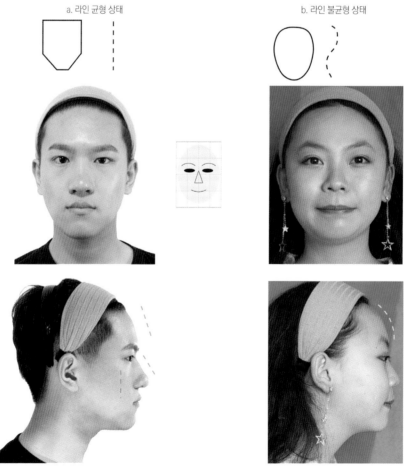

a. 라인 균형 상태

b. 라인 불균형 상태

그림 11-28. **라인의 동적 상태와 정적 상태 대조**

관계를 결정한다. 왼쪽사진은 면적을 동일시하는 처리를 한 사진으로 좌우가 대칭되고 균형을 이루어 정적인 상태이다. 반면, 오른쪽은 처리를 거치지 않은 사진으로, 대칭이 불완전하고, 균형을 이루지 않아 동적인 상태이다.

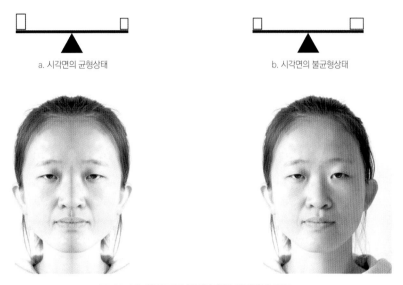

그림 11-29. **시각면의 동적상태와 정적상태 대조**

d. 체(體)

체는 삼차원 체적의 시각적 감각으로 시각적 무게중심으로 표현된다(그림 11-30). 시각적 무게중심은 면적에 대한 종합적 판단으로 얼굴의 시각적 감각을 색깔, 형태, 질감 이 세 가지를 통해 모호하게

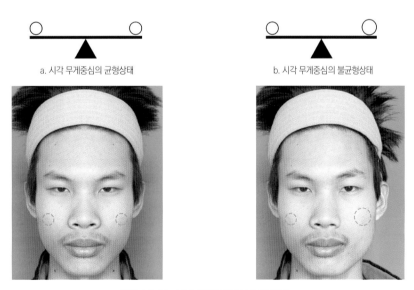

그림 11-30. **시각 무게중심의 동적&정적**

평가한 결과다. 얼굴은 규칙적이지 않은 형체로 간단하고 효과적인 평가를 진행하기 위해 대략적으로 유형화된 형태 분석을 한 후에 평가를 하게 되는데, 그 핵심이 바로 시각적 무게중심이다.

점·선·면·체는 물적 공간을 삼차원적으로 분석하는 바탕으로 시각적인 균형을 핵심으로 삼아 현실공간의 사물에 대해 계량화하는 좌표 척도이다. 현실은 공간, 시간 및 물질의 장소로 구성된 하나의 체계로, 이를 시공장이라고 약칭한다.

④ 단순함과 복잡함

단순함은 복잡한 것의 특별한 형태로 두 점 사이에서 가장 가까운 직선이 단순함이다. 단순함은 과학적인 이치로 두 점 사이에는 무수하게 많은 직선이 있으며, 이것이 바로 복잡함이다. 복잡하다는 것은 무질서와 질서의 조합체이다. 질서정연한 선, 예를 들어 운율감 있는 곡선 같은 형식은 예술이다. 규칙적인 곡선은 질서가 있는 것이고 불규칙적인 곡선의 경우는 무질서라고 부른다. 복잡한 일에는 모두 단순한 질서가 있고 두 점 사이의 위치는 정위(定位)라고 하며, 그 중 가장 가까운 직선은 다른 곡선의 투영으로 극좌표로 표시할 수도 있고, 직각좌표나 입체좌표로 표시함으로써 단순함을 이용해서 복잡함을 계량화한다(그림 11-31).

심미 디자인의 네 번째 기본 원칙은 단순함이 우선적이고 복잡함이 부차적이다.

점·선·면·체는 기하도형이고 좌표는 포지셔닝 방법이다.

특징: 침착, 대범

특징 : 순진, 귀여움

원칙4: 간단한 것 우선이고 복잡한 것 부차적

그림 11-31. 가장 간단한 기하도형은 사각형과 원이고, 기타 도형은 이 두가지 도형의 변형임

(2) 심미분석의 방법

① 3차원 공간

a. 인지공간

공간은 하나의 개념으로 현실공간과 가상공간 두 형식이 있다. 현실공간은 물리적인 공간으로, 이와 대응되는 것은 이성적인 지식공간인 수리적 공간이다. 가상공간은 인공지능공간으로 수리공간을 컴퓨터 처리를 통해 재현하고, 공간측량과 표현할 수 있는 공간 체계이다. 양자는 인류의 지능체계의 수리 공간으로 움직이고 변화하는 사물에 대해 상대적으로 정지된 특성을 정한 후에 정적인 상태와 동적인 상태를 측량하는 역할을 한다. 색깔, 모양, 질 이 세 가지로 정확하게 성질, 양, 위치, 유형을 정한다. 성형미용은 주론 형태학의 심미디자인에 응용되기 때문에 형태학적으로 분석을 진행하는데, 즉 점선면체의 분류를 통해 서로 다른 유형의 형상표현을 탐구한다.

현실공간과 가상공간은 모두 과학적인 지식체계를 바탕으로 하여 만들어진 수리적 체계로 이는 지식공간이다. 표준적인 물리적 차원공간을 만들어 수학적으로 각각 다른 차원공간의 수량화 및 측정분석 작업을 통해 각 수요에 따라 점, 선, 면, 체, 동적, 정적, 에너지, 양의 측량 체계를 진행한다.

인체는 비규칙적인 생물 형체로 서로 다른 동적 및 정적 형태를 지니고 있다. 성형미용의 중점은 형태학 분석, 측정, 심미적 디자인, 심미적 시술, 효과평가 등의 과정으로 분류한다(그림 11-32).

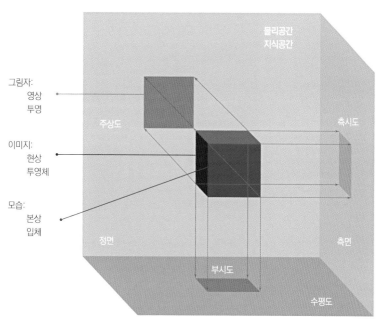

삼요소 : 1. 빛(물리공간) 2. 본체 3. 투영된 모습

진상
- 현상 : 삼위일체, 표면 현상
- 본상 : 점·선·면·체, 삼차원으로 구성
- 이미지 : 빛과 그림자를 형성하며 밝기·어두움 이미지를 메이킹한다.
- 형상 : 길이·넓이·높이 실체 투영모습

그림 11-32. 물리적공간: 현실 체계공간 기하학 이미지 형성 기능: 형상표현

그림 11-32는 물리적 공간의 3차원그림 모습이다. 물리적 공간은 세가지 요소로 구성된다. 물체, 물상 물장이다. 물체는 본체를 나타내는 말로 길이와 폭, 그리고 높이로 만들어진 입방체이다. 그 측정 단위는 점, 선, 면, 체 이 네 가지로부터 반응을 살펴본다. 물상이 바로 투영이며 인류가 시작적으로 관찰한 모습을 말하는데 본체 형상의 인식이다. 이미지변화는 각도와 방위에 따라 변화가 생긴다. 물장은 관찰하는 조건이다. 예를 들어 햇빛, 불빛, X선과 같은 경우다. 서로 다른 물장은 서로 다른 관찰수단이 필요하다. 햇빛, 불빛 등 아래에서의 관측은 육안으로는 관측 가능하지만 X선 하에서 는 특수한 장치로 관측해야 한다.

b. 현실공간

현실공간은 시 · 공 · 장으로 구성된 체계적인 공간이다. 햇빛 아래에서 사람이 육안으로 관측한 공 간적 체계가 주를 이룬다(그림 11-33). 규범화 및 표준화된 측량을 위해서 3차원으로 이루어진 표준위 도 평면을 만들었다. 이 평면의 특징은 서로 90도 수직을 이룬다는 점이다.

c. 가상공간

가상공간은 인공지능공간으로, 인류는 과학적 체계를 근거로 지적 공간을 만들고 수리현실로 재현 해낸 합성영상공간이다. 그림 11-34의 영상은 X선으로 찍고 빛으로 합성한 3차원 영상 공간 체계이 다. 정성, 정량, 정위, 정형의 측량 공간 체계가 그 특징이다. 가상의 현실공간으로 된 3차원 디지털

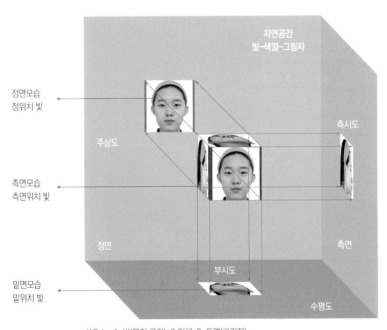

삼요소 : 1. 빛(물적 공간) 2.인체 3. 투영(그림자)

진상
- 현상 : 색깔·모양·질·체, 삼차원 구성
- 본상 : 일체육면 표면현상
- 이미지 : 빛과 그림자 형체, 빛과 그림자 구성
- 형상 : 머리·얼굴·인체 빛과 그림자 구성

그림 11-33. **현실공간 : 현실체계의 공간, 투영형상 기능 : 형상의 표현**

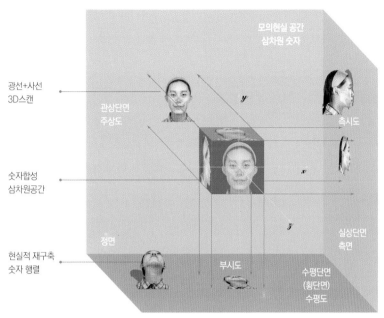

삼요소 : 1. 빛(물적 공간) 2. 물질 3. 밀도(영상)

진상
- 현상 : 골격형체 임피던스 현상
- 본상 : 골격형체 칼슘인골질
- 이미지 : 심위일체 투사밀도
- 형상 : 두개 면 골체 골격단면

그림 11-34. 가상의 합성공간: 디지털 현실 체계공간 디지털 사선 융합 구성

측량체계는 현대과학기술에서 지성의 결정체이다. 주요 기능으로 정확한 계량화, 과학적 디자인, 고효율로 완성된 스마트한 종합체이다. 미용의학에서 종합솔루션으로 인정받고 있다.

② **3차원 미학적 분석**

3차원 분석은 점과 선으로 구성된 1차원, 평면으로 구성된 2차원, 형체로 구성된 3차원을 점, 선, 변, 체의 시각적 균형을 통해 심미적으로 분석하고 전체의 특징을 확정 짓는 과정이다(그림 11-35).

a. 점

기능적위치를 잡는다. 대칭은 세 점 간 거리가 같다. 균형은 세 점 간 거리가 같지 않지만, 시각적으로는 구분되지 않은 정도의 최소단위이다.

b. 선

정성분석을 진행한다. 대칭은 선단락의 직곡도와 각도, 길이가 완전히 다르다. 균형은 시각적으로 일치하나, 측량하면 일치하지 않는다.

c. 면

정형분석을 수행한다. 형상, 형태, 상태의 세 가지 요소로 분석을 수행한다.

d. 체

정량분석을 한다. 용량, 성질, 밀도라는 세 요소로 분석한다.

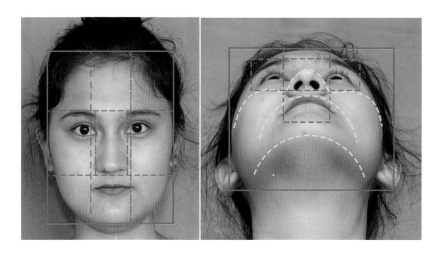

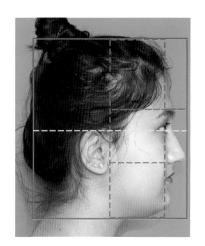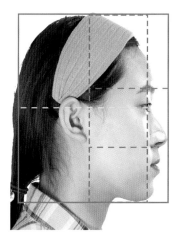

그림 11-35. 점, 선, 면, 체의 종합분석

③ 형상분석

개성화 심미디자인분석의 기초가 되는 것이 바로 형상분석이다. 개인 특징에 따라 형상분석을 진행하는데, 주로 용모의 분위기, 기질, 특징을 확정한다. 그 목적은 정위, 정성, 정량, 정형을 정확히 하여 특징을 명확히 하는 데 있다(그림 11-36). 형상분석은 복잡한 사물을 간단히 하고, 규율화 시키는 데 효과적인 수단이다.

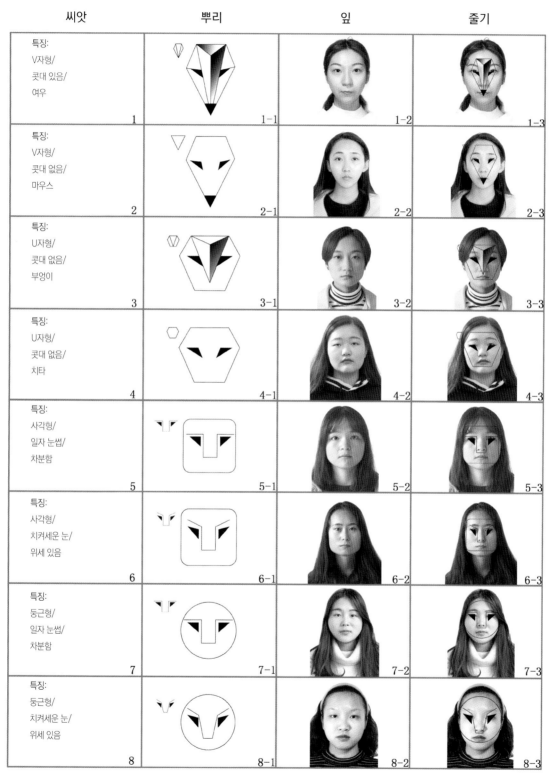

	씨앗	뿌리	잎	줄기
	특징: V자형/ 콧대 있음/ 여우 1	1-1	1-2	1-3
	특징: V자형/ 콧대 없음/ 마우스 2	2-1	2-2	2-3
	특징: U자형/ 콧대 없음/ 부엉이 3	3-1	3-2	3-3
	특징: U자형/ 콧대 없음/ 치타 4	4-1	4-2	4-3
	특징: 사각형/ 일자 눈썹/ 차분함 5	5-1	5-2	5-3
	특징: 사각형/ 치켜세운 눈/ 위세 있음 6	6-1	6-2	6-3
	특징: 둥근형/ 일자 눈썹/ 차분함 7	7-1	7-2	7-3
	특징: 둥근형/ 치켜세운 눈/ 위세 있음 8	8-1	8-2	8-3

그림 11-36. 형상 분석표의 대비도

(3) 개성화 심미적 디자인의 분류(U량 분석)

개성화 심미적 디자인 분석분류를 줄여서 U량 분석이라고 한다. U는 생김새, 분위기, 기질의 집합체이고, 량은 수량화를 말한다. U량 분석은 일종의 간단한 특징화 형상분류로, 신속하게 다른 인물의 특징을 잡아서 특징짓는 분류 방법이다(그림 11-37). 주로 얼굴 전체적인 형태와 안면부 전체의 형태 사이의 상대적인 관계를 통해 개성화 분류를 진행한다. 두 동공 사이를 연결한 선을 주요 분할점으로 정하고 상하형을 확정한다. 양쪽 동공 사이 거리의 폭으로 내외형을 정한다. 이 다섯 가지 유형을 기본형으로 보고, 각 종 복잡한 얼굴 형태를 귀납적으로 분류하고 기본 유형을 형성한다. 서로 대응되는 유형은 다른 얼굴을 갖고 있는데, 주로 선 전체 후 부분을 분류하는 원칙을 갖고 있다.

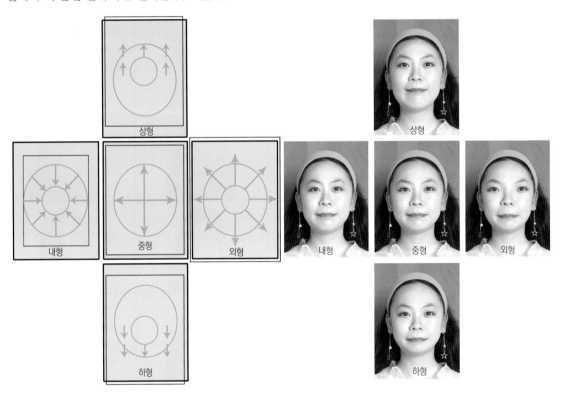

그림 11-37. **전체와 부분과의 관계: 같은 눈 다른 위치 다른 형상**

① 중형

중간형은 표준형이다. 그 특징으로는 양 쪽 동공의 연결선의 기본 위치가 머리 윗쪽부터 턱끝까지 내려오는 정중앙에 위치하고, 양쪽 동공은 안검하수를 나눈 선의 정중앙에 위치한다(그림 11-38, 39).

② 내형

내형은 눈과 코가 안쪽으로 들어가 있는 형태다. 특징으로 양쪽 동공을 연결한 선의 기본 위치가 정수리에서 턱까지 세로로 나눈 선의 정중앙에 위치하고, 양쪽 동공을 안검하수를 나눈 선의 안쪽에 위치한다(그림 11-40, 41).

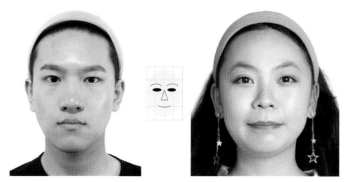

그림 11-38. 남녀 얼굴 유형

그림 11-39. 중형-여성 얼굴 양화 및 정위의 모습

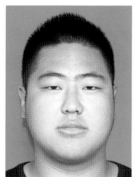  

그림 11-40. 내형 - 남녀 얼굴 유형

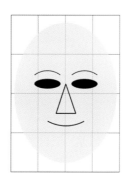 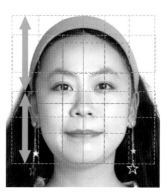

그림 11-41. 여성 얼굴 양화 및 정위의 모습

③ 외형

외형은 눈과 코가 바깥쪽으로 뻗어 있는 형태다. 두 쪽 동공을 연결한 기본선의 위치는 정수리에서 아래 턱까지 세로로 나눈 선의 정중앙에 위치하고, 양쪽 동공은 안검하수를 나눈 선의 바깥쪽에 있다는 점이다 (그림 11-42, 43).

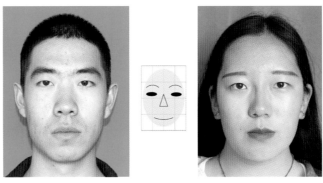

그림 11-42. 외형 – 남녀 얼굴 유형

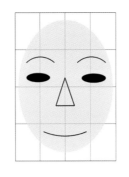 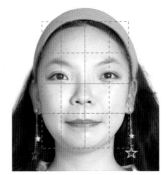

그림 11-43. 여성 얼굴 양화 및 정위의 모습

④ 상형

상형은 동공을 연결한 선이 윗쪽으로 치우쳐진 유형이다. 특징은 양쪽 동공을 연결한 선 기본위치가 정수 리에서 턱을 수직으로 연결한 선의 중앙에서 윗쪽으로 치우쳐져 있고, 양 쪽 동공 위치는 안검하수를 나 눈 선의 정중앙에 위치한다는 점이다(그림 11-44, 45).

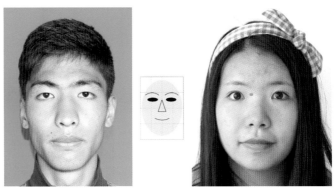

그림 11-44. 남녀 얼굴 유형

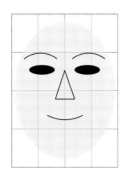
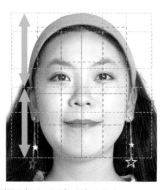

그림 11-45. 상형 - 여성 얼굴 양화(量化) 및 정위(正位)의 모습

⑤ 하형

하형은 동공을 연결한 선이 아래쪽에 위치한다. 특징으로는 양쪽 동공을 연결한 선 기본위치가 정수리에서 턱아래까지 수직으로 연결한 선의 정중앙보다 아래쪽에 위치하고, 양쪽 동공 위치는 안검하수 균형선이 정중앙에 있다는 점이다(그림 11-46, 47).

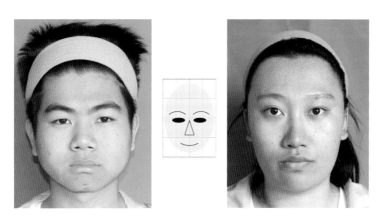

그림 11-46. 하형 - 남녀 얼굴 유형

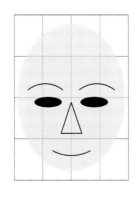
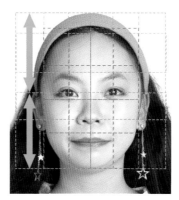

그림 11-47. 하형 - 여성 얼굴 양화(量化) 및 정위(正位)의 모습

제**3**장

임상 각론

1. 피부관리

　피부관리(피부미용)란 얼굴과 전신의 피부를 분석해서 화장품과 미용기기를 이용하여 피부를 관리함으로써 피부상태를 개선시키고, 변화된 신체의 피부기능을 정상적으로 유지시켜 피부를 아름답게 가꾸는 것이다(그림 1-1).

그림 1-1A. 피부관리실

그림 1-1B. 피부관리 장면

그림 1-1C. 화장품 종류별

그림 1-1D. 화장품-K테라피세럼

1) 피부상담 및 분석

피부상담은 고객의 방문 목적, 피부의 상태, 해결방법과 관리계획 수립, 시행할 관리방법을 설명하는 데 그 목적이 있다. 피부분석 방법에는 문진, 시진, 촉진, 기기판독법 등이 있으며, 기기판독법에는 확대경, 피부분석기, 유분측정기, 수분측정기, pH측정기, 우드램프 등이 있다.

피부는 피지선과 한선의 기능으로 유분량과 수분량에 따라 중성, 지성, 건성, 복합성 피부의 4가지 피부 유형으로 분류되며, 이외에도 피부의 상태, 탄력성, 촉감에 따라 민감성피부, 색소침착피부, 모세혈관확장피부, 노화피부로 나누어진다.

2) 피부유형에 따른 관리방법

중성피부는 가장 이상적인 피부로 한선과 피지선의 기능이 정상이다. 지성피부는 모공이 넓고 뾰루지가 잘 나며, 정상피부보다 두껍고 피지가 검게 변한 블랙헤드(blackhead)가 생성되기 쉬우며, 피지 분비량이 많으므로 피지제거와 세정에 신경써야 한다. 건성피부는 피부결이 얇고 주름이 쉽게 형성되는 피부이며, 유분과 수분함유량이 부족한 상태로 피부 탄력저하가 있는 피부이므로 35도의 미지근한 물로 세안하고 보습기능이 있는 제품을 사용해야 한다. 복합성피부는 중성, 지성, 건성피부 중 2가지 이상의 피부를 가지고 있어, 피부 특성에 맞추어 각기 다른 화장품을 사용하며, 같은 얼굴에서도 부위별 차별 관리를 해야 한다. 민감성피부는 피부결이 섬세하고 얇고 붉어져 있는 피부라서 무알코올 화장수를 사용하며, 문지르는 세안제는 자극을 주므로 피하고 효과적인 성분인 비타민 B_5가 들어간 화장품을 사용하는 것이 좋다. 색소침착피부는 피부에 기미나 주근깨 등의 색소가 침착된 피부이므로 되도록 직사광선을 피하고, 비타민C의 섭취를 늘리며, 외출 시에는 자외선차단제와 분화장(파운데이션)을 바른다. 모세혈관확장피부는 모세혈관이 확장되어 피부 표면으로 보이므로 SPF지수가 높지 않은 자외선차단제를 사용하며, 효과적인 성분은 모세혈관강화와 진정유지의 제품이 사용된다.

3) 클렌징(Cleansing)과 딥클렌징(Deep cleansing)

클렌징은 노폐물의 제거를 통해 피부호흡과 신진대사를 원활하게 하여 건강한 피부를 유지하는 것이다. 클렌징 제품의 종류를 살펴보면, 클렌징 크림은 친유성의 크림 타입으로 오일이 함유되어 진한 메이크업에 적합하며, 이중세안이 필요하므로 민감성, 지성, 여드름 피부는 가급적 사용을 피한다. 클렌징 로션은 친수성 에멀젼(emulsion) 제품으로 옅은 메이크업을 지울 때 적합하며, 이중세안이 필요 없다. 클렌징 워터는 화장수 타입으로 끈적임 없고 청량감과 산뜻함을 준다. 클렌징 젤은 알레르기성 피부, 민감한피부, 지성이나 여드름 피부에 적합하며, 오일성분은 없다. 클렌징 오일은 친수성 오일로 물에 쉽게 용해되어 피부에 자극이 없으며, 건성 또는 노화피부에 적합하다.

클렌징 폼은 계면활성제가 포함되어 거품이 생성되어 세정력이 좋으며, 비누보다 당김이나 자극이 없다. 화장수는 세안 후 사용하는 것으로 피부에 남은 클렌징 잔여물의 제거 작용이 있으며, 피부의 수소이온농도 (pH) 균형조절과 진정작용을 한다. 딥클렌징은 클렌징으로 제거되지 않은 각질층의 죽은 세포나 피부 노폐물을 인위적으로 없애는 작업으로, 모공 깊숙이 있는 피지와 불필요한 각질제거를 목적으로 영양물질 흡수의 용이성과 피부색을 맑게 하며 피부 결을 매끈하게 한다. 딥클렌징 방법으로는 물리적 방법, 효소를 이용하는 방법, 화학적 물질과 천연물질을 이용하는 방법, 물리적 방법과 효소를 이용하는 복합적 방법 등이 있다.

4) 피부미용 기기의 종류(그림 1-2)

증기연무기(steamer)는 증기의 온열효과를 이용하여 모공의 확장으로 모공 속 피지, 먼지, 잔여물, 각질 제거의 세정효과와 분비물 배출을 돕는데, 화농성 여드름 피부, 상처부위, 일광에 손상된 피부에는 사용을 피한다. 디스인크러스테이션(desincrustation)은 노폐물 제거 관리하는 것으로 음극에서 발생되는 알칼리를 이용한 피지분해뿐만 아니라 각질, 모공속 피지, 메이크업 잔여물 등의 노폐물을 제거하는 관리이다.

이온영동치료법(iontophoresis)은 인체 내 이온의 이동이라는 뜻으로, 전극봉을 통하여 유익한 물질이 흡수되도록 도와주는 관리법이다. 고주파기기는 방부 및 살균작용으로 여드름 치유에 효과적이며, 혈액순환 촉진, 피부의 재생력이 좋아지므로 노화피부에 좋고, 노폐물 배출효과도 있다.

초음파기기는 인체조직과 세포 간에 미세한 진동을 만들어 신진대사 촉진의 효과가 있으며, 저초음파는 세안 스켈링을 목적으로 사용되고, 고초음파는 리프팅이나 영양침투를 목적으로 사용된다. 진공흡입기는 피부표면을 진공화시켜 조직에 적정 압력을 가하여 물리적 자극을 주는 방법으로 림프순환, 혈액순환, 신진대사촉진, 노폐물 배출효과가 있다. 색상요법(color therapy)은 색이 가지는 고유의 가시광선 파장과 진동수를 이용한 것으로 혈액순환증진, 세포조직활성화, 심리적 안정, 염증과 열의 진정, 면역성증진 등의 효과가 있다. 원적외선기기는 적외선을 이용해 혈액순환을 돕고 노폐물의 배출을 원활하게 하며 피부깊이 영양분의 침투를 돕는다. 자외선 소독기는 자외선의 단파장인 UVC의 살균력을 이용한 소독기이다.

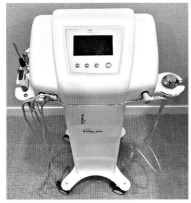
그림 1-2A. 피부관리기계

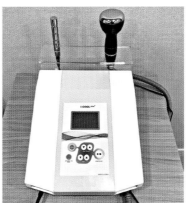
그림 1-2B. 클라이오기계

그림 1-2C. 증기연무기(steamer)

그림 1-2D. UVC소독기

그림 1-2E. 온장고

그림 1-2F. LED광선

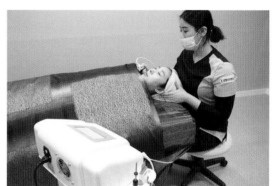

그림 1-2G. 초음파기기 시술

5) 메뉴얼 테크닉(Manual technique)

손으로 하는 마사지 기술 및 기교를 말하며 피부와 조직에 영양공급으로 피부가 유연해지며 혈액순환, 표피의 재생과 저항력이 높아지는 효과가 있다.

6) 팩(Pack)과 마스크(Mask)(그림 1-3)

팩은 피부 위에 팩 재료를 발라두는 상태로 어떤 막이나 굳기가 형성 안되고, 마스크는 얼굴에 바른 후 점차 굳어져 닦아내는 것이 아니라 떼어내는 것을 말하는데, 근래에는 둘 다 같은 의미로 통용된다.

천연팩은 자연에서 얻을 수 있는 무공해 과일과 야채 등 손쉬운 재료를 이용하여 그대로 팩재로 사용한 것이다. 한방팩은 한방에서 얻을 수 있는 재료 중 미용에 효과가 있는 것을 가공하거나 분말화해서 사용하는 팩이다.

특수마스크에는 석고팩, 벨벳마스크, 고무마스크 등이 있는데, 석고팩은 열을 내서 혈액순환을 촉진, 피부를 완전 밀폐시켜 고농축 영양액(ample)과 영양크림의 성분이 피부 심층까지 흡수되어 피부 개선에 효과를 준다. 벨벳마스크(velvet mask)는 콜라겐마스크라고도 하며, 천연 콜라겐을 냉동 건조한 종이 형태의 마스크를 이용하여 섬세한 콜라겐 망으로 형성되어 있는데, 보습과 진정효과가 탁월하며 고함량의 콜라겐을 보유할 수 있어 피부 깊숙이 흡수될 수 있다. 고무마스크는 알고(algo) 마스크라고도 하며, 주로 해조류에서 추출한 활성성분을 주성분으로 한 것으로 미백, 보습효과가 뛰어나고 혈액 및 림프순환이 촉진, 피지선의 기능 향상으로 여드름 피부의 염증 감소에 도움이 된다.

팩과 마스크의 제거 후 냉습포를 사용해서 닦는데, 피부 타입에 따라 화장수로 피부결을 정돈하고, 에센스, 고농축 영양액, 아이크림, 자외선 차단제를 차례로 흡수시킨다.

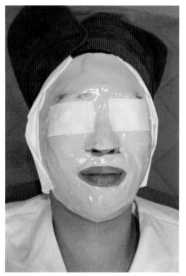
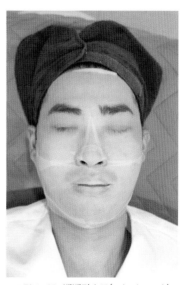

그림 1-3A. **고무마스크**   그림 1-3B. **벨벳마스크**(velvet mask)

7) 레이저와 성형수술 후 피부관리

시술한 레이저의 종류와 피부병변에 따라 차이는 있지만, 일반적으로 레이저시술을 받고나면 피부의 홍반, 붓기, 화끈거리는 통증, 가려움, 멍 등이 생길 수 있는데, 이러한 증상들을 줄이고, 레이저 효과를 높이기 위해 피부관리를 해주는 것이 좋다. 또한 수술 후에 환자들이 소홀해지는 피부 청결과 붓기 관리를 위해서도 피부관리가 도움이 된다.

2. 반영구 화장

반영구화장은 문신에서 발전한 화장술로 화장품으로만 의존하던 화장술에 문신기기와 색소를 이용하여 눈썹, 아이라인, 입술, 모발선(hairline) 등의 피부에 색을 착색시킴으로써 반영구적으로 화장을 유지시키는 것이다.

사람마다 피부의 특성이 다르기 때문에 시술의 깊이에 따라 1회 시술로 6개월에서 2년 정도의 유지력을 가지며, 기존의 문신과 다르게 천연색소를 주입하므로 알레르기 유발이 없고, 세포형성과 재생주기를 반복하기 때문에 일정기간이 지나면 자연스럽게 흐려지며, 다양한 디자인과 색상을 선택할 수 있다는 장점이 있다. 반영구 화장의 원리는 피부의 표피층에 행해지는 시술인데, 피부의 표피(그림 2-1)는 표층에서부터 각질층, 투명층, 과립층, 유극층, 기저층 총 5개 층으로 구성되는데, 반영구 화장의 시술은 표피의 과립층과 기저층의 범위에서 이루어지므로, 피부에 주입된 색소가 피부의 신진대사를 거듭하면서 자연스럽게 색이 빠지는 원리를 이용한다.

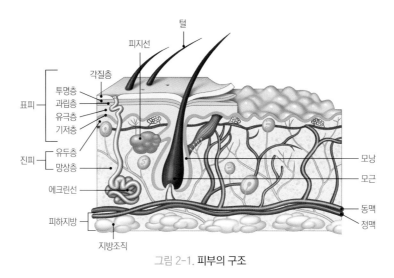

그림 2-1. **피부의 구조**

1) 반영구 화장과 문신의 차이점

반영구화장은 알레르기 유발 가능성이 적은 천연색소를 사용하며, 시술 깊이가 기저층까지만 침투하여 재생주기를 거듭할수록 각질이 떨어져 나가면서 색이 점점 옅어져 유행에 맞춰 다시 디자인이 가능하다.

반면에 문신은 화학적인 색소를 피부의 표피와 진피층에 투입하여 피부 문제를 가져올 수 있으며, 색소침착, 색의 변질 같은 문제가 발생할 수 있으며, 영구적으로 지워지지 않고, 시간이 지날수록 색이 퍼진다.

2) 시술방법

엠보(embo)기법은 일명 자연눈썹이라고도 하며, 사용되는 바늘(needle)로 피부를 그어 눈썹을 한올 한올 그려주는 방식이므로 입체적 눈썹결의 자연스럽다는 장점이 있으나, 유지력이 비교적 짧고, 지성피부에는 자칫 선이 퍼질 가능성이 높으며, 잔흔이 짙은 눈썹에는 좋지 않다.

수지기법은 바늘로 점을 찍어 면으로 만들어 색을 채워주는 방식으로 탈각이 적어 유지력이 길고, 대부분의 피부에 시술이 가능하나, 시술시간이 오래 걸린다. 콤보(combo)기법은 엠보기법과 수지기법을 합친 기법으로, 엠보의 결은 살리면서 뒷부분은 색을 채워 엠보 단독시술에 비해 유지력이 길고, 수지 단독시술보다 자연스럽다. 머신(machine)기법은 기계를 이용하여 색을 채워주는 방식으로, 오래된 잔흔에 효과적이며, 시술시간이 짧으나, 시술 직후 진하게 보이며 탈각이 끝나면 약 70%의 색 손실이 온다.

3) 부위별 디자인 및 주의사항(그림 2-2)

눈썹은 기존 눈썹의 흐름에 벗어나지 않는 범위에서 디자인하며, 좌우 대칭을 꼼꼼히 확인하고, 유행을 타는 디자인은 삼가며, 이마근육을 사용하여 눈을 뜨는 경우 앉아서 눈을 뜬 채로 디자인한다. 아이라인은 눈쪽 점막을 시술할 때에는 과도하게 점막을 채울 경우 눈의 기름샘을 막아 안구건조증이 악화될 수 있으므로 조심하고, 속눈썹연장 제거 후 가능하다. 쌍꺼풀 수술 후 최소 2개월 이후, 라식수술 후 최소 6개월 이후 가능하고, 콘텍트렌즈는 시술 후 48시간 이후에 착용 가능하며, 문신레이저 후 최소 2개월 이후에 시술 가능하다. 모발선은 탈모가 진행 중인 경우 시술을 금하고, 지루성 두피, 지성 두피의 경우 시술경과가 좋지 않을 수 있다는 점을 알리며, 시술 후 샴푸는 약 5~7일간 금한다. 입술의 이상적인 도안은 동공 안쪽에서 일직선

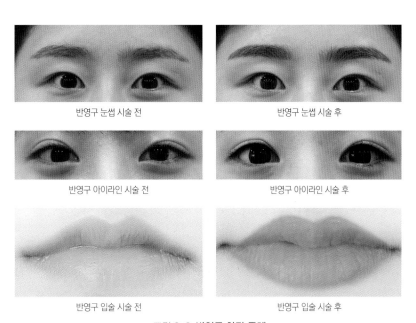

반영구 눈썹 시술 전   반영구 눈썹 시술 후

반영구 아이라인 시술 전   반영구 아이라인 시술 후

반영구 입술 시술 전   반영구 입술 시술 후

그림 2-2. 반영구 화장 증례

으로 내려오는 위치로 설정하며, 입술의 비율은 윗입술과 아랫입술은 1:1.5가 적당하고, 구각부분은 시술하지 않으며, 시술 후 약 50~70%의 색 소실이 올 수 있다는 점을 주의시킨다.

4) 색소와 문신기구(그림 2-3)

반영구화장의 색소는 보통 2가지의 이상의 색상분말과 첨가제의 조합으로 이루어진다. 예를 들어 가장 많이 사용하는 갈색 눈썹문신 색소를 제조할 때는 중금색이 포함되어 있지 않은 흰색, 검정, 빨강, 노랑의 색소분말과 각종첨가제를 혼합하여 색소를 만들어 사용한다. 문신기구는 핸드피스(머신 또는 펜대)에 일회용 니들을 이용하여 위생적으로 시술할 수 있도록 사용한다.

머신(machine)은 기계 구동방식에 의해 매 초당 일정 간격으로 압을 주며 색소가 주입되며, 구동방식에 따라 디지털기계와 아날로그 기계로 나눠지고, 요즘은 정확도가 높은 디지털 기계가 선호된다.

펜대는 기계구동방식에 의존하지 않는 수동방식으로, 직접 힘을 주며 선을 긋기 때문에 너무 강한 압력을 주면 진피층까지 깊게 색소가 주입되어 상처가 남을 수 있고, 압력이 고르지 않을 경우 어느 한 부분만 진하게 얼룩이 남거나 탈각이 되어 흐려 보일 수 있으므로, 전문적인 기술역량을 갖춰야 하고, 실제로 기구도 중요하지만 기술테크닉이 가장 중요하다.

일회용 바늘(needle) 카트리지(cartilage)는 시술마다 멸균된 새로운 바늘을 사용하고, 바늘은 침(pin)이 하나에서부터 여러 개 모여있는 것도 있고, 굵기도 제각각 다르므로, 상황에 따라 사용하는 바늘의 종류가 달라지게 되고, 시술자의 선호나 노하우에 따라 달라진다. 수지니들은 1~124개 이상의 니들로 구성되어 있고, 구성 숙련도와 부위에 따라 색감과 탈각이 다를 수 있으며, 깊이 조절이 쉬워 시술 후 색감이 자연스럽다. 엠보니들은 4~25개 이상의 사선과 곡선 니들로 구성되어 있고, 숙련도에 따라 결과와 탈각 정도의 차이가 크며, 깊이의 조절이 어렵다. 반영구 화장은 성형수술에 비해 간단한 방법으로 이미지 개선이 가능하여 인기를 끌고 대중적으로 많이 시술되고 있지만, 이 또한 피부의 표피층에 바늘을 이용해 색소를 주입하는 의료시술인 만큼 반드시 병원이나 전문의료기관에서 시술해야 한다. 특히 위생관리가 좋지 못할 경우에는 피부염, 감염성 질환, 세균감염 등으로 건강을 해칠 수 있다.

그림 2-3. **색소와 문신기구**

3. 레이저

　레이저(LASER)는 Light Amplification by Stimulated Emission of Radiation의 약자로써, 인위적인 유도방출을 통해 빛이 증폭되면 새롭게 유도된 에너지를 만들 수 있다는 원리이다. 태양과 형광등 같이 여러 파장을 가지고 있는 자연광선과는 달리 한가지의 파장을 가지는 단색성, 광선이 분산되지 않고 일정한 방향으로 진행되는 평행성, 빛이 분산되지 않으면서 결속되는 응집성 등의 특성을 가지고 있으므로 레이저는 목표한 조직에만 에너지를 집중시켜 주변의 정상 조직은 안전하게 보호할 수 있다.

　일반적으로 전자파(광선)의 종류에는 감마선, X-ray, 자외선, 가시광선, 적외선, 라디오파로 구분(그림 3-1)되며, 이 중 레이저 치료에 사용되는 파장은 대부분 가시광선 영역(380~780nm)과 근적외선 영역이다.

　레이저는 각각 고유의 파장을 가지고 있기 때문에 레이저 종류마다 물리적, 생물학적 특성이 달라 조직에 미치는 영향도 다르므로 치료목적에 따라 적절한 파장의 레이저 종류가 선택되어야 한다.

　레이저의 효과와 치료변수는 파장, 출력, 조사 시간, 조직의 부위에 따라 달라지는데, 일반적으로 레이저는 파장이 길수록 조직 투과가 깊으며, 조사시간에 있어서도 처음에는 연속파(continuous wave, CW)였으나, 점차 펄스파(pulsed wave, PW), 초단파(superpulse), 극초단파(ultrapulse) 등으로 짧아지면서 치료를 목표한 조직만 선택적으로 파괴하고 주위의 정상 조직은 안전하게 보호할 수 있다. 피부에 흔히 사용되는 레이저의 파장에 따른 종류를 살펴보면, 가시광선영역에서는 Argon레이저(488~514nm), FD-Nd:YAG(532nm), Ruby레이저(694nm), Alexandrite레이저(755nm) 등이 있으며, 근적외선 영역에서는 Erbium-glass(1,550nm), Nd:YAG레이저(1,064nm), Er:YAG레이저(2,940nm), CO_2 레이저(10,600nm) 등이 주로 사용되고 있으며, 각 레이저별 다양한 제품명으로 출시되고 있다.

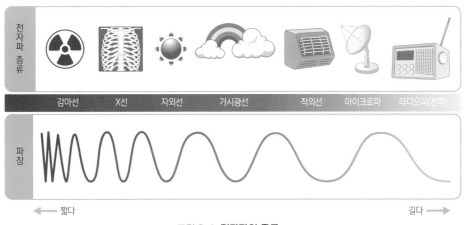

그림 3-1. **전자파의 종류**

1) 색소성 병변(Pigmented lesion)의 레이저(그림 3-2)

색소성 병변을 레이저 치료하기 위해서는 멜라닌(melanin)색소에 선택적으로 흡수되는 파장의 레이저를 선택해야 하며, 색소가 얕은 표피성의 경우에는 짧은 파장을 사용하고, 색소가 깊은 경우에는 투과력이 깊은 긴 파장을 사용한다. 주로 얕은 표피성 색소병변으로는 노인성 흑자, 검버섯, 주근깨(freckle), 밀크커피 반점(cafe-au-lait spot), 반문상 모반(nevus spilus) 등이 있으며, 깊은 진피성 색소병변으로는 오타 모반(Ota's nuvus), 청색 모반(blue nevus) 등이 있고, 표피와 진피에 모두 색소병변이 있는 것으로는 기미(melasma), 염증 후 과색소침착(PIH, postinflammatory hyperpigmentation) 등이 있다.

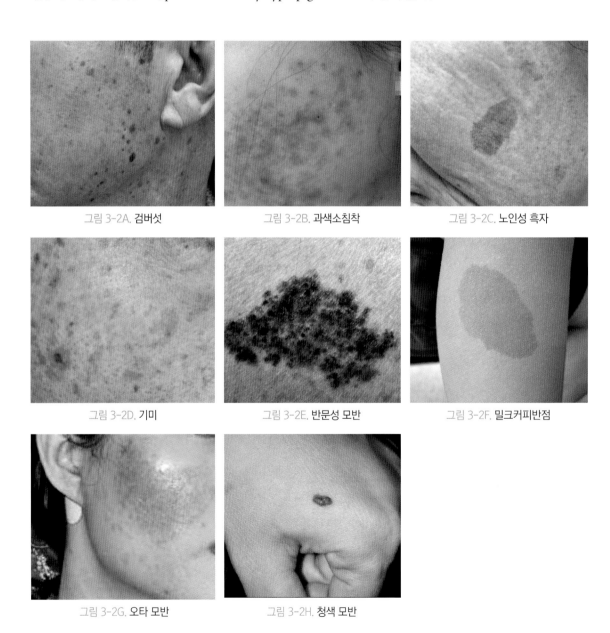

그림 3-2A. **검버섯**   그림 3-2B. **과색소침착**   그림 3-2C. **노인성 흑자**

그림 3-2D. **기미**   그림 3-2E. **반문성 모반**   그림 3-2F. **밀크커피반점**

그림 3-2G. **오타 모반**   그림 3-2H. **청색 모반**

문신(tattoo) 제거를 위한 레이저 선택에 있어서는 문신의 깊이뿐만 아니라 색상에 따라 레이저 종류가 선택된다. 그러므로 표피성 색소병변에는 짧은 파장의 Nd:YAG레이저(532nm), Argon레이저(577nm) 등이 사용되고, 깊은 진피성 색소병변에는 긴 파장의 Ruby레이저(694nm), Alexandrite레이저(755nm), Nd:YAG레이저(1,064nm) 등이 사용된다.

이외에도 색상에 따라 흡수되는 파장이 다른데, 붉은색 병변이나 문신의 경우에는 짧은 파장의 Nd:YAG 레이저(532nm)가 좋고, 기미 같은 표피성 옅은 갈색이나 문신에는 Ruby레이저(694nm)가 좋으며, 색소가 깊어 짙은 갈색이나 푸른색을 띠는 오타모반 또는 푸른색, 검정색의 문신에는 alexandrite레이저(755nm), Nd:YAG레이저(1,064nm) 등의 긴 파장의 레이저가 좋다.

2) 혈관성 병변(Vascular lesion)의 레이저(그림 3-3, 4)

혈관성 병변용 레이저는 헤모글로빈(hemoglobin)이 잘 흡수되는 파장은 418nm, 577nm로써 펄스파 색소레이저(pulsed dye laser, 577nm)가 있는데, Argon 색소레이저(577nm), Copper vapor레이저(578nm), FD-Yd:YAG레이저(532nm), long pulse 색소레이저(595nm) 등이 있으며, 보다 깊은 혈관성 병변에 대해서는 투과가 깊은 파장으로 사용되는 Nd:YAG레이저(1,064nm)는 헤모글로빈에 흡수가 적고 주변조직의 열 손상이 동반될 수 있다.

색소레이저의 치료효과가 좋은 경우는 혈관 직경이 작고 피부 가까이 있는 표피성모세혈관의 치료에 좋으므로 포도주색 반점(port wine stain), 모세혈관확장증(telangiectasia)에 결과가 좋으며, 피부 깊은 심부 혈관성 병변은 효과가 떨어지지만 1,064nm 파장의 레이저를 사용한다. 혈관성 병변에 대한 레이저 치료는 여러 번 반복치료를 해야하므로 전체 치료기간도 2~3년 정도 오래 걸릴 수 있으며, 신체부위에 따라 치료결과가 다를 수 있으므로 주의해야 한다.

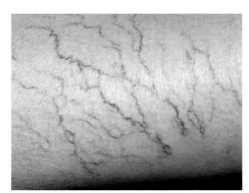

그림 3-3. 모세혈관확장증

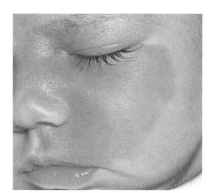

그림 3-4. 포도주색반점

3) 피부회춘(Rejuvenation) 레이저(그림 3-5)

나이가 들면서 피부도 노화되면서 탄력이 감소하니 주름이 생기고, 얼룩진 반점이 생기면서 피부색도 탁해진다. 이런 노화된 피부에 레이저 치료를 하게 되면 색소성 병변인 반점이 제거되어 피부색이 맑아지며, 탄력이 증가하면서 주름이 감소하는 효과를 볼 수 있다.

CO_2 레이저는 피부에 직접 침습하는 박피성 레이저로서, 피부의 수축(tightening)과 탄력에 효과가 좋고 주름 개선에도 매우 효과적이나, 피부 박피로 인한 상처의 치료기간이 많이 걸리고 홍반과 색소침착으로 인한 불편함이 많다.

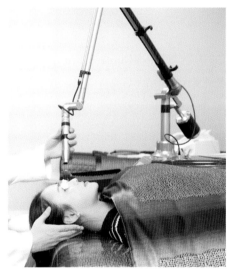

그림 3-5A. 레이저 시술장면

그림 3-5B. IPL

그림 3-5C. Toning

그림 3-5D. UX

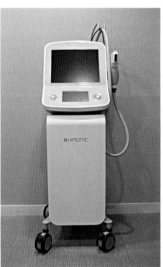

그림 3-5E. 더블로

Er:YAG레이저도 박피성 레이저이지만 박피 깊이가 얕고, 상처치료가 빨라 CO2 보다는 장점은 있으나, 결국 피부 박피로 인한 사회생활의 불편함은 해결되지 못했다. 이러한 박피 레이저의 단점을 보완하기 위해 박피를 하지 않는 비박피성 레이저로 Ervium-glass레이저(1,540nm) 등이 개발되어, 냉각장치로 표피를 보호하면서 긴 파장이 진피의 깊은 곳까지 투과시켜 진피의 콜라겐을 수축시키는 효과를 보았으나, 여러번 시술해야하고 박피레이저 만큼 피부 재생효과는 뛰어나지 못했다. 이를 보강하여 비박피성 레이저이면서 더 강한 효과의 Ervium-glass레이저(1,550nm) 파장의 프랙셔널(fractional) 레이저인 프락셀(Fraxel)이 개발되어 표피가 재생되고, 진피의 탄력을 증가시키면서 시술 후 몇시간 뒤에는 홍반이 없어지므로 사회생활에 지장이 적고 편리해졌다. 하지만 최근에는 보다 강한 효과를 보기위해 수많은 미세한 구멍을 내어 피부를 기화시키고 주변조직에 열효과가 더 좋게하는 박피성 프랙셔널 레이저가 개발되어 사용하고 있다.

요즘도 많이 사용되는 레이저로 IPL(intense pulse light)이 있는데, 보통 레이저와 달리 한 레이저에서 500~1,200nm의 여러 파장이 같이 나오게 된다. 그러므로 색소성 병변, 표피성 혈관성 병변, 피부 회춘, 제모 등의 다양한 효과를 볼 수 있으며, 목표한 치료에 맞추어 레이저 손잡이의 팁(tip)을 교체하면서 시술한다. 또한 최근에는 고주파(radiofrequency) 열을 이용한 피부 수축과 콜라겐 재생을 위한 레이저 종류도 있으며, 고강도의 응집된 초음파(high intensity focused ultrasound, HIFU)를 이용하여 피부의 진피뿐만 아니라 얼굴의 표피성 근육(SMAS)에도 영향을 주어 조직 수축과 콜라겐 재생을 촉진시켜 피부 탄력과 주름 감소의 효과를 보고 있다.

4) 흉터 레이저

다치거나 수술 후 생긴 흉터, 여드름 흉터, 천연두 흉터, 모공 등과 같은 피부 병변은 편평하지 않거나 함몰되어 있어 더 눈에 띄므로, 레이저 박피를 이용하여 피부를 수축시키고 탄력을 증가시키므로 함몰현상을 개선시키는 것이다.

홍반을 동반한 비후성 반흔에는 혈관성 병변에 사용되는 레이저 중 long pulse 색소레이저(595nm)가 이용되고 있고, 최근에는 프랙셔널 레이저가 흉터의 급성기부터 많이 사용되고 있다. 흉터의 치유과정에서 흉터의 급성기에 섬유모세포와 모세혈관이 증식하는데, 이때 프랙셔널 레이저를 사용하면 섬유모세포와 모세혈관의 증식을 억제하여 콜라겐 섬유소를 줄여 흉터가 커지는 것을 예방한다.

프랙셔널 레이저는 상피화된 피부에는 악영향을 주지 않기 때문에 다친 상처나 수술 후 1달 후부터 시행 가능하며, 이미 있는 흉터도 줄이는 효과가 있다.

5) 레이저 시술의 안전사항

레이저는 고출력 에너지를 이용하여 피부병변을 치료하는 의료행위이므로 반드시 전문지식을 갖춘 의사가 시술해야 하며, 레이저 시술의 효과, 한계, 부작용 등을 충분히 상담해야 한다.

레이저의 직사광이 눈에 들어갈 때는 매우 위험하므로 보안경을 꼭 껴야 하고, 피부가 기화되면서 발생하는 유독물질이나 가스를 흡입하지 않도록 보호용 마스크를 착용해야 한다.

시술한 레이저와 종류, 피부 병변에 따라 차이는 있지만, 일반적으로는 레이저 시술을 받고 나면 일시적인 피부 홍반, 붓기, 화끈거리는 통증, 가려움, 멍 등이 생길 수 있음을 알려 줘야한다. 이러한 일반적 현상들을 줄이고 레이저 효과를 높이기 위해 레이저 시술 후에 피부관리(skin care)를 해주는 것이 좋은데, 이때 미백크림으로 멜라닌 색소 형성을 억제하고, 박피크림으로 각질을 벗겨 표피재생을 유도하며, 진정크림으로 피부자극을 줄이고, 자외선 차단제와 보습제 등을 사용한다.

또한 레이저 시술 후 예상치 못했던 화상, 물집, 심한 발진, 피부 염증 또는 감염, 색소침착, 흉터 등의 부작용도 발생할 수 있으므로 시술 후 안전한 관리도 중요하다.

레이저 시술에 있어서도 마취가 필요한 경우가 있는데, 레이저의 출력이 높거나 피부 병변이 넓고 깊은 경우, 협조가 잘 되지 않는 소아에서는 다양한 방법의 마취가 필요하다. 간단한 레이저의 경우에는 리도카인 국소마취제를 30분~1시간 전에 시술할 피부에 도포한 후 레이저 시술하고, 국소마취제 도포만으로는 효과가 적은 더 깊은 부위의 시술에서는 직접 국소마취제를 시술 부위에 주사한 후 시술하며, 얼굴의 삼차신경 분포를 활용하며 적은 양의 마취제를 넓은 부위를 마취할 수 있는 신경차단술도 이용할 수 있고, 소아 또는 넓은 부위를 시술할 때는 수면마취 후 시술한다.

4. 보툴리눔 독소

1) 서론

보툴리눔 독소는 Clostridium botulinum 균주에서 생성되는 신경독소로서, 처음에는 사시, 안검경련, 소아뇌성마비, 목근육긴장(사경) 등의 근육에 이상있는 질환에 사용되다가, 미간주름, 이마주름, 목주름, 사각턱근육, 종아리근육 등 근육에 의한 주름 개선과 과도한 근육을 위축시키는 미용 목적으로 사용되고 있다.

이러한 보툴리눔 독소를 흔히 보톡스(botox)라고 부르는 이유는 미국의 엘러간(Allergan) 회사에서 처음으로 보툴리눔 독소를 상품화하여 만든 약제의 이름이 보톡스였고, 이 보톡스가 오랜 기간 유통되어 보툴리눔 독소를 대신하는 명칭으로 사용되고 있었기 때문인데 현재는 여러 제약회사에서 다양한 상품명으로 유통되고 있다.

보툴리눔 독소의 작용기전(그림 4-1A)은 신경-근육 접합부에서 신경전달물질인 아세틸콜린(acetylcholine)의 분비를 차단하여 근육을 마비시키면, 근육에 의해 형성된 주름을 개선시키고, 비대해진 근육의 크기를 위축시켜 줄이는 효과가 있다. 하지만 보툴리눔 독소의 효과는 3~6개월 정도이며, 3~6개월 지속되다가 사라지면서 다시 시술 전 근육 상태로 돌아오는 이유는 마비된 신경의 말단에서 신경이 다시 자라나고, 운동종판(motor endplate)이 다시 생성되기 때문이다. 보툴리눔 독소는 주사 후 3~7일 후 효과가 나타난다.

보툴리눔 독소는 일반적으로 동결건조된 분말제제로 공급되며, 각 용기 바이알(vial) 당 50 unit(U) 또는 100U 단위로 제조되는데, 생리식염수를 1~5cc 정도 섞어 사용목적과 부위에 따라 일정량 시술하게 되며, 희석 후에는 2~8도의 냉장상태에서 1달 정도는 보관할 수 있다(그림 4-1B, C).

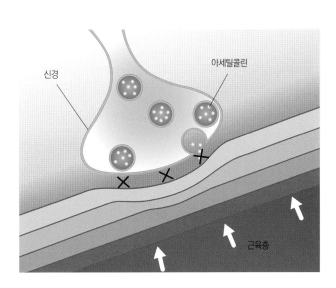

신경

아세틸콜린

근육층

그림 4-1A. 보톡스 신경전달물질

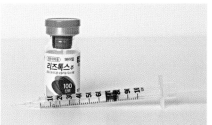

그림 4-1B. 보톡스생리식염수 희석

그림 4-1C. 보톡스

2) 보툴리눔 독소의 효과

성형외과 영역에서 보툴리눔 독소의 적용은 근육을 일시 마비시켜 얼굴 표정근육에 의한 주름의 개선 효과, 비후된 사각턱 근육 또는 종아리 근육의 부피를 줄여 윤곽을 축소시키는 효과가 있으며 다한증 치료 등에 사용되고 있다. 그러므로 시술 부위, 시술 목적, 시술량에 따라 주사하는 부위도 근육층, 피하지방층, 진피층 등 다양한데, 미간주름, 비후된 근육, 잇몸노출증에는 근육층에 주사하지만, 눈주위, 이마, 목주름, 윗입술 주름에는 피하지방층 또는 얕은 근육층에 주사하며, 다한증의 경우에는 부위에 따라 진피층 또는 피하지방층에 주사한다.

(1) 이마주름

이마주름은 전두근(frontalis)에 의해 보통 가로로 길게 잡히므로 주름의 정도에 따라 5~15U 정도 주사하는데, 잘못된 주사로 눈꺼풀이 처지는 안검하수, 눈썹처짐 등이 올 수 있으므로 보통 눈썹보다 2~3cm 상부에서 여러 곳에 분산시켜 주사하는 것을 권한다.

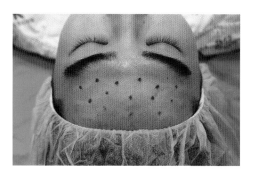

그림 4-2. **이마주름 보톡스**

(2) 미간주름

미간주름은 보통 눈썹사이에 수직으로 생기거나 눈썹과 콧등 사이에 수평으로 생기는데, 수직주름은 추미근(corrugator), 수평주름은 비골근(proceus)의 작용으로 생긴다. 주름의 정도에 따라 10~15U 정도 주사하는데, 눈 주변이라 다른 부위로의 확산을 막기 위해 주사할 때 이마와 눈썹을 위로 당기면서 상안와연(supraorbital rim)을 지긋히 눌러준다.

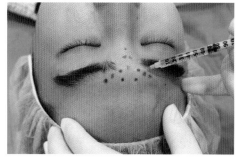

그림 4-3. **미간 보톡스**

(3) 눈가주름, 눈밑주름

눈가와 눈밑에 생기는 주름은 안륜근(orbicularis oculi)에 의해 생기는 것이며, 눈가에 생기는 주름을 까마귀발(crow feet)주름이라고도 한다.

주름의 정도에 따라 한쪽에 5U 정도를 분산시켜 사용하는데, 주위 근육에 확산되는 것을 막기 위해 얇은 근육층에 주사하며, 눈밑주름의 경우에는 안륜근의 약화로 안와지방의 돌출이 심해질 수 있다.

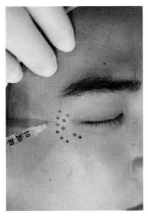

그림 4-4. 눈가주름 눈밑주름 보톡스

(4) 윗입술 주름

입술주름은 구륜근(orbicularis oris)의 발달로 입술 상방으로 수직으로 생기는 수많은 잔주름이다. 주름의 정도에 따라 5~10U의 독소를 주사하는데, 인중에는 가급적 주사하지 않고, 인중 주변으로 입술 경계를 따라 얇은 근육에 주사하며, 잘못 주사되면 말하거나 음식 먹을 때 불편할 수 있다.

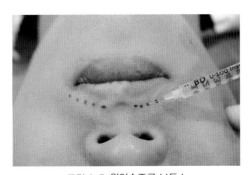

그림 4-5. 윗입술주름 보톡스

(5) 목주름

목주름은 활경근(platysma)에 의해 수직 띠 형태로 생기는데, 이는 환자에게 이를 깨문 채 아랫니가 보이도록 아랫입술을 내리게 하면 수직 띠의 정도를 관찰할 수 있다. 피부처짐이 적은 환자에서 주름의 정도에 따라 10~20U 정도 주사하는데, 깊게 잘못 주사하면 목이 쉬거나 음식물을 삼키기 어려울 수 있다.

목에 잡히는 수평주름의 경우에는 보툴리눔 독소의 효과를 일부 볼 수 있지만, 기대 이하이다.

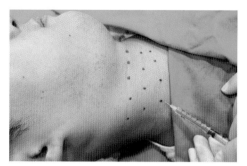

그림 4-6. **목주름 보톡스**

(6) 잇몸노출증

잇몸노출증은 웃을 때 잇몸이 과다하게 노출되는 경우로써, 상순거근(levator labii superioris)과 상순비익거근(levator superioris alaeque nasi)에 의해 발생되며, 두 근육은 상호 인접하여 있어 각각 확인하여 주사가 어려우므로, 일반적으로 콧날개의 외측 1cm 정도 부위에 좌우 각각 2~3U 정도 주사한다.

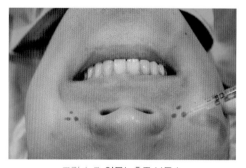

그림 4-7. **잇몸노출증 보톡스**

(7) 입꼬리 주름

입꼬리 주름은 입꼬리내림근(depressor anguli oris)의 과다한 작용과 노화로 인한 피부처짐 현상으로 입 주변에 발생하는 주름이다.

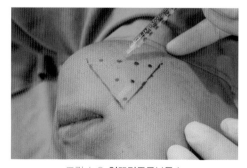

그림 4-8. **입꼬리주름보톡스**

입꼬리내림근은 입꼬리에서 하악골 가장자리로 삼각형 모양의 근육이므로, 입꼬리의 외측 1cm에서 하악골 가장자리로 삼각형을 그린 후 하악골 가장자리에서 상방 5mm 부위에 좌우측 각각 5U 정도 주사한다.

(8) 사각턱 근육

사각턱 근육인 저작근(masseter)의 비후로 근육의 부피가 증가한 것인데, 환자에게 이를 꽉 깨물게 하면 하악골 모서리 상방에서 수축된 근육을 느낄 수 있다. 수축된 저작근에 한쪽에 25~30U의 독소를 주사하는데, 4~5군데에 나누어 주입하며, 시술 전 양쪽이 비대칭일 경우에는 독소의 전체량을 조절한다.

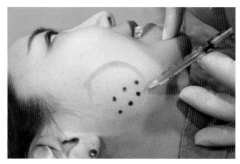

그림 4-9. **사각턱 보톡스**

(9) 종아리 근육

비후된 종아리 근육은 종아리 뒷쪽에서 가장 표면에 있는 비복근(gastrocnemius)이며, 비복근은 내측근육과 외측근육으로 갈라지는데, 환자에 따라 둘 다 비후되거나 주로 내측근육만 비후된 경우가 많으므로 증상에 따라 보툴리눔 독소를 주사하게 된다. 환자에게 발끝으로 서게 하는 까치발을 시켜보면, 비복근이 수축되어 알통처럼 튀어나오는 것을 쉽게 확인하여 모양을 그릴 수 있다. 이때 비후된 정도에 따라 먼저 내측근육의 아래쪽 가장 비후된 부분을 따라 5~6군데에 각각 7~8U 정도씩 근육층에 주사한다. 또한 외측 근육도 주사할 필요가 있으면 비슷하게 3~4군데에 각각 7~8U 정도씩 주사하므로, 한쪽 종아리의 내측근육에 총 50U 정도와 필요에 따라 외측근육에 25~30U 정도 주사한다.

그림 4-10. **종아리 보톡스**

그러나 종아리 자체가 비후된 경우에는 종아리 근육에 의한 근육형 이외에도 피하지방이 발달한 지방형도 있으므로 지방형의 경우에는 보툴리눔 독소의 효과는 없다. 종아리 근육에 주사하는 경우에는 총 주사량이 많으므로 반복시술은 6~9개월 이상의 차이를 두는 것이 좋고, 잘못 주사하여 가자미근(soleus)에 깊이 주사된 경우에는 걷거나 서있기에 불편할 수 있다.

(10) 다한증

다한증은 교감신경의 지배를 받는 땀샘의 과도한 분포와 활동으로 지나치게 땀을 많이 흘리는 증상으로, 보툴리눔 독소가 땀샘에 분포하는 신경전달물질의 분비를 억제하여 치료 효과가 있다.

다한증이 주로 나타나는 신체 부위는 주로 겨드랑이, 손바닥, 발바닥, 얼굴, 두피이며, 부위와 증상에 따라 다르게 시술한다. 겨드랑이 다한증의 경우에는(그림 4-11) 털이 분포한 분위를 중심으로 한쪽에 총 50U 정도의 독소를 10~20군데로 나누어 주사하는데, 일반적으로는 피부의 진피층에 주사하지만, 진피층 밑 얕은 피하지방층에 주사해도 효과는 진피층과 유사하면서 통증이 덜하다는 장점이 있다. 잘못 주사하여 깊게 주사하면 상완신경총 등 여러 상지신경들이 있어 상지의 불편함을 줄 수 있으며, 6-9개월 간격으로 주사하는 것이 좋다.

손바닥 다한증의 경우에는(그림 4-12) 손바닥 한쪽에 30~40군데로 나누어 한쪽 손바닥에 50~60U 정도의 독소를 진피층에 주사한다. 발바닥 다한증의 경우에는(그림 4-13) 발바닥 한쪽에 50~60군데로 나누어, 한쪽 발바닥에 100~120U 정도의 독소를 진피층에 주사하는데, 주사용량이 많기 때문에 반 정도를 1차 주사한 후 나머지는 2~3주 후에 추가 주사하기도 한다.

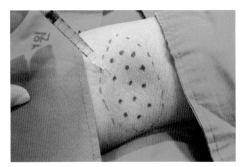

그림 4-11. 다한증 보톡스(겨드랑이)

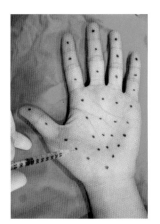

그림 4-12. 다한증 보톡스(손바닥)

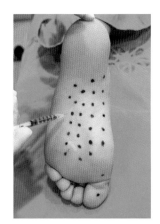

그림 4-13. 다한증 보톡스(발바닥)

3) 보툴리눔 독소의 한계와 부작용

보툴리눔 독소의 시술은 간단하고, 시술 전후 처치가 필요 없으며, 시술 후 불편함이 적어 일상생활이 바로 가능하고, 근래에는 비용도 저렴해지고 있어 수술에 대한 거부감과 시간적 여유가 없는 사람들에게도 널리 시행되고 있다. 하지만 보툴리눔 독소가 의사만 처방과 시술할 수 있는 전문의약품인 이유는 독소의 주입이 근육에 미치는 영향을 정확하게 예측하기 어렵고, 아무리 간단한 시술이라도 예상치 못하는 다양한 부작용이 있기 때문이다. 우리가 일반적으로 말하는 부작용으로는 수술 중 또는 수술 후에 예상치 못했던 이상 증상을 말하지만, 보툴리눔 독소의 시술 후 가장 흔한 부작용은 환자의 기대에 미치지 못하는 결과이 며, 이는 환자의 과도한 기대감과 시술 전 환자와 의사 간에 충분한 상담과 소통이 없는 결과이므로, 시술 전에 보툴리눔 독소의 효과와 한계에 대해 충분히 인식시켜야 한다.

실제로 시술 중 또는 시술 후에 발생 가능한 부작용으로는 멍, 부종, 통증, 발적, 감염 등의 일반적 증상 이 외에도 시술 부위와 시술 목적에 따라 눈썹하수, 안검하수, 복시, 부자연스러운 표정, 얼굴 비대칭, 연하장애, 발성장애, 호흡장애 등 심각한 문제를 초래할 수 있다. 또한 흔하지는 않지만, 고용량의 독소를 짧은 간격으로 여러 번 주사할 때 보툴리눔 독소에 대한 항체가 생겨 내성현상이 생긴다. 실제로 3~4회 이상 반복적으로 보툴리눔 독소를 맞은 환자의 경우 30~40%에서 효과가 떨어진다고 느끼는 환자가 증가하고 있다. 이러한 항체에 의한 내성의 발생을 예방하기 위해서는 최소 유효용량으로 시술하고, 3개월 이상의 시술 간격을 두며, 보충주사도 꼭 필요한 범위 안에서 최소화하는 것이 중요하다.

5. 필러

필러주사는 얼굴뿐만 아니라 신체의 어느 부위든 조직이 부족하거나 함몰된 부위에 주사하여 조직을 채워줌으로써 미용적 보충, 보완하는 효과를 낸다.

필러는 피부 절개 없이 주사를 이용해 주입하므로 간단한 시술로 즉각적인 결과를 볼 수 있는데, 예를 들어 낮은 코를 금방 세울 수 있고, 팔자주름 같이 깊은 함몰주름도 즉시 효과를 본다. 일상생활에도 지장이 없어 매우 많이 대중적으로 시술되고 있다 보니, 그 만큼 많은 부작용과 후유증이 있으므로 주의해야 한다.

1) 필러의 종류

신체 조직이 부족하거나 함몰된 경우에 주사방식으로 가장 먼저 교정할 수 있는 방법이 지방이식이었으며, 그 후 다양한 종류의 필러성분과 제품들이 출시되었다.

과거에는 파라핀(paraffin) 또는 실리콘(silicone) 주사로 많은 부작용이 발생하여 현재는 사용 금지된 성분이 되었으나, 과거에 주사 시술을 받았던 사람들이 현재까지도 많은 부작용으로 고생하며 재건수술을 시행받고 있다. 지금까지 사용되고 있는 필러주사는 크게 자가조직 필러, 합성필러, 생물학적 필러로 나눌 수 있는데, 자가조직 필러의 가장 대표적인 방법이 지방이식술이다. 환자의 조직에서 추출한 자가조직인 지방을 이식해 줌으로써 면역문제는 없으나, 감염과 염증의 가능성이 있으며, 주입된 지방의 생착과 흡수율을 알 수 없어 지속성의 문제가 있다. 합성필러는 그동안 다양한 성분을 이용한 필러제품으로 출시되었는데,

polymethylmethacrylate(PMMA),polyacrylamide gel(PAAG), calcium hydroxyapatite(CaHA), poly-L-lactic acid(PLLA), polyalkylamide, polyvinyl alcohol 등이 있다. 이 합성필러들은 체내에서 흡수되지 않기 때문에 반영구적 효과는 있으나, 육아종, 감염, 부작용 발생 시 제거가 어렵다는 문제점이 있으므로 사용에 신중해야 하며, 최근에는 잘 사용되지 않고 있다.

생물학적 필러는 사람, 동물, 세균 등 다양한 생물에서 추출한 생물학적 물질로 제조한 필러인데, 콜라겐(collagen)과 히알루론산(hyaluronic acid)이 있다. 생물학적 필러 중 콜라겐은 1980년부터 동물 또는 인체에서 추출한 콜라겐을 필러주사로 사용하였으나, 면역학적 문제와 전염문제로 근래에는 사용하지 않는다. 생물학적 필러 중 히알루론산은 조직의 결합조직 성분인 글리코스아미노글리칸(glycosaminoglycan)이고, 세균으로부터 합성하여 제조되므로 면역학적 문제와 전염문제를 해결하였다. 이렇듯 히알루론산 필러는(그림 5-1) 일정기간이 지나면 몸에서 흡수되어 녹아 없어지다 보니, 초창기에는 필러의 지속기간이 6개월 이하로 짧아 대중화되지 못하고 합성필러들이 개발되어 출시되었다. 그러나 히알루론산 필러의 점성과 농도를 달리하면서 최근에는 6개월에서 3년까지 지속되는 지속성을 보이고, 무엇보다 주사 후 부작용이 발생하면 히알루로니다제(hyaluronidase)주사(그림 5-2)로 히알루론산을 녹여 치명적인 부작용을 줄일 수 있어 근래에는 가장 많이 사용되고 있다.

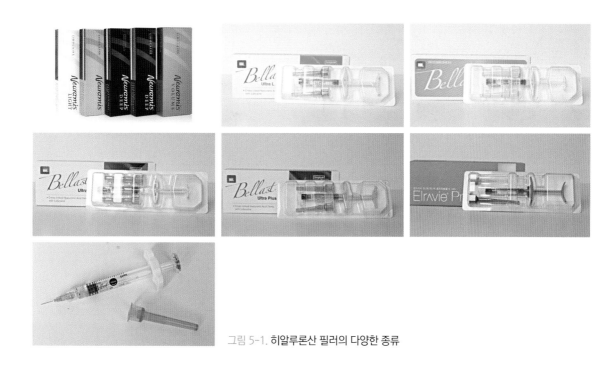

그림 5-1. 히알루론산 필러의 다양한 종류

그림 5-2. 히알루로니다제

2) 임상적용(그림 5-3)

필러주사 시술이 많이 사용되는 부위로는 이마의 함몰된 부위교정, 상안검의 함몰(sunken eyelid) 교정, 하안검의 눈물고랑(tear trough) 교정과 애교살(muscle roll) 키우기, 낮은 코 융비술. 팔자주름(nasolabial fold) 교정, 입술확대, 턱끝 확대, 목주름 교정, 함몰 흉터의 교정 등이 있고, 시술 도중에 환자의 요구와 만족도에 맞추어 조절 가능하며, 시술 즉시 효과를 확인할 수 있다. 하지만 임상 적용할 수 있는 부위와 목적이 다양한 만큼 부위별로 용도에 맞는 필러의 종류를 선택해야 하며, 필러의 용량, 투여범위, 깊이 등에 대해 숙지해야 한다. 부위별 필러시술 목적, 부위별로 추천되는 성분 또는 제품, 주사용량, 주사 깊이에 대한 다양한 주장의 보고들이 있으므로, 시술자의 폭넓은 학습과 경험을 토대로 좋은 결과가 만들어질 것이다.

시술 전에 환자의 요구사항과 필러시술의 한계에 대해 충분한 상담을 통해 서로 소통이 이루어져야 하며, 무엇보다 필러시술 또한 안전을 바탕으로 부작용을 최소화하는 미적 결과를 만들어야 한다. 필러시술로 주름과 함몰이 완전히 없어지는 것이 아니며, 지속의 예상기간, 사용 필러의 종류별 장단점, 필러시술의 한계 등을 환자에게 숙지시켜야 한다.

필러의 주입은 시술 부위별, 시술 목적에 따라 시술방법도 달라지겠지만, 일반적으로는 한 곳에 많은 양을 주입하여 뭉치게 해서는 안 되며, 주입 시 적절한 깊이에 주사 후 뒤로 빼면서 조직공간을 메꾸어 주는 것이 좋고, 목적에 따라 조직 층별로 주입하며, 소량씩 천천히 주입한다. 또한 얕은 주름에 필러주사 할 경우에는 점성과 농도가 적은 필러가 좋고, 깊은 주름의 경우에는 점성과 농도가 크거나 반영구 필러를 사용해도 된다.

시술 후에는 주사된 필러에 의한 균일하지 못한 피부 면과 정상피부와의 경계에 변형이 생길 수 있는데, 이런 변형은 부드럽고 정성스런 마사지로 해결해 준다.

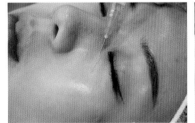

그림 5-3A. **눈물고랑**

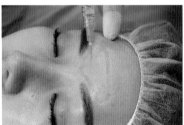

그림 5-3B. **이마, 미간**

그림 5-3C. **콧대**

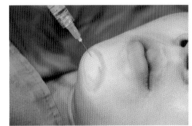

그림 5-3D. **턱끝**

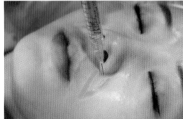

그림 5-3E. **팔자주름**

3) 주의사항과 부작용

모든 성형수술은 안전이 최우선이듯이 필러주사시술 또한 안전을 바탕으로 부작용을 최소화해야 한다. 필러시술 또한 의료시술이므로 반드시 허가된 병원 또는 전문 의료기관에서 시술받아야 하며, 필러 또한 정부의 허가된 제품을 사용해야 하고, 필러가 다양하게 있으므로 성분과 제품의 특성을 숙지하여 시술해야 하는데, 염증상태나 다른 이물반응이 있는 신체부위에는 주사해서는 안 된다.

　　필러주사 시술 후 나타날 수 있는 부작용도 다양한데, 크게 환자측면, 시술자측면, 제품측면으로 나눠서 생각할 수 있지만, 어느 하나에 의한 부작용보다는 복합적으로 나타나기 때문에 시술 전에 앞서 말한 시술의 원칙을 잘 지켜야 한다. 필러시술 후 일반적인 부작용으로는 붓기, 홍반, 멍, 출혈, 가려움, 피부의 울퉁불퉁한 불규칙변형 등이 있으나, 대부분 한달 내 자연소실 되고, 증상이 심한 경우에는 증상에 맞추어 치료해 준다. 염증 또는 감염이 급성으로 오는 경우에는 붓기, 홍반, 열감, 통증이 동반되며, 적절한 항생제 투어와 함께 필요에 따라서는 주입된 필러를 제거하거나, 히알루로니다제로 히알루론산 필러를 녹이는 주사를 주고, 단순포진 감염의 경우에는 항바이러스제를 복용한다. 다양한 형태의 종괴로 만져지거나 육아종이 지속되는 경우에는 주사 바늘 또는 절개로 배농한다.

　　매우 드문 부작용이지만 주사된 필러가 동맥으로 들어가 혈관을 막는 색전증이 발생할 수 있는데, 어느 동맥의 어느 부위에서 혈관이 막혔느냐에 따라 국소적이 피부괴사, 실명, 뇌경색 등의 중대한 부작용이 발생할 수 있어 특별히 주의해야 한다.

　　국소적인 피부괴사는 주로 이마의 미간, 코의 콧등과 콧날개, 팔자주름 부위에 발생하는데, 필러가 들어간 동맥의 말초부위 피부가 국소적으로 괴사되는 것이다. 실명의 경우에는 안와동맥 분지의 주행경로와 연관되어 미간, 콧등, 팔자주름 부위에 필러주사 때 발생 할 수 있다. 필러의 종류에 관계없이 발생될 수 있지만, 히알루론산 필러를 사용 후 이러한 색전증이 발생되었을 때는 가능한 빨리 주사한 부위에 필러를 녹이는 히알루로니다제를 주사하고, 증상에 따라 혈액순환제, 줄기세포 치료를 시행한다. 간단하고 편리해 보이는 필러시술이라도 다양한 부작용이 있을 수 있으므로, 필러는 반드시 경험이 풍부한 의사에게 시술받아야 하고, 의사도 해부학적 지식과 시술요령에 대해 숙지하여 안전한 시술이 되어야 한다(그림 5-4).

K 성형외과병원
K-plastic surgery hospital

등록번호 :
이 름 :
생년월일:
병 실 :

필러, 보톡스 동의서

1. 수술 목적 및 필요성, 장점

2. 수술 설명(과정 및 방법)

3. 수술 전/후 주의사항

안내문과 함께 설명을 들었음.

4. 수술로 발생할 수 있는 후유증 및 합병증

필러	보톡스
1) 통증 2) 부종 3) 출혈, 혈종, 멍 4) 저교정, 과교정, 비대칭(짝짝이) 5) 균일하지 않은 피부 6) 영구적이지 않음 (체질에 따라, 필러 종류에 따라 다르다.) 7) 거부반응, 염증 → 제거수술 8) 피부괴사 9) 혈관 주사시 기능장애(실명, 운동장애) 10) 예상하지 못했거나 희귀한 경우의 부작용이나 후유증 → 발생 시 설명 11) 멍울이 만져질 수 있음 12) 돌출, 변위 13) 이물질 잔존 가능 -> 2차 수술	**약물에 의한 부작용** 1) 통증, 두통, 무기력 2) 근육강직, 비가역적 근육 위축 3) 저교정, 과교정, 비대칭(짝짝이) 4) 항체생성, 효과 감소 (4-10개월) 5) 과민반응, 쇼크 -> 사망 **시술 부위에 따른 부작용** 1) 눈주위와 미간부 주사시: - 복시, 사시, 안검하수, 안구건조증, 각막염 2) 입주위와 목주위 주사시 - 삼킴곤란, 음성장애 **그 외 부작용** 1) 효과가 바로 안나타날 수 있음(주름개선은 1주내, 사각턱, 종아리 축소등은 2주 이상) 2) 예상하지 못했거나 희귀한 경우의 부작용이나 후유증 -> 발생시 설명 **금기증** 1) 보톡스 과민증 2) 전신성 신경근 접합부 장애 3) 임산부, 수유부

K 성형외과병원
K-plastic surgery hospital

필러, 보톡스 동의서

그림 5-4. 필러, 보톡스 동의서

6. 안검성형술(쌍꺼풀 수술)

눈은 마음의 창, 눈이 혀보다 웅변적이라고 할 만큼 얼굴 표정의 중심이 되는 눈과 눈꺼풀이 사람의 감정을 잘 표현하기 때문이다. 쌍꺼풀 수술을 받는 사람들은 예쁘고 자연스런 눈모양을 원하는데, 시대, 사회, 문화의 흐름에 따라 아름다운 눈의 기준이 달라지고 있다. 특히 동서양의 미적기준도 다르겠지만, 근래에는 동양인들도 서양인 같은 둥글고 큰 눈을 선호하는 경향이 있다. 하지만 개인별로 눈의 형태가 다르기 때문에 자신의 상태에 맞는 수술방법을 찾아야하고, 수술 후 예측되는 모양도 상담을 통해 이해해야 한다.

서양인은 모두 쌍꺼풀인 반면에 동양인에게는 외꺼풀이 훨씬 많은데, 그 이유는 해부학적으로 상안검 속에 눈을 뜨게 하는 상안검 거근(levator)이라는 근육의 섬유 일부가 피부쪽으로 연장되어 피부와 연결되어 있어(그림 6-1), 눈을 뜰 때 피부에 연결된 부위가 당겨지면서 그쪽 피부가 접혀 함몰되어 생기는 것이 쌍꺼풀이다(그림 6-2). 그러므로 쌍꺼풀 수술의 원리는 간단한데, 원하는 높이의 피부에 절개를 가하고 상안검 거근과 피부사이를 봉합해 묶어줌으로써 쌍꺼풀이 생기게 하며, 필요에 따라 과도한 지방, 근육을 떼 내는 것이다. 그러다보니 쌍꺼풀 수술을 윗눈꺼풀에 선하나 긋는 정도의 간단한 수술로 인식하고 아무 곳에서나 수술을 받았다가, 결과가 마음에 들지 않아 재수술 가능하냐며 상담해 오는 환자들이 있다. 실제 재수술을 해보면 일차수술을 어디서 어떻게 했는지 모르며, 모양과 상태에 따라 수술방법이 달라져야 하기에 수술을 하면 할수록 어렵고 힘든 수술이라는 것을 느낀다.

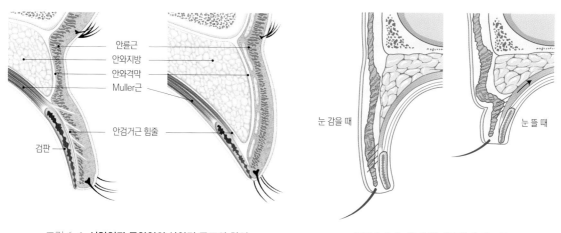

안륜근
안와지방
안와격막
Muller근

안검거근 힘줄

검판

눈 감을 때

눈 뜰 때

그림 6-1. 서양인과 동양인의 상안검 구조의 차이

그림 6-2. 눈 뜰때 쌍꺼풀이 생기는 원리

1) 안검의 해부 그림

안검(eyelid)은 상안검과 하안검으로 나누어지며, 안검의 내측 끝을 내안각(medial canthus), 외측 끝을 외안각(lateral canthus), 내안각과 외안각 사이 길이를 검열(palpebral fissure)이라 하고, 내안각 부위에 언덕처럼 융기된 구조물을 누구(lacrimal caruncle)이라 하며, 누구 위아래 상하안검에 한개씩의 눈물 구멍인 누점(lacrimal punctum)이 누소관(lacrimal canaliculi)으로 연결되면서 눈물이 흘러 들어간다. 눈뜰 때 상안검에 형성되는 주름을 쌍꺼풀(double eyelid, double fold)이라 하며, 내안각을 덮고 있는 피부를 몽고주름(epicanthus) 또는 내안각 췌피(epicanthal fold)라고 한다(그림 6-3). 하안검에서는 나이가 들면서 나타나는 변형들이 있는데, 안와지방이 돌출하면서 내안각에서부터 하안검 중간에 이르는 함몰을 눈물고랑(tear trough, nasojugal groove)이라고 하며, 눈물고랑 보다 더 외측으로 연결된 함몰을 안검-뺨고랑(lid-check junction, palpebromalar groove)이라고 하고, 눈물고랑이 광대뼈 쪽으로 사선으로 연장된 함몰을 인디안 주름(indian fold)이라고 한다(그림 6-4). 상안검의 단면(그림 6-5)을 살펴보면, 안검의 구조는 크게 앞층판(anterior lamella)과 뒤층판(posterior lamella)로 나누며, 앞층판에는 피부, 피하지방, 안륜근(orbicalaris oculi muscle), 안륜근뒤지방(ROOF)이 있고, 뒤층판에는 안와격막(orbital septum), 안와지방(orbital fat), 안검거근(levator palpebrae superioris), Muller근, 검판(tarsus , tarsal plate), 결막(conjunctiva)이 있다.

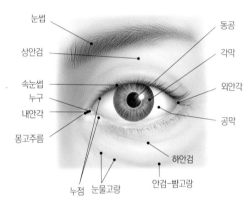

그림 6-3. 안검의 표면해부

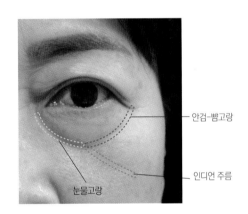

그림 6-4. 눈물고랑, 안검-뺨고랑, 인디안주름

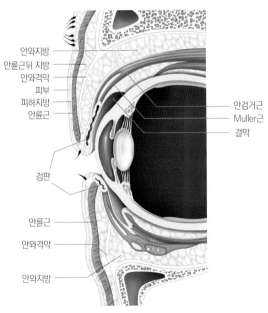

그림 6-5. 안검의 단면해부

2) 안검성형술 전 고려사항

근래에는 동양인도 서양인 같은 둥글고 큰 눈을 선호하는 경향이 있는데, 개인별 눈의 형태가 다르기 때문에 각자의 눈의 형태와 모양을 고려하여 수술계획과 수술방법이 선택되어져야 한다.

먼저 눈과 상안검의 형태와 모양을 파악해야 하는데, 피부의 처짐 여부에 따라 피부절제량이 달라질 것이며, 몽고주름의 정도에 따라 내안각췌피술의 필요여부가 결정되어야 할 것이다. 상안검에는 피하지방, 안륜근뒤지방, 안와지방, 안검거근하지방 등 여러 부위의 지방조직이 있는데, 어느 부위든 지방이 많으면 안검이 부어오른 것 같이 보이고, 졸려 보이며, 반대로 지방이 적으면 나이들어 보이거나 아픈 사람처럼 보이므로 부위별 지방조직의 조작을 고려해야 한다. 또한 일반적인 표준의 눈의 형태와 크기를 비교하여 수술 계획 및 결과의 한계를 평가해야 하는데, 검열길이와 상하안검 사이의 검열폭, 내안각과 외안각이 만나게 그은 수평축이 이루는 각도 등을 측정해야 한다.

쌍꺼풀의 폭과 형태(그림 6-6)에 있어서도 동양인은 눈을 떴을 때 쌍꺼풀 폭이 1.5~3mm 정도가 좋다. 쌍꺼풀의 형태에 있어서도 크게 내주름(infold)과 외주름(outfold, parallel fold)으로 나뉜다. 내주름은 쌍꺼풀이 내안각췌피의 안쪽에서 생겨 외측으로 갈수록 넓어지므로 동양인에게 자연스런 모양이며, 외주름은 내측과 외측이 평행하게 쌍꺼풀을 형성하는 것으로 내안각췌피가 심한 경우에는 모양이 좋지 못하고, 내안각췌피가 적거나 내안각췌피술을 동반할 때 가능하다. 자연스런 쌍꺼풀을 원한다면 쌍꺼풀 폭이 6~8mm 정도가 되게 수술도안하며, 외주름 형태라도 10mm 이상은 넘지 않는 것이 좋다.

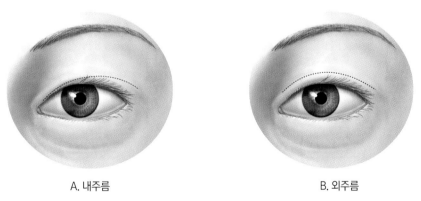

A. 내주름   B. 외주름

그림 6-6. **쌍꺼풀의 형태**

안검수술 전 검사해야 하는 것으로는 시력검사, 안검하수의 유무, 좌우 비대칭, 눈동자의 돌출정도, 눈감는 기능정도, 안구건조증 유무, 안과질환 유무 등을 검사해야 한다. 시력검사는 필수적인데, 시력이 나쁜 경우는 눈에 힘을 주고 뜨는 경향이 있어 안검하수가 동반되었는지 확인해야 하며, 술전에 있었던 시력장애를 술 후 생긴 것으로 오해하지 않게 한다.

안검하수의 유무와 정도에 따라 수술 후 쌍꺼풀의 크기와 모양에 많은 차이가 있으며, 안검하수를 같이 교정해야 한다. 안검하수의 정도는 MRD1(marginal reflex distance 1) 검사로 확인하는데, 눈썹과 이마의 힘을 사용하지 않고 전방을 주시하였을 때, 동공의 중심점부터 상안검의 가장자리까지의 거리를 측정하여 4~4.5mm가 정상이며, 4mm보다 적으면 안검하수이고, 같은 방법으로 상안검이 각막의 1~2mm 덮으면 정상이고 더 이상 덮을 경우 안검하수이다(그림 6-7)

눈동자의 돌출정도는 같은 환자의 좌우 차이가 있을 수 있고, 정상적 모양, 돌출형, 함몰형으로 분류하는데, 돌출형의 경우에는 함몰형에 비해 지방양이 적고, 안륜근의 상방견인에도 제한이 있어 미용적 결과가 떨어진다. 눈감는 기능의 정도에 따라 수술 전에도 눈을 일부 뜨고 자는 사람이 있는데, 수술 후에도 이런 토안 증상이 생길 수 있으므로 감별하여야 한다. 안검성형술은 안구주변을 수술하기 때문에 수술 후 기존 안과질환이 악화될 수 있으므로 안구건조증 등 평소 안과질환에 대해 확인해야 한다.

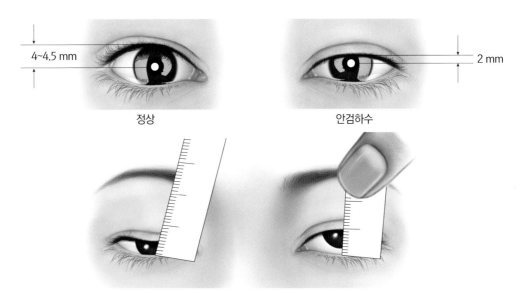

그림 6-7. MRD측정, 상안검거근 기능 검사

3) 쌍꺼풀 수술 – 비절개법(Double eyelid operation, Non-incision method)(그림 6-8)

동양인의 반 이상이 쌍꺼풀이 없기 때문에 젊은 사람들 중에 가장 많이 시행되는 성형수술이며, 쌍꺼풀 수술은 크게 비절개법과 절개법으로 나눌수 있다. 이 중 비절개법은 쌍꺼풀이 생기는 원리인 상안검거근과 피부의 연결에 의한 것이라는 간단한 원리를 적용한 것으로, 피부에 작은 구멍을 만들어 봉합사를 이용하여 쌍꺼풀을 만드는 방법으로 매몰법(buried suture method)이라고도 한다.

상안검에 절개를 가하지 않기 때문에 상처가 적고, 회복이 빠르며, 수술 후 붓기가 빨리 빠지므로 빠르게 자연스러워지는 장점이 있는 반면, 절개법에 비해 쌍꺼풀이 풀어질 확률이 높고, 늘어진 피부를 절제할 수 없으며, 지방제거가 용이하지 않다는 단점이 있다. 그러므로 비절개법은 안검하수 없이 피부처짐이 적고, 피부조직이 얇은 사람에게 유용하게 시술된다.

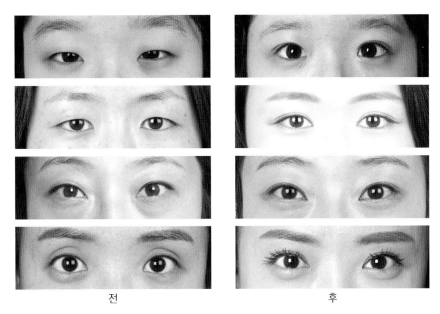

전　　　　　　　　　　　　　　　후

그림 6-8. 쌍꺼풀비절개법 증례

　　그동안 보고된 수술방법은 매우 다양한데, 크게 다매듭법과 단매듭 연속매몰법으로 나눌수 있다. 다매듭법(그림 6-9)은 넓든 좁든 고리(loop)형태 또는 사각형 형태의 봉합방법을 사용하므로 하나하나의 매듭을 따로 만들어야 하는 단점이 있지만, 여러 개를 이용할 경우 하나의 매듭이 풀어져도 쌍꺼풀이 유지될 수 있다.

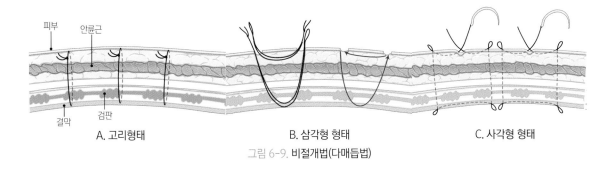

피부　안륜근

결막　검판

A. 고리형태　　　　　　　　　　B. 삼각형 형태　　　　　　　　C. 사각형 형태

그림 6-9. 비절개법(다매듭법)

　　단매듭 연속매몰법(그림 6-10)은 고리형태, 사각형 형태, 삼각형 형태 등 다양한 봉합형태를 응용할 수 있으며, 매듭의 수가 한 개이므로 매듭관리가 쉽고, 연속매몰법이므로 전체 힘을 나눠 가질 수 있어 전반적으로 강한 힘이 잘 유지될 수 있는데, 환자의 상태에 따라 3개 내지 5개의 절개창을 통해 연속매몰법을 시행한다.

　　수술은 환자의 상태에 맞는 수술도안(design)을 앉혀서 하고, 피부와 결막에 국소마취를 한 후 계획한 개수의 작은 절개창을 피부에 넣고, 수술방법에 따라 바늘과 실이 피부와 결막사이를 관통하면서 피부의 진피층을 통해 옆쪽 절개창으로 이동한다.

　　비절개법에 사용되는 실은 주로 바늘의 반경이 크고, 길며, 바늘 끝이 둥근 nylon 7번을 사용한다(그림 6-11).

수술 후 합병증으로는 쌍꺼풀의 풀림, 매듭부위의 육아종, 비대칭, 실이 결막쪽으로 노출되어 눈동자를 자극하는 불편감, 실로 인한 낭종 등이 발생할 수 있다.

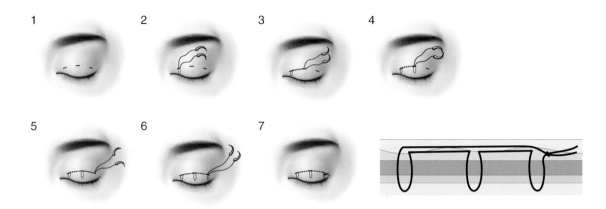

그림 6-10. **저자의 비절개법(단매듭 연속 매몰법)**

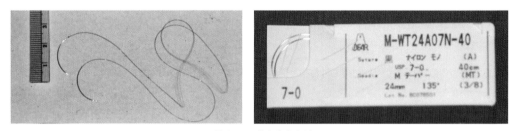

그림 6-11. **비절개법의 실**

4) 쌍꺼풀 수술 – 절개법(Double eyelid operation, Incision method)(그림 6-12)

절개법은 상안검에 절개를 가하여 쌍꺼풀을 만드는 방법이므로, 처진 여분의 피부를 절제할 수 있고, 과다한 지방을 제거할 수 있으며, 내안각췌피술을 동반하여 눈의 길이를 길게하여 눈이 더 크고 시원하게 보일 뿐만 아니라 쌍꺼풀 형태도 조절 가능하고, 안검하수가 동반된 경우에는 안검하수도 동시에 교정할 수 있어 쌍꺼풀의 풀림과 비대칭을 예방할 수 있다. 쌍꺼풀을 만드는 방법은 다양하게 있지만, 궁극적인 목적은 눈을 뜰 때 서양인들처럼 상안검거근 힘줄(levator aponeurosis)의 섬유조직들이 안륜근을 통해 눈꺼풀에 부착되어 쌍꺼풀을 만드는 원리이므로, 동양인들은 두꺼운 연부조직, 처진피부, 눈을 뜨는 힘이 부족한 경우가 많아 효과적이고 영구적인 쌍꺼풀을 위해서는 절개법이 더 적합할 수 있다.

쌍꺼풀의 크기는 수술방법, 환자의 선호도, 수술자의 기호에 따라 달라질 수 있으나, 상안검거근의 힘, 안구의 돌출 정도, 피부의 처진 양, 검열의 길이, 눈의 형태, 피부두께 등 쌍꺼풀에 영향을 미칠 수 있는 모든 조건을 고려하여 정한다. 피부의 절제여부에 있어서는 쌍꺼풀은 젊은 환자들에게 시행하는 것이므로 눈뜨는 힘이 양호하거나 피부처짐이 적을 경우에는 피부를 제거할 필요가 없고, 상안검 피부의 여유가 많은 경우, 눈썹처짐이 예상되는 경우, 눈뜨는 힘이 약한 경우에는 수술 후 눈썹 또는 피부가 처지므로 피부를 제거한다. 수술 시 마취는 국소마취 또는 정맥마취로 시행하며, 도안된 모양대로 15번 칼로 피부를 절개한 후, 필요에 따라 피부, 지방, 근육을 제거하는데 이렇게 함으로써 두툼한 조직에 의해 쌍꺼풀이 풀리는 요소들을 제거하고 조직 간에 유착을 시킨다. 그러나 과도한 조직의 제거는 수술 후 상안검의 함몰 변형, 함몰된 쌍꺼풀, 부자연스런 쌍꺼풀을 만들 수 있으므로 제거해야 할 조직들은 부분적으로 제거하는 것이 좋다. 절개 후 필요에 따라 여분의 조직을 정리한 후에는 쌍꺼풀선 아래쪽 피부와 조직을 검판에 고정해주는데, 3~4군데에 7번 나이론실로 검판을 부분적으로 먼저 통과시킨 후 피부와 안륜근을 물린 후 매듭을 만든다(그림 6-13). 이후 환자의 눈을 뜨고 감게하여 쌍꺼풀의 모양을 확인할 수 있으며, 문제가 없을 경우 피부를 7번 실크나 나이론으로 봉합해 주는데, 내측에 보통 흉터가 더 생기기 때문에 내측을 더 꼼꼼하게 피부층을 맞추어 봉합해준다(그림 6-14).

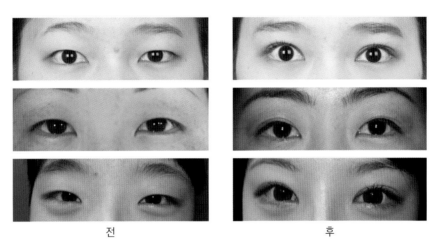

전   후

그림 6-12. 쌍꺼풀절개법 증례

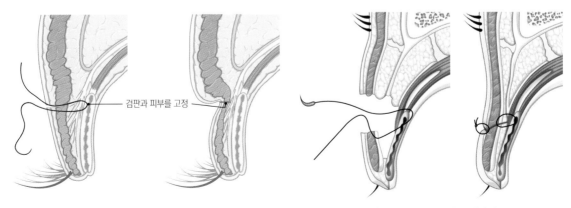

그림 6-13. 쌍꺼풀의 검판고정   그림 6-14. 쌍꺼풀 수술 – 절개법

5) 상안검성형술(Upper blepharoplasty)(그림 6-15)

상안검성형술은 나이가 듦에 따라 생기는 눈꺼풀의 노화현상으로 인하여 눈꺼풀의 피부처짐과 그에 따른 변형과 시야를 가리는 불편함을 해결하기 위한 수술이다. 젊은 환자들에게 시행하는 쌍꺼풀 수술과 원리는 비슷하지만, 노화에 따른 상안검 조직의 특성과 상태를 파악하여 수술하여야 한다.

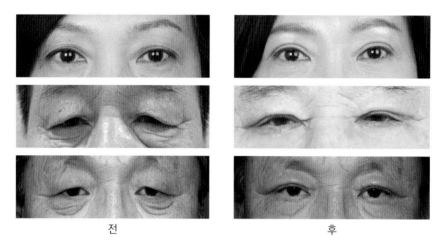

전   후

그림 6-15. **상안검성형술 증례**

먼저 피부의 처짐 정도를 파악하고 절제량을 측정하게 되는데, 피부의 처짐이 심한 경우에는 수술 후에도 만족도가 낮고, 피부처짐이 심한 경우에는 눈썹의 처짐도 동반된 경우가 많으므로, 상안검성형술과 함께 눈썹거상술 또는 이마거상술 등을 같이 시행하는 것이 좋다. 피부의 두께에 있어서도 피부가 두꺼울수록 쌍꺼풀을 작게 만드는 것이 좋고, 피부가 얇은 경우에는 환자가 원하는대로 크기를 조절할 수 있다. 안구의 돌출 정도에 있어서도 돌출형인 경우에는 삼꺼풀(triple fold)의 부작용이 쉬우며, 쌍꺼풀이 또렷하지 못하고 커질 수 있는 반면, 함몰형의 경우에는 수술 후에도 피부의 처짐이 더 심해보여 쌍꺼풀이 작아질 수 있다.

상안검거근의 눈뜨는 기능이 노화로 인해 다소 떨어지지만, 젊은 사람들처럼 안검하수를 교정하면 오히려 부자연스러울수 있고, 교정을 원한다해도 젊은 사람보다 적은 양을 교정하여 안구건조증을 악화시키지 말아야 한다. 눈썹 처짐의 정도에 따라 눈썹 처짐이 심하거나 양쪽 눈썹 높이의 비대칭이 있을 경우에는, 눈썹하거상술 또는 눈썹상부거상술을 같이 시행해준다. 상안검의 지방은 젊은 사람들만큼 제거해야 할 필요가 없지만, 필요에 따라 적당량 지방을 제거한다. 젊은 사람들이 시행하는 쌍꺼풀은 일반적으로 선명하고 큰 시원한 눈매를 원하는 경우가 많지만, 노화로 인한 상안검성형술 환자들은 대부분 기존의 인상이 변하지 않는 자연스런 눈매를 원하므로 상담과 검사를 통해 확인해야 한다.

수술의 도안은 앉아서 시행하여 쌍꺼풀의 높이와 피부절제량을 측정한다(그림 6-16). 먼저 하부 절개선을 도안할 때는 젊은 쌍꺼풀 수술 도안과 비슷하게 도안하다가, 외안각 부위에서부터는 외측으로 경사지게 도안을 하는데, 이는 외측 피부처짐을 해결하기 위한 것이고, 피부 절제량이 많을수록 상방으로 올라가는 경사가 커진다. 특히 수술 전에 눈꺼풀 피부의 처짐으로 인해 눈썹을 상방으로 올리는 습관이 있는 환자에서는 상안검성형술 후 외측 피부처짐은 더 심해진다. 하부절개선을 도안한 후 피부절제량에 맞추어 상부절개선을 도안하게 되고, 쌍꺼풀 수술과 유사하게 마취는 국소마취 또는 수면마취를 한다(그림 6-17).

그림 6-16. 피부절제량 측정

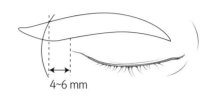

4~6 mm

그림 6-17. 상안검성형술 도안

피부절개는 하부절개선 후 상부절개선에 시행하는데, 젊을 때 하는 쌍꺼풀 수술과는 다르게 많은 조직들을 제거하지 않기 때문에 피부 위주의 절개를 한 후 필요에 따라 근육 또는 지방을 부분 제거한다. 검판과 피부사이의 고정봉합은 쌍꺼풀 높이에 맞추어 쌍꺼풀 수술 때와 유사하나, 외측 피부처짐을 호전시키기 위한 고정봉합이 쌍꺼풀 수술과 차이가 있으며, 7번 나이론으로 4~5군데 고정한다. 고정봉합과 쌍꺼풀 높이에 있어서도, 쌍꺼풀을 원하지 않는 경우는 속눈썹 직상방에 낮게 절개를 가하여 피부를 절제하면 되고, 기존 쌍꺼풀을 유지하기 원하는 경우에는 새로운 고정봉합이 필요없이 피부절제만 하면 되며, 새로운 쌍꺼풀을 원하는 경우에는 원하는 크기대로 도안하여 일반 쌍꺼풀 수술처럼 고정봉합 해준다. 고정봉합 후 피부봉합도 쌍꺼풀 수술처럼 7번 나이론 또는 실크로 봉합해준다(그림 6-18, 19).

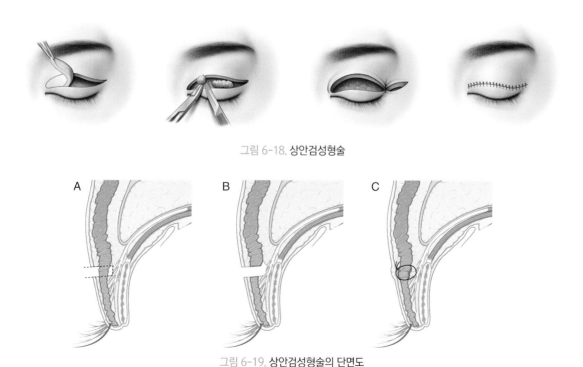

그림 6-18. 상안검성형술

A   B   C

그림 6-19. 상안검성형술의 단면도

6) 하안검성형술(Lower blepharoplasty)(그림 6-20)

노화로 인해 상안검성형술을 하듯이 나이가 듦에 따라 아랫눈꺼풀의 노화현상으로 피부가 처지고, 지방을 둘러싸고 있던 안와격막이 약해져 안와지방이 돌출되면서 고랑이 생기는 함몰변형을 미용적 목적으로 교정해주는 것이 하안검성형술이다.

안와지방이 돌출하면서 생기는 함몰변형으로는, 내안각에서 하안검 중간에 이르는 눈물고랑, 눈물고랑보다 외측으로 안와뼈를 따라 연결되는 안검-뺨 고랑, 눈물고랑이 광대뼈 쪽으로 비스듬히 연장되는 인디안 주름이 있는데, 하안검성형술은 이러한 함몰변형을 교정하면서 늘어진 피부를 절제해 주는 것이다(그림 6-21).

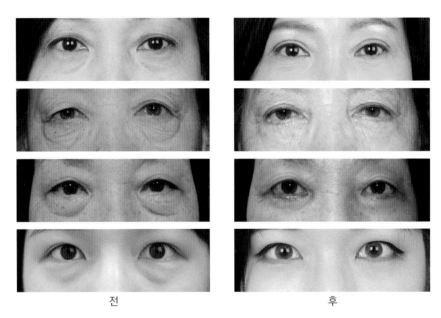

전　　　　　　　　　　　　　　　　후

그림 6-20. 하안검성형술 증례

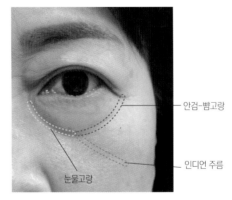

그림 6-21. 눈물고랑, 안검-뺨고랑, 인디안주름

수술 전 검사에는 쌍꺼풀 수술이나 상안검성형술 때 시행하는 검사들 이외에 하안검의 변형상태를 파악하여 수술 후 부작용을 예방해야 하는데, 피부상태, 지방량, 함몰변형의 정도뿐만 아니라 수술 후 하안검 형태의 변형을 예방하기 위해 하안검의 탄력과 이완정도를 측정해야 한다. 하안검이 이완된 상태에서 수술을 하면 수술 후 하안검이 뒤집어지는 안검외반(ectropion)이나 하안검이 아래로 당겨내려가는 안검퇴축(retraction)이 발생할 수 있기 때문이다(그림 6-22). 하안검의 탄력과 이완 정도를 알기위한 검사로는, 반동검사(snap back test), 이완검사(distraction), 집기검사(pinch test)가 있다(그림 6-23).

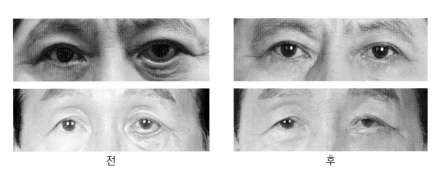

전 / 후

그림 6-22. 합병증 증례

하안검 반동검사 / 하안검 이완검사 / 하안검 집기검사

그림 6-23. 하안검 반동검사, 하안검 이완검사, 하안검 집기검사

반동검사는 하안검을 아래로 당겼다가 놓았을 때 제자리로 돌아가는 속도를 보는 것인데, 제자리로 돌아가는 속도가 늦을수록 이완이 심한 상태이다. 이완검사는 하안검의 중간부를 엄지와 인지로 집어 앞으로 당겼을 때 하안검이 눈동자에서 6~8mm 이상 떨어진다면 이완된 상태이다. 집기검사는 하안검의 피부와 근육을 엄지와 인지로 집은 상태에서 눈을 꽉 감게 하면, 하안검의 변형이 안륜근의 이완인지, 피부의 이완인지 감별할 수 있다. 수술 도안은 환자의 눈물고랑, 안검-뺨 고랑, 인디안 주름을 표시하고, 속눈썹에서 2~3mm 밑에 절개도안을 그린 후, 마취는 상안검성형술과 같이 국소마취 또는 수면마취를 시행한다.

피부절개는 도안된 대로 시행하며, 피부박리를 할 때는 보통 검판 앞 안륜근을 보존하면서 3mm 정도 내려간 후 근육을 박리하는 피부-근육판 박리를 시행하는데, 일반적으로 애교살이라고 하는 검판 앞 안륜근을 도톰하게 보존하기 위해서는 피부를 7~8mm 박리한 후 근육을 박리하는 피부판 박리(그림 6-24)를 시행한다. 근육박리 후 안와지방의 변형 정도에 따라 안와지방의 단순 제거, 지방재배치 등의 방법이 있는데, 지방재배치의 방법에도 안와격막을 열고 지방을 빼내 재배치하거나 늘어진 안와격막과 지방을 함께 재배치할 수도 있고, 지방재배치를 골막 상부 또는 하부에 하는 등 다양한 방법이 있다. 필요에 따라 중안면부 거상을 위해 더 밑으로 박리한 후 안륜근하 지방조직을 3~4군데 골막에 고정해주고, 안륜근의 외측부위를 삼각형으로 절개한 후 안와외측부의 안쪽에서 바깥쪽으로 고정봉합해 줌으로써 안검외반도 예방하고 검판의 앞부분 애교살을 보강해 준다. 피부절제량은 환자가 누운 상태에서 최대한 상방을 주시하고 입을 벌린 상태에서 남는 피부량을 절제한다.

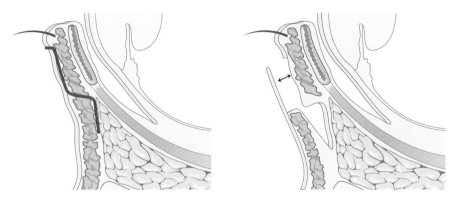

그림 6-24. **피부-근육판 박리**

하안검성형술 후 부작용은 상안검성형술 후 발생할 수 있는 일반적 부작용 이외에 안검외반이 특징적으로 발생할 수 있는데, 이는 피부의 과도한 절제, 안륜근의 약화, 유착 등에 의해 생길수 있으므로 수술 전에 미리 환자의 상태를 잘 검사해야 하며, 수술 중에 안검외반이 발생할 수 있는 요인을 조심하고, 수술 후 안검외반이 발생했다면 원인과 정도에 따라 교정해주어야 한다.

7) 눈썹하 거상술(Subbrow lift)(그림 6-25)

상안검 피부를 눈썹부터 속눈썹까지 삼등분 해보면 위에서부터 아래로 갈수록 피부가 얇아지는데, 특히 상안검 피부가 많이 처진 경우에는 피부절제량이 많아 상안검의 윗쪽 두꺼운 피부와 아래쪽의 얇은 피부가 만나 무겁고 두터운 부자연스런 쌍꺼풀을 형성하게 된다. 이런 경우 눈썹하 거상술을 하거나 상안검성형술과 함께 눈썹하 거상술을 동시에 시행하게 된다. 눈썹하 거상술만 시행하기에 좋은 적응증으로는 눈꺼풀이 전반적으로 두터운 경우, 눈썹과 눈 사이가 멀면서 자연스런 모양을 원할 경우, 본인의 쌍꺼풀이 있으면서 처진 피부만 절제하기를 원하는 경우이다.

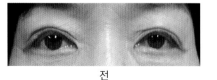 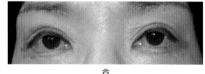

전　　　　　　　　　　　　　　　　　후

그림 6-25. **눈썹하 거상술 증례**

눈썹이 많이 처져 눈썹과 눈 사이가 좁은 경우에는 눈썹상부 거상술(suprabrow lift)을 시행할 수 있는데, 눈썹상부 거상술은 이마의 두꺼운 피부를 절제 후 봉합하므로 수술 후 눈에 띄는 흉터를 조심해야 한다.

눈썹하 거상술은 눈썹 밑에서 늘어진 피부를 겸자로 집어 속눈썹이 살짝 들릴 정도의 방추형의 피부도안 (그림 6-26)을 한다. 국소마취 또는 수면마취 후 눈썹의 모낭이 손상되지 않게 비스듬히 절개를 가한 후, 피부와 안륜근을 절제하고 눈썹이 안와면(orbital rim)보다 1cm 정도 상방에 위치하도록 골막에 두 군데 고정 후, 매몰봉합과 피부 봉합을 한다. 눈썹하 거상술은 안와지방을 제거할 수 없으나, 필요에 따라서는 수술 중에 추미근(corrugator)과 비근근(procerus) 같은 미간과 콧등의 주름근육을 교정해 줄 수 있다.

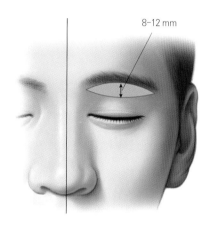

그림 6-26. 눈썹하 거상술 도안

8) 안검하수 교정술(Correction of blepharoptosis)(그림 6-27)

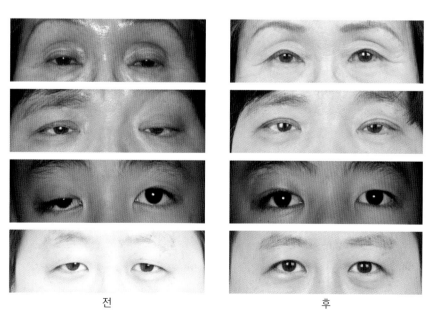

전   후

그림 6-27. 안검하수 교정술 증례

정면을 바라볼 때 상안검의 가장자리(margin)가 각막상연(upper corneal limbus)을 1-2mm 정도 가리는 것이 정상이다. 안검하수는 상안검거근 또는 Muller근의 이상으로 2mm 이상 각막상연을 덮어 검열 폭이 줄어들면서 졸려보이고, 눈을 뜰 때 이마와 눈썹을 들면서 눈을 뜨며, 심하면 시야를 가리게 된다.

(1) 수술 전 검사

안검하수는 원인에 따라 신경성(neurogenic), 근육성(myogenic), 안검거근 힘줄성(aponeurotic), 기계성(mechanical), 가성(pseudoptosis) 안검하수로 분류되는데, 치료방향을 결정하는 데 도움이 된다.

안검하수 환자의 수술 전 평가가 매우 중요한데, 안검하수의 정도를 측정하기 위해 MRD 측정, 검열의 수직 길이, 상안검거근의 기능 측정 등이 있다(그림 6-28).

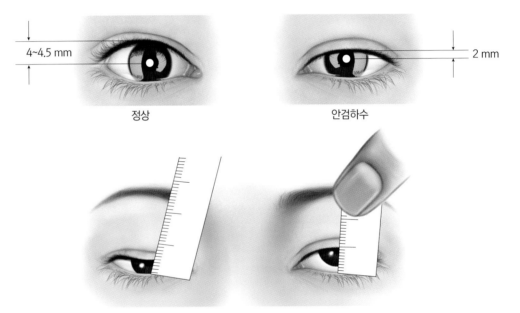

정상   안검하수

그림 6-28. MRD측정, 상안검거근 기능 검사

MRD검사는 눈썹과 이마의 힘을 사용하지 않고 전방을 주시하였을 때, 동공의 중심점부터 상안검의 가장자리까지의 거리를 측정하여 4~4.5mm가 정상이며, 4mm보다 적으면 안검하수이다. 검열의 수직길이는 눈썹과 이마의 힘을 사용하지 않고 전방을 주시하였을 때, 상안검의 가장자리가 각막상연을 1~2mm 덮어 수직길이가 9mm 정도인 것이 정상인데, 각막상연을 2mm 이상 덮어 수직길이가 9mm 이하일 때는 안검하수이다. 상안검거근의 기능측정은 이마근육의 움직임을 차단하고 순수하게 상안검거근의 기능으로만 윗 눈꺼풀을 들어올리는 기능을 보는 것으로, 가볍게 눈을 감은 상태에서 환자의 눈썹 위를 손가락으로 눌러 이마근육의 영향력을 차단하고, 눈을 뜨게하여 상안검거근의 기능을 측정하는 것으로, 동양인에 있어서는 일반적으로 10mm 이상이면 정상, 7~9mm 정도이면 경증(mild), 5~6mm 정도이면 중등도(moderate), 4mm 이하이면 중증(severe) 안검하수로 분류되고 있다(그림 6-29).

| A. 정상 | B. 경증 | C. 중등증 | D. 중증 |

그림 6-29. **안검하수의 분류**

(2) 수술방법

안검하수는 다른 안검성형술과는 달리 기능적인 부분의 결함이 있어 심하면 시야를 가리고 시력에도 문제를 줄 수 있으므로, 어린 소아의 경우에도 안검하수가 심한 경우에는 약시의 예방을 위해서 1세 전후에 수술할 수 있고, 약시의 위험이 없다면 5세 전후에 교정해 줄 수 있다. 마취는 일반 안검성형술과 유사하지만, 국소마취제가 깊게 주사될 경우에는 눈뜨는 근육을 마비시킬수 있으므로 주의해야 하고, 수면마취의 경우에는 잠이 깊이 들면 수술 중 눈의 상태를 확인하기 어려우므로 조심해야 한다. 안검하수 교정을 위한 수술방법의 선택은 안검하수의 원인, 안검하수의 정도, 상안검거근의 기능 정도에 따라 정해지는데, 수술방법으로는 피부절개 없이 결막을 통해 Muller 근육을 절제하는 방법(fasanella-Servat법), 안검거근 힘줄수술(aponeurosis surgery), 상안검거근과 Muller 근육 수술(levator & Muller surgery), 후방제한인대수술(posterior check ligament surgery), 결막을 통한 비절개 매몰법(transconjunctival nonincision method), 전두근을 이용하는 방법(frontalis suspension or transfer) 등 다양한 방법이 있지만, 여기서는 쌍꺼풀 수술 또는 상안검 성형술과 같이 시행되는 안검거근 힘줄수술, 상안검거근과 Muller 근육 수술 위주로 살펴본다.

① 안검거근 힘줄수술(Aponeurosis surgery)

안검거근 힘줄에 의한 안검하수는 노화, 과거 상안검수술 등으로 생길 수 있으며, 대부분 안검거근 힘줄이 늘어져 있거나 검판으로부터 끊어져 있으므로, 특징적으로 상안검의 눈뜨는 기능이 많이 나빠지는 않지만, 쌍꺼풀이 높아지거나 검판 앞의 상안검이 얇거나 함몰되어 있다. 그러므로 이런 경우에는 늘어진 안검거근 힘줄을 검판위로 전진시켜 강화해주거나 끊어진 안검거근 힘줄 부위를 검판 위에 다시 고정시켜 준다. 안검거근 힘줄수술은 안검거근 힘줄이 늘어지거나 끊어진 경우가 아니더라도, 경증 또는 중등도의 안검하수에서 상안검거근과 Muller근의 조작이나 손상없이 안검거근 힘줄을 검판위로 필요한 만큼 주름지게 접어주는 중첩(plication) 고정함으로써 안검하수를 교정할 수 있다 (그림 6-30).

② 상안검거근 힘줄전진술(Levator aponeurosis advancement)

안검거근 힘줄을 중첩시켜서 안검하수가 교정되지 않는 경우에는, 안검거근 힘줄과 Muller근 사이를 박리한 후 필요한 만큼의 안검거근 힘줄을 검판 쪽으로 당겨내린 후 검판에 고정해주고 남는 힘줄부분은 잘라준다(그림 6-31).

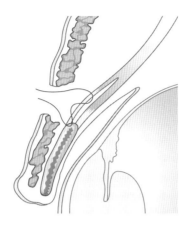

그림 6-30. 안검거근 힘줄 중첩수술

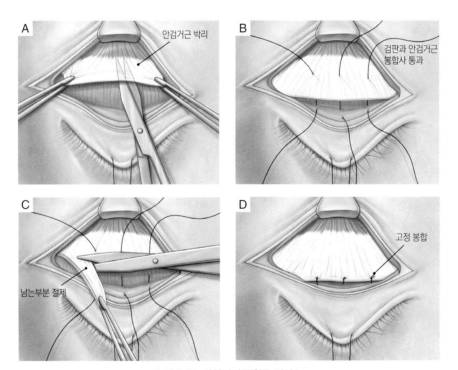

그림 6-31. 상안검거근 힘줄 전진술

③ **Muller근 중첩 또는 전진술(Muller plication or advancement)**

경증 또는 중등도의 안검하수에 사용되는 방법으로, 안검거근 힘줄과 Muller근 사이를 박리한 후 안검거근 힘줄전진술 때와 비슷하게 필요한 만큼의 Muller근을 검판쪽에서 중첩(plication) 고정하는 방법(그림 6-32)과 중첩 고정만으로 효과가 좋지 않을 때는 Muller근을 검판 쪽으로 당겨내려 전진시킨 후 검판에 고정해 주고 남는 Muller근을 절재해주는 방법이 있다.

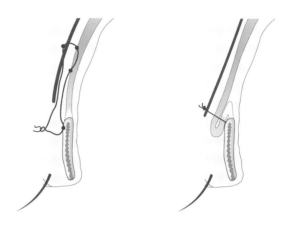

그림 6-32. Muller근 중첩수술

Muller근 수술은 수술 후 자연스런 모양이 장점이지만, 눈을 뜨게 하는 기능에 있어서 Muller근은 상안검거근보다 확실성이 떨어지므로 Muller근 수술은 재발가능성이 있다. 그러므로 Muller근 단독 수술보다는 상안검거근과 같이 수술하여 중등도 이상의 안검하수를 교정해준다.

④ 안검거근 힘줄과 Muller근 균형 전진술(Levator aponeurosis & Muller balanced advancemet)

안검거근 힘줄과 Muller근을 병용하는 술식(그림 6-33)으로, 안검하수의 정도에 따라 Muller근은 중첩 또는 전진할 수 있으며, 안검거근 힘줄은 전진하는 방식이다.

안검하수를 교정할 때 상안검거근 또는 Muller근 두 근육 중 하나만 중첩(plication), 전진(advancement), 절제(resection)하게 되면 한 근육에만 부하가 지속되어 눈을 감거나 뜰 때 불편하고, 수술 후 재발의 가능성도 있으나, 두 근육에 모두 부하를 균형있게 분배함으로써 불편감과 재발의 가능성을 줄일 수 있다.

(3) 수술 후 합병증

안검하수 수술 후 발생할 수 있는 합병증은 쌍꺼풀 수술이나 상안검성형술 후 발생할 수 있는 합병증과 부작용 이외에도 안검내반(entropion), 안검외반(ectropion), 토안(lagophthalmos), 저교정, 과교정, 재발 등 다양한데, 이는 안검하수의 정도, 수술방법, 환자의 상태에 따라 결과가 다르게 나타나므로, 성형수술 중에 가장 결과를 예측하기 어려운 수술로 이해해야 한다.

눈뜨는 근육을 박리한 후 다시 검판에 고정하는 과정에 안검내반 또는 안검외반이 발생할 수 있고, 눈뜨는 근육을 조작하고 검판에 고정하였으나, 수술 후 저교정 또는 과교정되거나, 양쪽 눈 모양이 비대칭으로 나타나는 경우도 있으며, 시간이 지나면서 안검하수 상태로 점차 재발하는 경우도 있다. 무엇보다 수술 중 또는 수술 후 즉시 나타나는 현상으로 눈을 뜨고 자는 토안 증상인데, 눈뜨는 힘이 약한 상태의 근육을 교정하여 눈뜨기 쉽게 만드는 수술이므로 수술 후 눈감는 것이 힘든 것은 당연하며, 안검하수의 정도와 수술방법에 따라 토안의 정도에 차이가 많다. 심하지 않은 안검하수의 경우에는 수술 후 수개월 내 정상적으로 눈감을 수 있으나, 안검하수가 심한 경우나 수술 전부터 토안 증상이 있었던 경우에는 토안 증상의 해결기간을 예측 하기 어렵다.

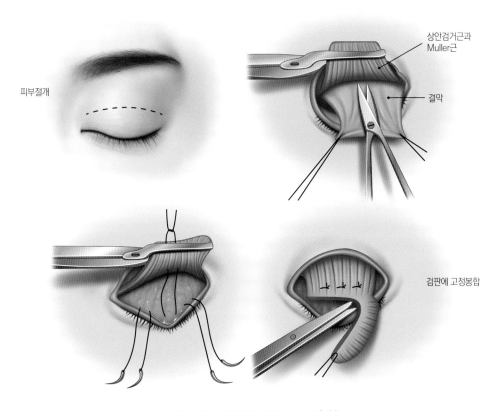

그림 6-33. **상안검거근과 Muller근 전진술**

9) 앞트임(Epicanthoplasty)(그림 6-34)

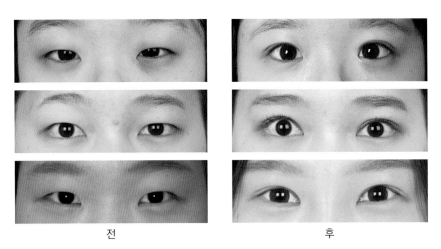

전　　　　　　　　　　　후

그림 6-34. **앞트임 증례**

앞트임은 몽고주름이라고 불리는 내안각 주름(epicanthal fold)의 피부로 가려진 내안각을 열어주어 눈 안쪽의 가로와 세로 크기를 증가시키는 내안각 눈매교정 수술로서, 앞트임수술 또는 내안각췌피술이라 고 한다. 내안각 주름은 크게 3가지 형태로 나눌 수 있는데, 내안각에서 주름이 상안검 쪽으로 향하는 경우 (epicanthal fold tarsalis), 주름이 상안검과 하안검 양쪽으로 향하는 경우(epicanthal fold palpebralis), 주 름이 하안검 쪽으로 향하는 경우(epicanthal fold inversus)로 나눌 수 있다(그림 6-35). 어떠한 형태의 내안각 주름이든 앞트임만 시행하는 경우는 드물어 쌍꺼풀 수술과 함께 시행하거나 기존에 쌍꺼풀 수술 후 내안각 주름을 추가적으로 개선하기 위해 시행하는 경우가 대부분이다.

수술방법으로는 단순절제법, Z-성형술을 이용하는 방법, V-Y 전진술을 이용하는 방법, W-성형술을 이용 하는 방법 등 여러 종류가 있다(그림 6-36).

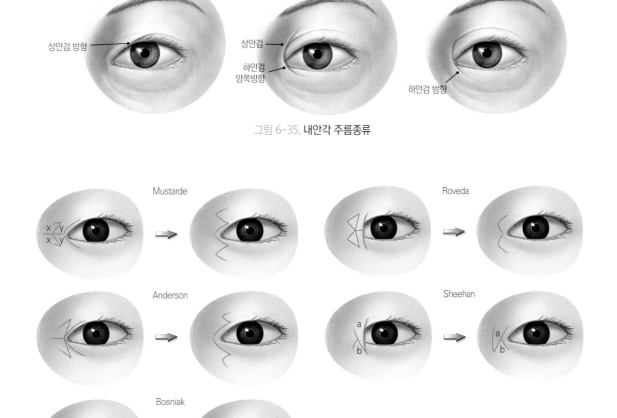

A

상안검 방향

B

상안검

하안검
양쪽방향

C

하안검 방향

그림 6-35. **내안각 주름종류**

Mustarde

Roveda

Anderson

Sheehan

Bosniak

그림 6-36. **앞트임의 수술방법**

단순절제법은 가장 단순한 방법으로 내안각에 평행하게 내안각 주름을 절개한 후 피부를 박리하여, 내안각의 위아래로 피부를 펴주는 내안각 주름교정술(periciliary epicanthoplasty)이 많이 이용된다. Z-성형술을 이용하는 방법은 하나 또는 2개의 삼각형을 이용하여 주름의 방향에 맞추어 삼각 피부판을 교차해 주는 것이다. 주로 half Z-성형술을 이용하는 방법(그림 6-37)이 많이 사용되는데, 이 방법은 기준점이 분명하고, 술기가 쉬우며, 반흔이 적게 남는 장점이 있으나, 조금만 도안이 잘못되어도 두꺼운 코쪽 피부와 얇은 안검피부 사이에 반흔이 남을 수 있고, 숙련된 기술이 필요하다. 그 이외의 V-Y 전진술 또는 W-성형술을 이용하는 방법도 많지만, 대부분 반흔이 눈에 띄어 사용하지 않고 있다. 근래에는 피부재배치(skin redrap) 방법에 의한 앞트임 수술방법을 많이 사용하고 있는데, 내안각을 기준으로 위쪽은 쌍꺼풀 선으로 연결시키고, 아래쪽은 눈썹 아랫부분에 놓이도록 재배치하여 일반적 앞트임 후 발생하는 내안각의 아래쪽에 수직으로 생기는 반흔을 예방할 수 있다. 또한 앞트임수술은 내안각 주름을 제거하기 위해 단순히 피부만 절개하고 처리하는 것이 아니라, 피부 밑의 안륜근을 같이 교정해 줘야 내안각 주름의 재발을 최소화할 수 있다.

앞트임 수술 후 흔한 부작용으로는 반흔, 재발, 눈물관 손상 등이 있는데, 이러한 부작용을 예방하기 위해서는 내안각 주름의 형태와 정도에 맞는 수술방법을 선택하여야 하며, 피부와 안륜근을 조작할 때 재발과 눈물관 손상이 없도록 주의해야 하고, 피부를 과다 절제하여 피부 긴장이 높을 때에는 비후성 반흔도 발생하므로 주의해야 한다. 또한 과도하게 내안각 주름을 열어주면 내안각 부위에 언덕처럼 융기된 누구(lacrimal caruncle)가 보기 싫게 노출되어 다시 내안각주름 복원수술을 받는 경우도 있다.

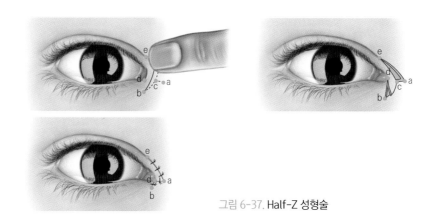

그림 6-37. **Half-Z 성형술**

10) 뒷트임(Lateral canthoplasty)(그림 6-38)

뒷트임은 외안각성형술이라고도 하며, 눈 폭이 작고, 눈꼬리가 올라가 있는 경우에 외안각 부위를 절개하여 공간을 만들어 줌으로써 눈 바깥쪽의 가로와 세로 크기를 증가시키고, 눈꼬리를 내려주는 수술이다. 뒷트임은 외안각 부위에서 절개하여 새 공간을 만든 후 피부, 결막, 근육, 안검의 상연과 하연을 재배치하여 새로운 외안각을 만들어 주는 수술인 만큼, 수술의 적응증에 맞추어 신중하게 시행되어야 하는데, 외안각에서 눈 바깥쪽 뼈까지의 거리가 짧거나 그쪽이 함몰된 경우에는 결과에 한계가 있고, 부작용 발생 가능성도 높다.

수술방법은 크게 외안각 절개술 후 결막 박리 봉합법(그림 6-39)과 외안각 절개술 후 안검의 상연 또는 하연 피판 전진술을 이용하는 방법(그림 6-40)으로 분류할 수 있다. 과거에는 뒷트임을 단순 외안각 절개술 후 결막과 피부 봉합법만 시행했었는데, 다시 유착되어 재발하므로 잘 시행되지 않고, 지금은 외안각 절개술 후 결막을 박리하여 결막과 피부를 봉합해 주는데, 재발 가능성이 높고, 결과에 한계가 있다. 그래서 요즘은 외안각 절개술 후 피부, 결막, 근육, 안검의 상연 또는 하연을 박리하여 재배치하는 외안각성형술(canthoplasty)뿐만 아니라 외안각고정술(canthopexy)을 추가하여 수술 전 목표로 했던 외안각의 위치와 크기를 더 정확히 형성할 수 있다.

뒷트임 또한 앞트임처럼 반흔, 비후성 반흔, 재발, 과교정으로 인한 변형 등의 부작용과 후유증이 발생할 수 있으며, 특히 수술 중에 결막을 많이 조작하기 때문에 결막부종(chemosis) 발생이 높으므로 주의해야 하고, 수술부위가 항상 눈물과 만나는 부위이므로 7일째 봉합사를 제거하는 것이 좋다.

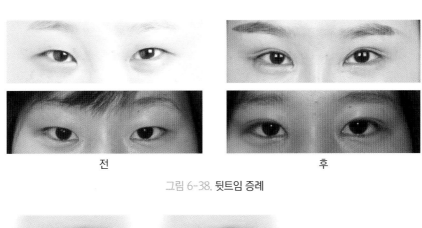

전   후

그림 6-38. **뒷트임 증례**

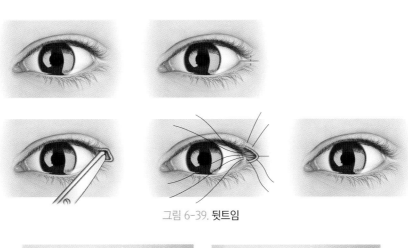

그림 6-39. **뒷트임**

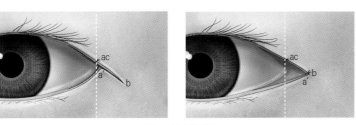

그림 6-40. **뒷트임**

11) 수술 전 관리

쌍꺼풀 수술 또는 상안검성형술을 시행할 때는 각각 단독으로 시행하는 경우도 있지만, 안검하수 교정술, 하안검성형술, 앞트임, 뒷트임과 같이 시행하는 경우가 더 많으므로, 수술 전에 같이 상담하고 복합적으로 준비하여야 한다. 수술 전 상담은 반드시 수술할 의사와 함께 충분히 상담하여야 하며, 앞서 설명되었던 내용대로 환자의 눈꺼풀 상태와 환자가 원하는 바를 종합하여 환자의 상태에 맞는 안전한 수술이 시행될 수 있게 준비한다. 상담 후 수술 일정이 잡힌 환자에 대해서는 당뇨, 고혈압, 갑상선 질환 등 전신질환을 앓고 있거나 만성질환으로 복용 중인 약이 있으면 상의하여 전신상태를 좋게 유지시켜야 한다. 수술 전에 항응고제, 혈전용해제, 호르몬제, 혈액순환제, 한방성분의 약을 평소 복용하고 있는 경우에는 수술 중 출혈 경향을 높이므로 수술 1~2주 전에 중단하게 하고, 흡연과 음주는 상처회복에 좋지 않으므로 수술 1주일 전부터 금연과 금주하는 것이 좋다. 수술 당일에는 마취의 종류에 따라 금식시간이 필요한데, 국소마취의 경우에는 평소와 같이 식사를 하면 되지만, 수면마취의 경우에는 6~8시간 정도의 금식시간을 가져야 하며 고혈압, 갑상선 약은 평소대로 복용하도록 한다. 수술 당일에는 얼굴 화장을 해서는 안 되고, 귀걸이와 목걸이 등 액세서리 착용을 금지시키며, 손발톱 매니큐어와 속눈썹연장술은 제거하고, 수술 후 사용할 수 있는 스카프, 모자, 선글라스, 마스크를 준비하게 한다. 수술 당일 환자가 병원에 도착했을 때는 앞서 안내했던 지시들을 준수했는지 확인하고, 액세서리와 귀중품을 따로 보관한 후 수술복으로 갈아입힌다. 수술실 들어가기 전에 전신상태를 파악하여 활력징후를 측정하고, 안검성형술에 맞추어 환자의 임상사진을 찍은 후 앞서 설명된 수술과 마취의 일반적 동의서와 안검성형술에 대한 수술동의서(그림 6-41)를 받는다. 수술 준비가 끝난 후 수술할 때까지 환자의 불안한 마음을 해소할 수 있게 수술대기실이나 회복실에서 쉬게 한다.

12) 수술 후 관리

수술 후 회복실에서 완전히 마취에서 회복되고, 환자 상태가 양호할 때 수술실을 나오며, 5일분의 항생제, 진통소염제, 소화제를 처방한다. 수술 후 봉합사는 수술에 따라 5~7일 후 제거하므로 수술 다음날인 첫째날, 셋째날, 다섯째날 순서로 방문하여 상처치료와 봉합사의 제거를 시행한다.

봉합사의 제거 때까지 수술 후 첫 이틀간은 냉찜질을 하여 붓기를 줄이고, 3일부터는 온찜질을 하여 혈액순환과 붓기 회복에 좋게 하고, 취침 때에는 머리를 높일 수 있게 베개를 높게 베고, 수술 부위를 만지는 일이 없도록 하며, 술과 담배는 염증을 유발시키고 혈액순환을 방해하여 상처치유에 좋지 않으므로 자제하도록 한다. 눈화장은 수술 후 2~3주에 시작하고, 인조눈썹, 콘택트렌즈, 운동, 사우나 등은 수술 후 1달 후에 시작하는 것이 좋다. 수술 후 1~2주가 되면 붓기도 많이 빠지고, 쌍꺼풀 모양도 예뻐지지만, 수술 후 1달 가량은 수술부위의 상처치유 과정이 증식지에 접어들면서 수술부위의 흉터조직이 붉고 단단해지며 당기는 불편한 느낌을 가지는데, 이러한 증상은 상처가 자리잡는 과정에서 자연스런 경과이며, 3~6개월 지나면서 성숙기에 접어들어 최종 모양이 만들어진다. 수술 후에도 수술 전에 촬영했던 임상사진을 봉합사 제거 후에 촬영해 두고, 환자가 외래 경과 관찰 때 촬영한다.

등록번호 :
이   름 :
생년월일:
병   실 :

눈 성형수술 동의서

1. 수술 목적 및 필요성, 장점

2. 수술 설명(과정 및 방법)

3. 수술 전/후 주의사항
안내문과 함께 설명을 들었음.

4. 수술로 발생할 수 있는 후유증 및 합병증

#수술의 일반적 부작용
① 출혈, 혈종, 멍, 재발
② 감염 (봉와직염, 고름)
③ 수술부위 흉터->비후성 반흔, 켈로이드
④ 부종
⑤ 예상하지 못했거나 희귀한 경우의
　 부작용이나 후유증 -> 발생 시 설명
⑥ 인상이 변할 수 있다.
⑦ 안구 주변 수술이므로 술 후 안과적
　 문제 발생가능, 발생시 안과적 치료 필요

1) 쌍꺼풀 수술 : 쌍꺼풀 수술의 일반적 부작용
① 풀림
② 비대칭(짝짝이)

1-1) 매몰법 (비절개법)
① 폭이 작아질 수 있다
② 봉입낭
③ 봉합부 농양

 1-2) 절개법
① 각막노출 및 안구건조 -> 토안증
　 (눈이 안 감김) -> 노출성 각막염
② 흉
③ 안검외반, 내반, 안검하수, 안검함몰
④ 눈물 흘림
⑤ 봉합부 농양

2) 안검 성형술 :안검성형술의 일반적 부작용
① 안검외반, 내반, 안검하수, 안검함몰
② 각막노출 및 안구건조 ->토안증
　 (눈이 안 감김) ->노출성 각막염
③ 눈물흘림
④ 비대칭(짝짝이)
⑤ 과교정, 저교정, 풀림
⑥ 눈가 잔주름은 해결되지 않는다.

2-1) 상안검 성형술
① 눈썹이 처질 경우 쌍꺼풀 묻힘
　 (10명중 1-2명)
② 쌍꺼풀 외측끝이 밖으로 뻗지 못할수 있다.

2-2) 하안검 성형술
① 안검외반(안검이 뒤집어 질 수 있다)
② 지방이 다시 흘러 내려올 수 있다.
　 (평평해 지는 것은 아니다.)
③ 중력에 의해 피부가 쉽게 쳐질 수 있다.
④ 눈물관 기능이상 또는 손상
⑤ 흉터

2-3) 눈썹 위 또는 아래 거상술
① 흉터(눈썹이 빠질 수 있다.)
② 처질 수 있다.

3) 안검내반, 안검외반
① 재발
② 과교정, 저교정
③ 좌우비대칭

4) 앞트임

① 재발

② 내안각의 지나친 노출

③ 흉터

5) 뒤트임

① 재발

② 비후성 반흔

③ 미미한 효과

6) 재수술

① 부작용

② 감염

③ 재발

④ 결과 예측 불가, 유착, 흉터

⑤ 개선 없을 수 있다

⑥ 단계적 수술

7) 안검하수 교정술

① 저교정, 과교정

② 비대칭

③ 토안증(눈뜨고 잔다)→각막손상, 시력소실

④ 단순 쌍꺼풀수술이 아니라 눈뜨는 근육 교정술이므로 결과 한계 있다

⑤ 안검내반, 안검외반

⑥ 상안검거근이나 Muller근육으로 수술결과가 좋지 못할 경우, 전두근 수술 시행 가능

 # 마취 부작용

(1) 국소마취

① 마취 시 통증

② 불완전 마취

③ 두통

④ 쇼크(알레르기) -> 사망

(2) 수면마취

① 악몽

② 메스꺼움, 구토

③ 무호흡, 기도폐쇄 -> 저산소성 뇌손상 ->사망

(3) 전신마취

① 일시적 음성변화, 경부불쾌감

② 폐렴, 무기폐, 기도폐쇄

③ 간독성, 신장독성

④ 심장마비

⑤ 마취 삽관에 의한 기관지, 인후두, 성대 및 치아 손상 -> 수술 또는 약물 치료 -> 안되면 기능 손상

⑥ 사망

환　자 :　　　　　　　　　　　⑩

보호자(대리인) :　　　　　　　⑩　　(환자와의 관계 :　　　　　　　　)

k 성형외과병원
K-plastic surgery hospital

눈 성형수술 동의서

그림 6-41. 눈 성형수술 동의서

7. 코 성형술

코는 얼굴의 중앙에 위치하면서 돌출되어 있어 미모와 자신감을 상징하며, 눈에 가장 먼저 띄는 곳이라 사람의 인상을 좌우하는 곳이기도 하다. 코는 원래 이런 미적인 이미지 이전에 숨 쉬고 냄새 맡는 역할 이외에도 먼지의 여과와 정화, 온도와 습도의 조절, 발성 등 중요한 기능을 하는 곳이다.

코는 눈과 더불어 가장 많이 시행하는 미용수술 중 하나가 되었으며, 요즘은 코를 부위별로 나누어 다양해진 재료와 복잡한 수술방법으로 시술하므로 욕심이 앞서면 말도 많고 탈도 많은 수술이 될 수 있다. 과거 몇 년 전만 해도 동양인들의 특성상 작은 코에 대해 낮은 콧대를 높여주는 단순 융비술이 유행했으나, 요즘은 코의 부위별 특성에 맞추어 다양한 수술방법이 적용되고 있다. 그러다보니 사용되는 수술재료에도 과거 주로 사용했던 실리콘 보형물에서 벗어나 사체연골, 인조피부뿐만 아니라 자가 조직인 연골이나 진피지방이 이용되고 있고, 자가 연골 중에서도 코의 비중격연골, 귀연골, 늑연골 등 다양하게 사용하고 있다. 그러나 과유불급(過猶不及)이라 했던가, 자가 조직이 다른 보형물보다는 안전하다고 하지만 조직이 많이 들어가고 무리하게 수술하다 보면 부작용이나 후유증의 문제가 따르게 된다. 수술 후 당장은 멋져보여도 시간이 지나면서 문제가 발생할 수 있는데, 보형물이 비뚤어지거나 비치는 경우, 코끝이 빨개지거나 들리는 경우, 보형물이 딱딱하게 만져지거나 노출되는 경우 등 수없이 많다. 그러므로 얼굴의 눈, 코, 입, 얼굴형, 체형 등을 모두 고려하여 자신에게 어울리는 자연스러운 코가 아름다운 코이며, 자가 조직이든 보형물이든 한번 수술하면 내 몸의 일부가 되어 평생 안전하고 자연스러운 모습을 유지할 수 있는 수술방법을 선택해야 한다.

1) 코의 해부

코의 기본적 부위를 알아보면, 코 윗부분의 콧대인 콧등(dorsum), 코의 아래쪽 끝부분인 코끝(tip), 코끝의 양쪽으로 둥글게 펼쳐진 콧날개(alar), 코끝을 지지하고 있는 비주(columella)로 크게 나눌 수 있다. 서양인들은 대개 콧대가 높고 긴 반면, 동양인들은 콧대와 코끝이 낮고 콧날개가 벌어져 있어 전반적으로 작은 모양을 가진다 (그림 7-1).

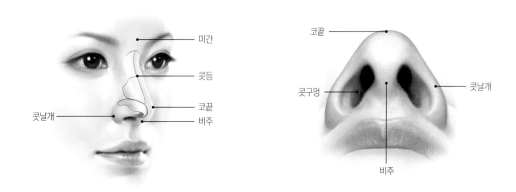

그림 7-1. **표면해부**

피부와 연골-뼈 사이의 연부조직은 피부, 표재지방층, 섬유-근육층, 심부지방층, 연골막-골막으로 층을 이룬다. 이중 섬유-근육층이 얼굴의 표재근건막계(SMAS)에 해당되며, 심부지방층에 혈관과 운동신경이 존재하므로 코 수술을 할 때는 심부지방층 아래, 연골막 바로 위층으로 박리해야 이러한 구조물들이 손상되지 않는다.

연골-뼈 구조는 비골(nasal bone), 상외연골(upper lateral cartilage), 하외연골(lower lateral cartilage)로 나눠지는데, 비골과 상외연골은 비골 아래에서 4-5mm 정도 중첩된다. 하외연골은 비익연골(alar cartilage)이라고도 하며, 내각(medial crura), 중간각(middle crura), 외각(lateral crura)으로 구성된다(그림 7-2). 코의 비중격은 비중격 연골(septal cartilage), 사골 수직판(perpendicular plate of ethmoid bone), 서골(vomer), 상악골 비릉(nasal crest of maxilla)으로 이루어져 있다(그림 7-3).

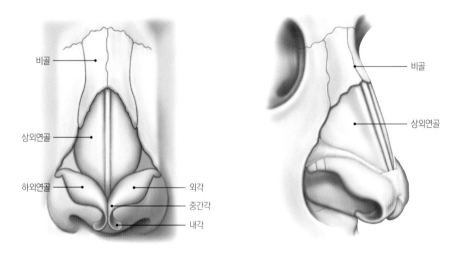

그림 7-2. **연골-뼈구조**

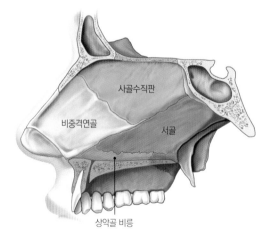

그림 7-3. **코의 비중격**

2) 코 성형술 전 고려사항

코가 얼굴 전체와 균형 있고 조화로운 수술이 되기 위해서는 코뿐만 아니라 얼굴의 다른 부위와 연관시켜 전체적으로 보아야 한다.

얼굴의 이상적인 수평과 수직 분할을 살펴보면, 이상적인 얼굴은 전두모발선(trichion), 미간점(glabella), 비저(nasal base), 턱끝점(menton)을 지나는 수평선에 의해 삼등분되며, 미간점과 턱끝점의 수직연결선을 통해 코와 입술이 대칭적으로 양분된다(그림 7-4).

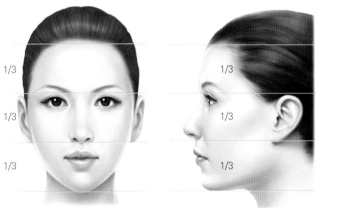

그림 7-4. **얼굴의 수평과 수직분할**

이러한 얼굴의 수평과 수직 분할을 통해 얼굴과 코의 비대칭을 먼저 파악할 수 있고, 코 자체적으로도 콧구멍의 형태, 코끝의 모양, 비주(columella)의 위치, 콧날개의 형태에 따른 각각의 모양을 분류할 수 있다. 또한 머리를 뒤로 젖혀 관찰할 수 있는 기저부 모양(basal view)에서 콧구멍, 코끝, 비주, 콧날개의 전반적 모양을 관찰할 수 있으므로, 각 부위의 형태와 크기를 분류하면서 모양과 대칭성을 관찰해야 한다(그림 7-5).

형태학적 분석 이전에 환자의 기대치와 환자가 자신의 코 변형에 대해 어느 정도 인식하고 있는지에 대해 수술 의사와 환자 간 충분한 상담을 통해 소통하는 것이 더 중요하며 환자의 코 변형 정도에 따라 수술결과와의 한계에 대해서도 서로 인식해야 한다. 최근 들어 성형수술을 받는 환자의 연령이 빨라지고 있으며, 특히 쌍꺼풀 수술의 경우에는 13~14세 때 부터도 많이 시행되고 있는데, 연령에 따른 신체적 성숙도 뿐만 아니라 정신적 성숙도도 잘 평가되어야 하며, 코 수술의 경우에는 코의 성장이 안정되는 17~18세 이후가 추천된다. 수술 전에 코의 외형적 모양 이외에 코의 다양한 이학적 검사도 필요한데, 숨 쉴 때 코 막힘은 없는지, 코를 다친 적은 없는지, 이전에 코 수술 경험은 없는지 등을 파악한 후 비경(nasal speculum)을 통한 코안 검사를 시행하고, 필요에 따라 X-ray, CT 등 방사선 검사를 시행한다. 마취는 보통 수면마취와 국소마취를 주로 시행하지만, 코뼈를 절골하거나 변형이 심한 재수술 등의 경우에는 전신마취를 시행하며, 무엇보다도 코 수술은 다른 수술에 비해 수술 중 기도를 확보하는 것이 중요하므로 수술 중에 활력징후를 철저히 측정해야 한다.

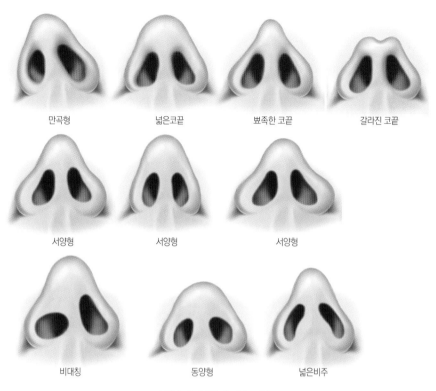

만곡형　　　넓은코끝　　　뾰족한 코끝　　　갈라진 코끝

서양형　　　서양형　　　서양형

비대칭　　　동양형　　　넓은비주

그림 7-5. **코의 기저부 모양**

3) 보형물과 자가 조직

코 수술에 사용되는 재료로는 크게 보형물과 자가 조직으로 나눌 수 있는데, 자가 조직의 안정성과 유용성에 대해서는 논란의 여지가 없으나, 공여부의 흉터와 변형, 이식조직의 흡수, 복잡한 수술술기와 수술시간, 외형적 결과의 한계 등 논란이 있어 보형물을 많이 활용하고 있는 실정이다. 코 수술 때 자가 조직으로 사용되는 부위는 연골(cartilage), 진피지방(dermofat), 근막(fascia) 등이 많이 사용되며, 보형물로는 실리콘(silicone), 고어텍스(Gore-Tex), 대체 진피(동종 진피), 대체 연골(동종 연골) 등이 많이 사용된다.

(1) 보형물(implant)

보형물은 생체 내에 장기간 있어도 물리화학적 변화가 없어야 하고, 이물작용이 없으며, 독성과 알레르기를 일으키지 말아야 하는데, 아직까지 부작용 없는 보형물이 없어 안전하지는 못하지만, 각 재료의 장단점을 잘 활용하면 안전하고 편리하다.

① 실리콘(그림 7-6)

코 수술 역사와 함께하며 현재까지도 가장 널리 사용되는 보형물로서, 최근에는 대부분 주문 제작된 형태를 환자의 상태에 맞추어 다듬어 사용한다. 주로 콧등과 콧대를 높이는 데 사용되어, 시간이 오래 지나도 보형물의 높이나 형태의 변화가 없고, 인체 주변조직과 피막(capsule)을 형성하므로 보형물을 제거할 필요가 있을 때 쉽게 제거된다. 이러한 피막이 구축(contracture)현상을 일으키면, 코뿐만 아니라 보형물까지도 구부러지는 변형이 올 수 있으며, 실리콘 표면에 칼슘이나 지질이 침착하여 석회화(calcification)가 생길 수 있다(그림 7-7). 무리하게 높은 실리콘을 삽입한 곳의 피부가 긴장(tension)을 받아 얇아지거나 천공될 수 있다.

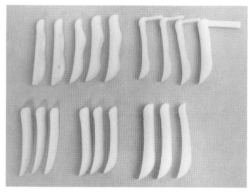

그림 7-6. 실리콘 보형물

그림 7-7. 석회화

② **고어텍스**(그림 7-8)

polytetrafluoroethylene(PTFE) 이라는 합성수지를 미세하게 기공하여 코 융비술을 위한 보형물로 만들어진 것이다. 미세한 기공(pore) 속으로 인체조직이 자라 들어가므로 보형물의 움직임이 적고, 피막 형성이 없어 피막구축 현상으로 인한 변형이 적으나, 이로 인해 주위조직과 유착이 심하므로 보형물을 제거하기가 어렵다. 이러한 단점을 보완하기 위해 실리콘 보형물의 표면에 고어텍스를 감싸 처리한 제품이 실리텍스(Sili-Tex)인데, 미리 제작되어 나오므로 환자 코에 맞추어 실리콘의 조작이 어렵다는 단점이 있다.

그림 7-8. 고어텍스

③ **대체 진피**(그림 7-9)

일반 피부이식 때 광범위한 피부이식을 줄이기 위해 만들어진 피부 대체품으로, 처음에는 돼지와 같은 이종 동물의 진피를 사용하였다. 근래에는 동종의 사체 진피를 이용하여 콧등과 콧대를 세울 수 있는 형태로 나오며, 코끝 성형 때 자가조직 연골 대신에 쓸 수 있는 형태로도 다양한 제품이 있다.

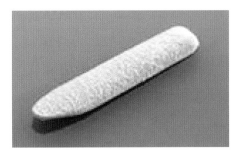

그림 7-9. 인공진피

④ 대체 연골

기증연골, 사체연골이라고도 하며, 자가 연골 채취의 번거로움을 줄이고, 공여부 흉터와 변형을 줄이기 위해 동종의 사체연골을 이용하여 코끝 성형 때 자가 조직 연골 대신에 쓸 수 있는 형태의 제품이 있다.

(2) 자가 조직

자가 조직은 보형물에 비해 부작용이 적어 안전하다는 것에는 논란의 여지가 없지만, 동양인들의 낮은 콧대와 두꺼운 피부로 인하여 자가 조직으로는 만족스러운 융비술을 하지 못하므로 아직은 보형물에 의존하는 경우가 많다. 보형물 없는 자연스러운 모양을 원하거나 보형물의 부작용 해결과 예방을 위해 자가 조직은 필수적이다.

① 연골(Cartilage)

코 수술에 주로 사용되는 연골은 귀의 이갑개 연골(conchal cartilage), 코의 비중격 연골(septal cartilage), 늑연골(rib cartilage)이다. 이갑개 연골(그림 7-10)은 코의 비익연골(alar cartilage)과 조직학적으로 비슷하여 모양과 질감이 비슷하고, 비중격 연골보다 양이 많고 튼튼하며 생착률이 높지만, 유연성이 떨어지는 단점이 있다. 무엇보다 채취하기 용이하고, 귀의 모양에 변형이 적으며, 코끝 모양을 자연스럽게 만들기 좋은 형태라서 가장 많이 사용되고 있다. 이갑개 연골의 채취방법은 귀 뒤쪽에서 절개하여 연골 뒷면에 연골막을 붙이고 앞면에는 연골막 없이 떼어내는데, 귀의 감각신경을 보존하기 위해 귀 앞쪽에서 절개하여 연골을 채취하기도 한다.

비중격 연골(그림 7-11)은 코 수술을 하면서 동시에 채취할 수 있으며, 이갑개연골보다 좀 더 두꺼워서 구조물을 지지하는 데 좋고, 유연성이 좋으며, 곡면이 없는 판 모양이라는 장점이지만, 오히려 구부러진 굴곡진 곳에는 좋지 못하다. 비중격 연골의 채취방법은 한쪽 비중격 점막을 일으킨 후, 배측(dorsum)과 미측(caudal)에 최소한 10mm 정도의 연골은 남겨두고 채취해야 변형을 예방할 수 있다(그림 7-12).

늑연골(그림 7-13)은 채취할 수 있는 양이 풍부하고, 진피지방보다 흡수율이 적어 콧대와 콧등 융비술에

사용되며, 얇게 쪼개서 이갑개 연골 또는 비중격 연골을 대체할 수 있는 역할도 하므로 변형 심한 재
수술 환자에게 많이 사용된다. 이식 후 휘는 변형의 가능성이 있고, 공여부의 흉터와 변형, 긴 수술시
간 등의 단점이 있으나, 귀연골과 코연골을 사용할 수 없을 때는 좋은 재료이다. 코 수술에 사용되는
늑연골은 보통 5, 6, 7번 늑연골을 채취하며, 여성의 경우 5, 6번 늑연골은 유방주름선(inframammary
fold)에 절개흉터가 놓이므로 흉이 가려지는 장점이 있으나, 폐에 손상을 주는 기흉의 가능성이 있으므로
조심해야 한다.

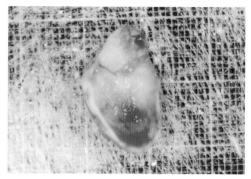

그림 7-10. **이갑개연골**

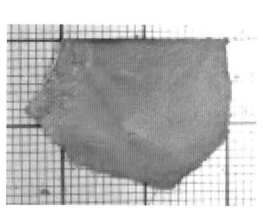

그림 7-11. **비중격연골**

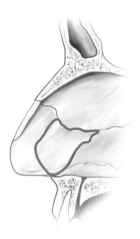

그림 7-12. **비중격연골 채취범위**

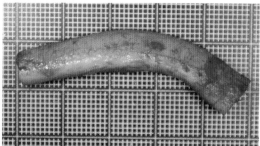

그림 7-13. **늑연골**

② 진피지방(Dermofat)

진피지방(그림 7-14) 이식은 피부에서 표피(epidermis)를 제거하고 남은 진피(dermis)와 피하지방(subcutaneous fat) 일부를 함께 채취하여 이식하는 것이다.

진피지방은 콧등 피부가 매우 얇거나 보형물에 대한 거부감이 있는 환자, 보형물로 인한 부작용으로 재수술 하는 경우 선택될 수 있으며, 주로 엉덩이 사이의 천골미골부(sacrococcygeal area) 또는 엉덩이 밑 둔부주름(gluteal fold)에서(그림 7-15) 필요한 크기만큼 채취할 수 있다. 다만 시간이 지나면서 흡수되는 정도의 차이가 있으므로 수술 전에 잘 계획되어야 한다.

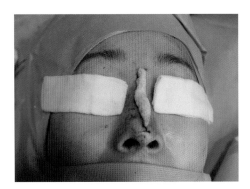

그림 7-14. 진피지방

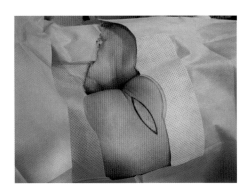

그림 7-15. 진피지방 디자인

③ 측두근막(Temporal fascia)

두피 속 측두부의 근육을 싸고 있는 측두근막은 표재층과 심층으로 나눠지며, 코 수술에서는 주로 심층이 사용되지만, 필요한 크기에 따라 표재층도 채취하는데, 수술부위의 탈모에 주의해야 한다.

측두근막은 수술 후 변형에 대한 재수술 환자에게 주로 사용되며, 혈액순환이 좋아 피부가 얇아져 있거나 함몰변형이 있을 때 좋고, 실리콘 보형물을 감싸주어 보형물만의 한계를 극복하고, 잘게 썰은 연골을 감싸서 보형물 역할도 한다.

4) 코수술의 접근술(Approach)

코수술의 절개방식인 접근술은 폐쇄접근술(closed approach, endonasal approach)과 개방접근술(open approach)로 나눠진다. 수술목표와 수술부위에 따라 선택되는데, 폐쇄접근술은 외부 반흔이 없고, 필요한 부위에 국한된 박리를 하므로 수술시간이 짧고 회복이 빠른 반면, 정확한 수술시야의 확보가 어렵다. 개방접근술은 수술시야를 잘 확보할 수 있어 정확한 진단과 교정이 가능하지만, 외부의 반흔과 변형, 긴 수술시간으로 창상치유가 지연된다는 단점이 있다.

(1) 폐쇄접근술

폐쇄접근술에는 비익 하연골 절개(infracartilaginous incision), 연골간 절개(intercartilaginous incision), 연골내 절개(transcartilaginous incision), 비공연 절개(rim incision)가 있다(그림 7-16).

비익 하연골 절개는 하외연골(lower lateral cartilage)의 하연을 따라 내각에서 외각 쪽으로 절개하는 것인데, 보통 개방접근술을 시행할 때는 비주 횡절개선(transcolumellar incision)을 비익 하연골 절개와 연결시켜 시행한다. 연골 간 절개는 하외연골과 상외연골 사이의 공간을 따라 절개를 시행하므로, 기존 보형물 제거 또한 매부리(hump) 절제 때 접근 용이하다.

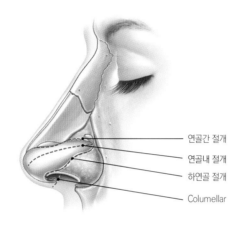

그림 7-16. **폐쇄 접근술**

연골내 절개는 하외연골 내에 절개하는 방법으로, 하외연골의 두측(cephalic portion)을 절제하는 수술 때 하외연골 외각의 미측(caudal portion) 경계로부터 6-8mm 위쪽으로 외각을 관통하는 절개를 한다. 비공연 절개는 콧구멍의 내측 가장자리(rim)를 따라 절개하는 방법으로, 단술 융비술을 위해 보형물을 삽입하는 절개법이지만, 연한 삼각(soft triangle) 부위의 반혼 변형을 초래할 수 있으므로 조심해야 한다.

(2) 개방접근술

개방접근술은 폐쇄접근술 중 비익 하연골 절개를 비주 횡절개선(transcolumellar incision)과 연결시켜 사용되고 있는데, 비주 절개법에는 주로 역-V 절개(inverted-V incision) 또는 계단모양 절개(stair-step incision)가 사용되고 있다(그림 7-17).

비주 절개술은 주로 비주의 가장 좁은 부분인 중간부위에서 시행되며, 비주의 피부절개 후 하외연골 내각의 하연(caudal margin)을 따라 중간각과 외각의 하연으로 절개를 연결시키고, 피부판을 박리해 올릴 때에는 하외연골의 손상없이 연골막 상방으로 안전하게 박리한다.

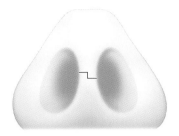
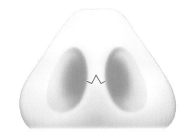

그림 7-17. 개방 접근술

5) 콧등 증대술(Dorsal augmentation)_(그림 7-18)

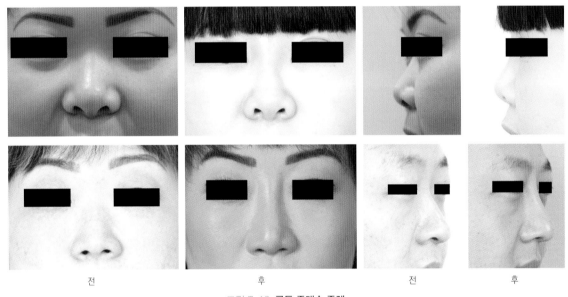

| 전 | 후 | 전 | 후 |

그림 7-18. 콧등 증대술 증례

콧등 증대술을 위해 보형물 중에는 실리콘과 고어텍스, 자가 조직 중에는 진피지방과 늑연골이 주로 사용되는데, 어떠한 재료를 사용하더라도 환자 코의 상태, 모양, 선호도를 파악하여 조심스럽게 사용해야 하며, 변형이 동반된 재수술인 경우에는 자가조직을 우선적으로 고려해야 한다.

그래도 아직까지는 콧등 증대술(그림 7-19)에는 실리콘 보형물이 가장 보편적으로 사용되고 있으므로, 환자의 수술 전 코 모양과 상태를 잘 파악하여 보형물의 시작점과 끝점을 도안해야 하고, 보형물의 끝점은 코끝까지 들어가지 않고 코끝 바로 위쪽까지만 가게 하여야 안전하며, 코끝을 높이고 싶을 때는 보형물이 아니라 코끝 하외연골을 조작하여 모아주거나 자가조직 연골을 이식하여 높여준다. 특히 피부가 얇은 환자에서는 코끝에 보형물이 있으면 비쳐보일 수 있고, 피부에 긴장을 주어 문제를 일으킬 수 있다.

절개방법은 콧등 증대술만 필요한 경우에는 폐쇄접근술만으로도 충분한데, 비익 하연골 절개 또는 비공연 절개 후 연골막 상층을 따라 박리하다가 코뼈부터는 골막하층으로 박리하여, 적절한 크기의 공간을 만들고 보형물을 위치시킨다. 그러나 많은 경우에 콧등 증대술과 함께 코끝 성형을 필요로 하므로 개방접근술을 시행하여 콧등과 코끝을 함께 성형해 준다.

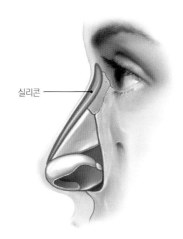

실리콘

그림 7-19. **콧등 증대술**

6) 코끝 성형술(Nasal tip-plasty)(그림 7-20)

코끝 성형은 주로 하외연골을 조작하여 모아주거나 자가조직 연골이식을 시행하기 때문에 폐쇄접근술 보다는 개방접근술을 주로 이용하게 된다.

(1) 하외연골 봉합법

봉합방법으로 코끝을 올리고 돌출시키는 방법으로, 경원개 봉합술(transdomal suture), 원개간 봉합술(interdomal suture), 내각 봉합술(medial crural suture) 등이 있다.

경원개 봉합술(그림 7-21)은 각각의 하외연골에 석상봉합(mattress suture)을 시행하여 코끝을 돌출시키는데, 과도하게 조이면 코끝이 뾰족하게 찝힌 변형(pinched tip deformity)이 발생할 수 있어 조심해야 한다. 원개간 봉합술(그림 7-22)은 하외연골의 내각과 중간각을 접근되게 봉합하여 코끝을 돌출시키는데, 보통은 양쪽 하외연골에 각각 경원개 봉합술 후 형태를 봐가면서 원개간 봉합술을 보강한다. 내각 봉합술(그림 7-23)은 하외연골의 내각 사이를 모아주는 봉합법으로, 주로 비주 지주(columellar strut) 또는 비중격 연장이식술(septal extension graft)을 사이에 두고 시행한다.

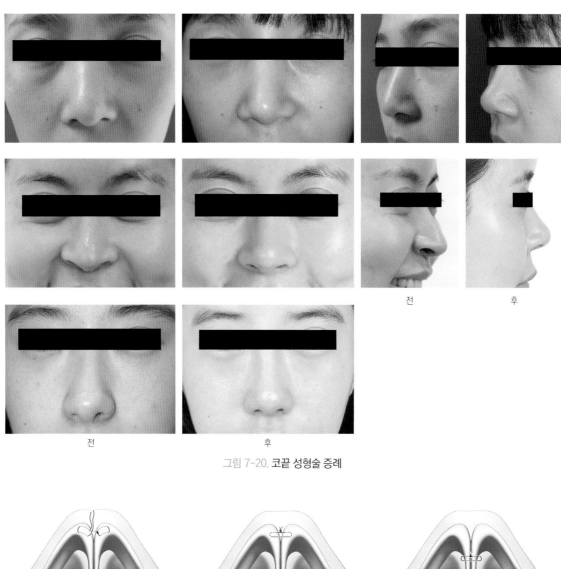

그림 7-20. **코끝 성형술 증례**

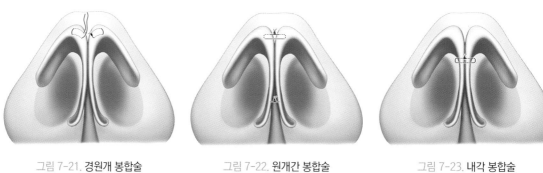

| 그림 7-21. **경원개 봉합술** | 그림 7-22. **원개간 봉합술** | 그림 7-23. **내각 봉합술** |

(2) 코끝 연골이식술(Cartilage graft)

코끝에 연골을 이식하여 코끝을 올리고 돌출시키는 방법으로, 중첩 이식(onlay graft), 방패형 이식(shield graft), 우산형 이식(umbrella graft) 등이 있다.

중첩 이식(그림 7-24)은 하외연골 중간각의 원개(dome) 위에 연골을 한겹 또는 여러 겹 중첩시켜 올려주는 방법으로, 귀의 이갑개 연골은 연골 자체가 가지고 있는 굴곡 때문에 선호된다. 방패형 이식(그림 7-25)은 코끝 아래쪽에서 연골을 이식하여 코끝이 돌출되게 해주는데, 한 겹으로 단독 시행될 경우에는 코끝에 눌려져 효과가 떨어질 수 있으므로, 중첩 이식과 함께 모양을 지탱하기 수월해진다. 우산형 이식(그림 7-26)은 중첩 이식만 하게 되면 아래쪽 비주에서 받쳐주는 힘이 필요하므로 비주 지주(columellar strut) 형식의 이식이 추가되는데, 이때 비주 지주는 중첩 이식과 분리된 연골을 쓸 수도 있고, 연결된 연골을 쓸 수도 있다.

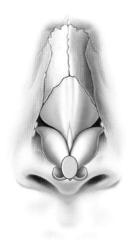
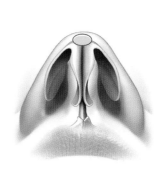

그림 7-24. **중첩이식**

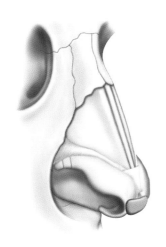
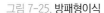
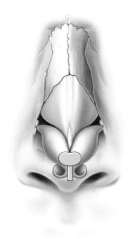

그림 7-25. **방패형이식**

그림 7-26. **우산형 이식**

(3) 비주 지주(columellar strut)

비주 지주는 비주를 형성하는 하외연골의 내각 사이에 연골이식을 하여 코끝이 돌출되게 하는 방법으로, 주로 비중격연골이 사용된다. 이식된 연골이 전비극(anterior nasal spine)에 고정여부에 따라 고정식(fixed type)과 부유식(floating type)으로 나뉘진다(그림 7-27) 코끝 돌출의 효과는 고정식이 좋으나, 코끝이 고정된 느낌의 딱딱하고 부자연스런 단점이 있다.

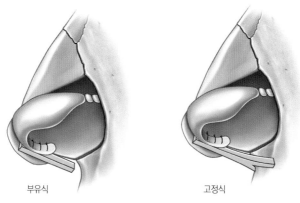

부유식　　　　　　　　고정식

그림 7-27. **비주지주**

(4) 비중격 연장이식술(Septal extension graft)

비중격 연장이식술은 코끝 돌출효과 이외에도 코끝의 길이를 길게 연장할 수 있다는 장점이 있어, 요즘 많이 사용되는 수술방법이다. 하지만 코의 위쪽 고정된 부분(fixed portion)과 아래쪽 코끝의 움직이는 부위(mobile portion)가 하나로 고정되어, 코끝의 움직임이 제한되고 딱딱한 느낌을 준다.

비중격 연장이식술(그림 7-28)은 버팀목 형태(batten type)와 확장 형태(spreader type)로 수술할 수 있는데, 코끝의 돌출효과는 버팀목 형태가 좋고, 코끝의 길이 연장효과는 확장 형태가 좋다.

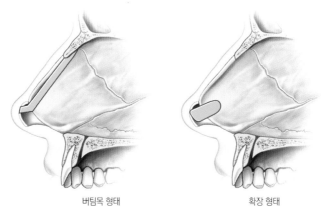

버팀목 형태　　　　　　　　확장 형태

그림 7-28. **비중격 연장이식술**

7) 들창코(Short nose, contracted nose) 교정술(그림 7-29)

일반적으로 흔히 말하는 들창코는 의학적 용어로는 짧은코(short nose) 또는 구축코(contracted nose)인데, 어떠한 원인에 의해 코끝이 위로 당겨올라가 코가 짧아지면서 콧구멍이 보이는 증상이다. 그 원인으로는 선천적인 경우와 후천적인 경우가 있는데, 주로 코성형술 후 염증이나 감염, 빈번한 재수술 등으로 발생한다. 특히 코성형술 후 발생한 들창코는 코의 내부에 흉터조직이 많아, 수축을 일으키면서 코끝을 위로 당겨올리고, 피부와 연골조직을 당겨서 들창코가 발생한다. 그러므로 교정의 원리는 흉터조직을 제거하고, 당겨 올라간 코끝 연골과 피부조직을 정상위치로 복원해 주어야 하며, 연장되어 내려온 하외연골을 고정해줘야 하므로 교정수술이 매우 어렵다. 이렇게 하외연골을 내려 길이를 연장해주는 수술방법에는 비중격 연장 이식술(septal extention graft), 미측회전이식술(derotation graft)⁽그림 7-30⁾이 주로 사용된다.

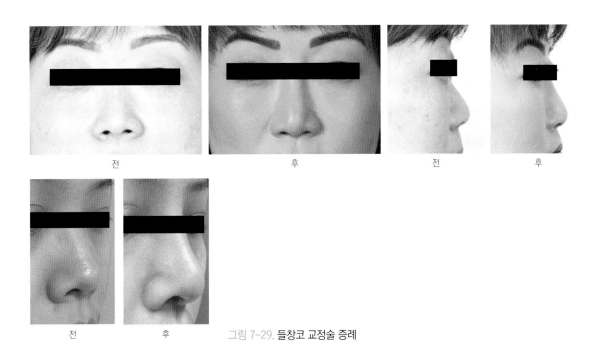

전   후   전   후

전   후   그림 7-29. 들창코 교정술 증례

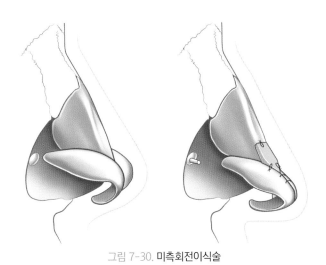

그림 7-30. 미측회전이식술

코끝을 내려주는 과정에서 중요한 것은 하외연골을 충분히 주변조직으로부터 자유롭게 박리하여 완전히 분리시킨 후 새로운 위치에 고정해 주는 것이다. 비중격 연장이식술의 경우에는 확장형태(spreader type)가 좋고, 미측회전이식의 경우에는 비주지주(columellar strut) 또는 코끝 중첩이식(onlay graft)을 추가하여 좋은 결과를 만들 수 있으며, 비중격 연장이식술과 미측회전이식을 동시에 시행하기도 한다. 귀연골이나 코연골을 이용할 수 없는 경우 또는 많은 양의 연골이 필요한 경우에는 늑연골(rib cartilage) 이식을 시행한다.

8) 매부리코(Hump nose)의 교정(그림 7-31)

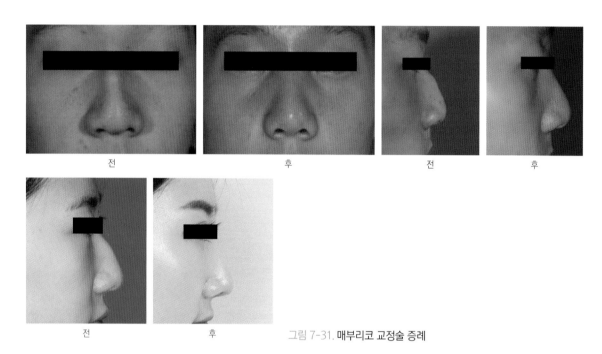

전　　　　　　　후　　　　　　　전　　　　　　　후

전　　　　　　　후　　　　　　그림 7-31. **매부리코 교정술 증례**

매부리코는 콧대 중간이 튀어 나와 있고, 코끝이 처지거나 코뼈가 넓은 경우를 말하는데, 이로 인해 인상이 강해보인다는 불만을 가질 수 있다. 동양인의 매부리코는 정도가 심하지는 않지만, 심한 경우에는 돌출된 부분을 절제해 줄 뿐만 아니라 넓은 코뼈도 절골하여 모아주어야 하므로 수술은 복잡해진다. 매부리코는 코뼈와 그 밑에 연결되어 있는 상외연골이 튀어나온 것이므로, 매부리 정도가 심하지 않을 때는 돌출된 부분만 갈아내거나 연골과 뼈를 깎아내는 방법으로 교정한다. 오히려 코가 작으면서, 매부리코일 경우에는 매부리 교정과 함께 코끝 성형술과 융비술을 같이 시행해준다. 매부리가 심한경우에는 매부리의 구성요소인 코뼈, 상외연골, 비중격연골을 순서대로 분리하여 부분 절제하거나 축소해 주는데(그림 7-32), 이때 코점막 손상이나 연골의 과절제는 오히려 변형을 남길 수 있으므로 주의해야 한다. 필요에 따라서는 넓은 코뼈의 양옆을 모아주기도 하며, 콧대 변형이 예상될 때는 진피 또는 근막이식을 한다. 매부리코 교정 후 처진 코끝은 귀연골이나 비중격연골을 이용하여 코끝성형술 또는 비주지주술을 시행한다.

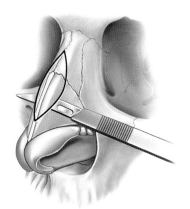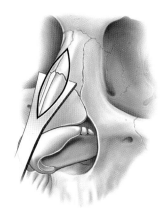

그림 7-32. 매부리코 절제술

9) 수술 전 관리

코성형술을 시행할 때는 콧대 융비술, 코끝 성형술, 들창코 교정술, 매부리코 교정술을 각각 단독으로 시행하는 경우도 있지만, 코의 변형에 따라서는 같이 시행하는 경우가 많다. 특히 환자의 코 형태와 모양에 따라 수술방법이나 사용할 재료가 다르기 때문에 충분한 상담과 검사를 통해 잘 준비되어야 한다. 수술 전에는 반드시 수술할 의사와 충분히 상담하여야 하며, 앞서 설명되었던 환자의 코의 상태와 환자가 바라는 바를 종합하여 환자의 상태에 맞는 안전한 수술이 시행될 수 있게 준비한다.

상담 후 수술일정이 잡힌 환자에 대해서는 당뇨, 고혈압, 갑상선 질환 등 전신질환을 앓고 있거나 만성질환으로 복용 중인 약이 있으면 상의하여 전신상태를 좋게 유지해야 한다.

수술 전에 항응고제, 혈전용해제, 호르몬제, 혈액순환제, 한방성분의 약을 평소 복용하고 있는 경우에는 수술 중 출혈 경향을 높이므로 수술 1~2주 전에 중단하게 하고, 흡연과 음주는 상처회복에 좋지 않으므로 수술 1주일 전부터 금연과 금주하는 것이 좋다.

수술 당일에는 마취의 종류에 따라 금식시간이 필요한데, 국소마취의 경우에는 평소와 같이 식사를 하면 되지만, 수면마취의 경우에는 6~8시간 정도의 금식시간을 가져야 하며 고혈압, 갑상선 약은 평소대로 복용하도록 한다. 수술 당일에는 얼굴 화장을 해서는 안 되고, 귀걸이와 목걸이 등 악세서리 착용을 금지시키며, 손발톱 매니큐어와 속눈썹연장술은 제거하고, 수술 후 사용할 수 있는 스카프, 모자, 마스크를 준비하게 한다. 수술 당일 환자가 병원에 도착했을 때는 앞서 안내했던 지시대로 준수했는지 확인하고, 악세서리와 귀중품을 따로 보관한 후 수술복으로 갈아입힌다. 수술실 들어가기 전에 전신상태를 파악하며, 활력징후를 측정하고 코성형수술에 맞추어 환자의 수술전 임상사진을 찍은 후 총론에서 설명된 수술과 마취에 대한 일반적 동의서와 함께 코성형수술에 대한 수술동의서(그림 7-33)를 받는다.

수술준비가 끝난 후 수술할 때까지 환자의 불안한 마음을 해소할 수 있게 수술대기실이나 회복실에서 쉬게 하고, 코성형술 종류에 맞게 코털을 깎아 정리한다.

등록번호 :

이   름 :

생년월일:

병   실 :

코성형술 동의서

1. 수술 목적 및 필요성, 장점

2. 수술 설명(과정 및 방법)

3. 수술 전/후 주의사항

안내문과 함께 설명을 들었음.

4. 수술로 발생할 수 있는 후유증 및 합병증
#수술의 일반적 부작

① 출혈, 혈종, 멍, 재발
② 감염(고름) -> 삽입물 제거 -> 변형
③ 수술부위 흉터
④ 비대칭
⑤ 예상하지 못했거나 희귀한 경우의
　부작용이나 후유증 -> 발생 시 설명
⑥ 이물질 및 이로 인한 염증 가능성 ->
　2차 제거수술 가능성

1) 콧등 증대술 : 코 세움수술의 일반적인 부작용
① 저교정, 과교정
② 비대칭

(1) 보형물(실리콘, 고어텍스 등) 삽입
① 보형물의 변위 및 이동(비틀어 질 수 있다.)
② 보형물의 돌출
③ 감염 동반 시 보형물 제거
④ 피부구축, 변형

(2) 자가 진피, 지방이식
① 흉터
② 모양이 일정치 않아 보형물처럼 균일한
　외형이 안 될 수 있다.

(3) 귀뒤 연골이식
① 귀뒤 흉터
② 귀모양 변형
③ 피부괴사

2) 개방형 코 성형술
① 코기둥의 흉터
② 피부 천공 및 괴사
③ 비중격 변화에 따라 콧구멍 비대칭이 올
　수 있다.

(1) 매부리코 교정술
① 재발
② 비대칭
③ 저교정, 과교정

(2) 코길이 교정술
① 저교정, 과교정
② 교정에 한계 있다.

(3) 코끝 성형술
① 재발
② 과교정, 저교정
③ 피부 얇을 경우 비치거나 불규칙

3) 코 재수술
① 부작용
② 감염
③ 재발, 유착, 흉터
④ 결과 예측 불가
⑤ 보형물 제거, 교체
⑥ 개선 없을 수 있다
⑦ 단계적 수술

< 마취 부작용 >
(1) 국소마취
① 마취 시 통증
② 불완전 마취
③ 두통
④ 쇼크(알레르기) -> 사망

(2) 수면마취
① 악몽
② 메스꺼움, 구토
③ 무호흡, 기도폐쇄 -> 저산소성 뇌손상 -> 사망

(3) 전신마취
① 일시적 음성변화, 경부불쾌감
② 폐렴, 무기폐, 기도폐쇄
③ 간독성, 신장독성
④ 심장마비
⑤ 마취 삽관에 의한 기관지, 인후두, 성대 손상->
　수술 또는 약물 치료->안되면 기능 손상
⑥ 사망

환   자 :　　　　　　　　　　㉑

보호자(대리인) :　　　　　　　㉑　　(환자와의 관계:　　　　　　　　)

K 성형외과병원
K-plastic surgery hospital

코성형술 동의서

그림 7-33. 코 성형수술 동의서

222

10) 수술 후 관리

수술이 끝나면 상처치료와 함께 혈종예방과 압박고정, 붓기 경감을 위해 코부목(nasal splint)을 사용하는 것이 중요한데, 코부목의 종류에는 알루미늄 부목(aluminium splint)과 아쿠아 부목(aqua splint)이 많이 사용된다(그림 7-34).

아쿠아 부목은 50~60도 온수에 담구어 부드러워진 부목을 수술 후 코모양에 맞추어 부목이 경화되면 다듬고 반창고로 고정해 준다. 코모양에 맞추어 좀 더 밀착시키는 장점은 있으나, 알루미늄 부목보다는 조작이 번거롭다. 코부목은 보통 3~5일 정도 유지해 주는 것이 좋고, 코뼈를 절골한 경우에는 2주 정도 유지해 준다. 수술 후 5일분의 항생제, 진통소염제, 소화제를 처방하며, 봉합사는 수술부위에 따라 5~7일 후 제거하므로 수술 다음날인 첫째날, 셋째날, 다섯째날 순서로 방문하여 상처치료와 봉합사의 제거를 시행한다. 폐쇄접근술을 시행한 경우에는 코안 상처는 흡수성 봉합사로 봉합했으므로 봉합사의 제거가 필요없이 상처치료만 하면서 경과를 본다.

봉합사의 제거 때까지 수술 후 첫 이틀간은 냉찜질을 하여 붓기를 줄이고, 3일부터는 온찜질을 하면 혈액순환과 붓기 회복에 좋다. 취침 때에는 머리를 높일 수 있게 베개를 높게 베고, 수술 부위를 만지는 일이 없도록 하며, 술과 담배는 염증을 유발시키고 혈액순환을 방해하여 상처치유에 좋지 않다. 코수술 후 한 달 간 안경은 착용하지 않으며, 운동, 사우나 등은 수술 1달 후에 시작하는 것이 좋으며, 3~6개월 지나면서 붓기가 빠지고 최종 모양이 만들어진다. 수술 후에도 수술 전에 촬영했던 임상사진을 봉합사 제거 후에 촬영하고, 환자가 외래 경과관찰 때 촬영한다.

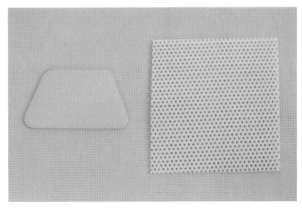

그림 7-34. **알루미늄 부목과 아쿠아 부목**

8. 안면거상술

요즘은 백세시대라 하여 성형수술의 비율이 젊은층보다 중장년층이 더 높은데, 그 이유로는 아름다움에 대한 관심과 개념이 변화하고, 백세시대에 맞게 사회활동이 늘어나다보니 자기관리를 하며, 경제적 능력을 갖추는 나이가 되었기 때문이다. 중장년층의 성형수술은 결국 안티에이징(antiaging)에 관련된 항노화 수술이므로 안검성형술이 가장 많고, 다음으로 많은 수술이 안면거상술이다. 안면거상술은 나이가 들어가면서 얼굴에 나타나는 세월의 흔적을 감추고, 젊고 탄력있는 얼굴로 되돌리는 수술이라 해서 안면회춘술(facial rejuvenation)이라고도 한다. 수술종류에는 크게 이마거상술(forehead lift), 중안면거상술(midface lift), 하안면과 경부거상술(lower face & neck lift)로 나눌 수 있으며, 실을 이용하는 실 리프팅(thread lifting) 등 다양하고 많이 발전했다. 근래에는 처진 주름과 피부를 단순히 당기거나 제거할 뿐만 아니라 노화로 인해 꺼진 부위와 깊은 주름에는 지방이식을 동반하여 연부조직의 입체감(volume)을 채워준다.

1) 안면부 노화와 해부

나이가 들면서 발생하는 안면부의 노화는 피부, 피하지방, 표재근건막계통(SMAS), 심부지방, 뼈 모두에 일어나는 현상이며, 조직이 처지고 함몰되거나 주름지는 현상이다. 노화가 진행되면서 피부와 피하지방은 탄력을 잃고 얇아지면서 위축이 오고, 심부지방으로 분류되는 광대 지방덩이(malar fat pad) 또는 안륜근하 지방(SOOF)의 처짐으로 눈물고랑(tear trough), 인디안 주름(indian fold)을 심화하며, 협부 지방덩이(buccal fat pad)가 처지면서 볼의 꺼짐 현상과 팔자주름(nasolabial fold)을 더 부각시킨다(그림 8-1).

근육은 일반적으로 노화에 따라 위축이 진행되지만, 얼굴표정근은 지속적으로 작용하여 위축이 덜하므로, 표층에 존재하는 하안면과 경부의 활경근(platysma) 또는 중안면부의 표재근건막계통(SMAS) 근육이 안면거상술에서 중요한 근육이 되며, 특히 표재근건막계통에는 안면신경(facial nerve)이 존재하므로 항상 조심해야한다(그림 8-2).

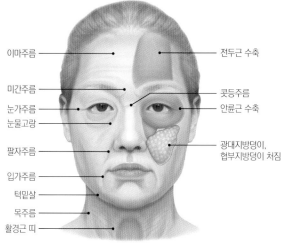

그림 8-1. **안면부 노화**

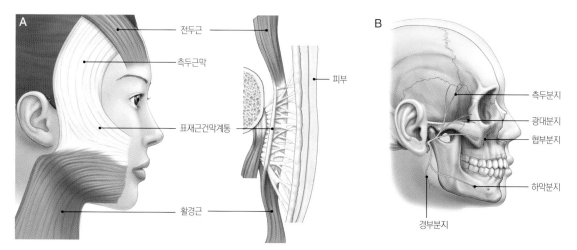

그림 8-2. 표재근건막계통과 활경근(A), 안면신경(B)

유지인대(retain ligament)는 안면부 피부가 뼈에 고정되게 지지하는 구조물이지만, 나이가 들면서 약해져 얼굴 처짐의 주원인으로 보고 있다. 광대 유지인대(zygomatic retain ligament)가 약해져 그 부위의 연부조직이 아래로 쳐져 팔자주름이 깊어지고, 교근 유지인대(masseteric retain ligament)가 늘어져서 심술보 처짐인 턱 밑살(jowls)이 두드러진다(그림 8-3).

얼굴뼈도 노화에 따라 위축이 오는데, 특히 상악골의 골 흡수로 눈물고랑이나 팔자주름이 깊어진다.

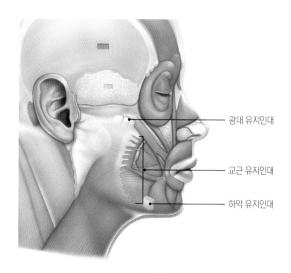

그림 8-3. 안면부 유지인대

2) 수술 전 고려사항

요즘은 안면거상술의 개념이 단순히 처진 피부를 위로 당겨 올리는 것이 아니라 얼굴의 형태를 고려하여 꺼진 곳은 채워주고, 처진 연부조직은 원위치 시키는 데 목표를 두고 있어, 이러한 목표를 달성하기 위해 안면거상술과 함께 지방이식술, 근육재배치 등을 시행한다.

안면거상술의 접근방법에는 피하층 안면거상술(subcutaneous facelift), 피하층 안면거상술과 표재근 조작(SMAS or platysma modification), 표재근건막계통 안면거상술(SMAS facelift), 골막하 안면거상술(subperiosteal facelift) 등이 있으며, 환자의 나이, 얼굴의 변형 정도, 마취종류, 환자의 요구사항에 맞추어 수술방법을 선택한다. 주름은 크게 역동성 주름(dynamic wrinkle)과 상시주름(static wrinkle)으로 나누는데, 역동성 주름은 웃거나 찡그리는 표정을 지을 때 생기는 주름으로 이마주름, 미간주름, 눈가주름, 입가주름이 대표적이며, 상시주름은 표정 짓지 않고 가만히 있을 때도 보이는 주름으로 뺨, 목 부위에 흔히 생긴다. 주름은 세분하여 잔주름(fine wrinkle), 주름(wrinkle), 접힌 주름(fold)으로 나눠진다. 잔주름이나 주름은 보툴리눔 독소, 필러주사, 레이저 박피술 등으로 개선이 가능하고, 접힌 주름의 경우에는 심하지 않으면 필러주사, 지방이식으로 일부 개선되지만, 심한 경우에는 안면 거상술이 궁극적 치료방법이다. 윗입술주름은 안면거상술로 펴지지 않으므로 박피술 또는 보툴리눔 독소를 시행하고, 목의 가로주름은 목 거상술로 일부 개선은 되지만, 필러와 보툴리눔 독소를 같이 시술해 줘야 한다.

마취방법은 수술종류, 수술시간, 환자의 선호도 등을 종합하여 결정되는데, 안면거상술은 보통 전신마취를 시행하는 경우가 많다. 하지만 수면마취로 시행하는 경우도 흔히 있으며, 수면마취를 시행할 때는 감시마취관리(mornitored anesthesia care, MAC) 하에 수술할 얼굴부위의 부위차단(regional nerve block)도 같이 시행하면서 국소마취를 한다.

3) 이마거상술(Forehead lift)(그림 8-4)

나이가 들면서 눈썹이 처지고(eyebrow ptosis), 눈꺼풀이 처져(blepharochalasia) 시야를 가리면, 보상작용으로 이마근육과 눈썹을 들어 시야를 확보한다. 이때 상안검성형술을 통해 처진 눈꺼풀을 잘라내면 시야는 확보되지만, 시야를 확보하기 위해 이마근육을 들어 올리던 보상작용이 필요없어 눈썹은 더 밑으로 처지게 되어, 상안검성형술의 효과도 떨어지고 눈썹 처짐은 더 심해진다. 그러므로 눈썹과 눈꺼풀이 모두 처져 있으면 상안검성형술 전에 이마거상술로 눈썹 거상 후 상안검성형술을 하는 것이 좋다.

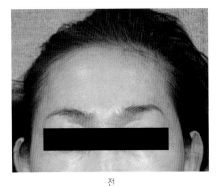
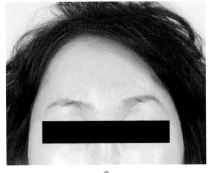

전   후

그림 8-4. 이마거상술 증례

눈썹을 들어 올리는 근육은 전두근(frontalis)이지만, 눈썹을 당겨 내리는 근육은 안륜근(orbicularis oculi), 추미근(corrugator), 비근근(procerus)이기 때문에 이마거상술 때 고려해야 하는 근육들이다. 이들 근육에 의해 전두근은 이마의 가로주름, 추미근은 미간주름(glabella wrinkle), 비근근은 콧등주름, 안륜근은 눈가주름(crow feet)을 형성한다(그림 8-5). 이마거상술 때 조심해야 하는 신경으로는, 운동신경으로는 안면신경의 측두분지(temporal branch of facial nerve)가 관골궁(zygomatic arch)을 넘어 측두부를 거쳐 이마의 전두근으로 연결된다. 감각신경으로는 안와부 내측에서 나와 이마의 감각을 담당하는 상안와신경 (supraorbital nerve)과 상활차신경(supratrochlear nerve)이 있다(그림 8-6).

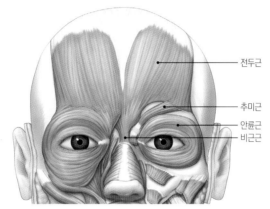

전두근
추미근
안륜근
비근근

그림 8-5. 눈 주변 주름근육

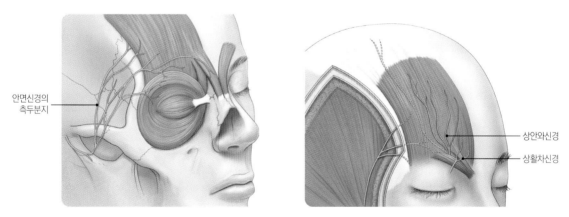

안면신경의
측두분지

상안와신경
상활차신경

그림 8-6. 이마신경

(1) 관상절개 이마거상술(Coronal forehead lift)

관상절개 이마거상술은 전통적인 수술방법으로 두피의 이마 모발선 후방 5~7cm에서 양쪽 전두부와 측두부에 이르는 25~30cm 정도의 절개를 가한다(그림 8-7). 박리는 모상건막하층(subgaleal plane)과 골막상층 (supraperiosteal plane)으로 박리해 가다가, 눈썹 내측 부위에서 추미근과 비근근을 절제해 주고, 골막하층

(subperiosteal plane)으로 안와골 상부를 박리하여 눈썹과 이마가 최대한 거상될 수 있게 한다. 그후 최대한 당겨올리고 남는 피부는 절제하고 절개부위를 봉합한다.

피부봉합 전에 혈종(hematoma)을 예방하기 위해 배액관(drain)을 연결하고, 수술 후에는 압박붕대(elastic bandage)로 감아준다. 그러나 이마가 넓은 환자의 경우에는 수술 후 이마가 더 넓어지는 단점이 있으므로, 이마도 줄이면서 이마거상술이 될 수 있게 이마 모발선에서 피부절개를 하고, 관상절개 이마거상술과 같은 방식으로 수술한 후 남는 피부는 이마 모발선 앞의 이마 피부를 절제하고 절개부위를 봉합하는 윗이마거상술(hairline forehead lift)을 시행하기도 한다. 관상절개 이마거상술의 경우에는 피부 처짐과 주름이 심한 경우, 관골축소술 또는 이마융기술(forehead augmentation)을 함께 원하는 경우에 좋으며, 단점으로는 수술시간이 길고, 두피 속 탈모가 발생할 수 있으며, 출혈과 혈종의 위험, 신경손상의 가능성이 있다.

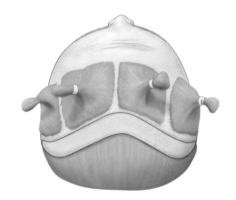
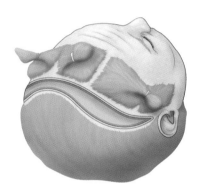

그림 8-7. **관상절개 이마거상술**

(2) 내시경 이마거상술(Endoscopic forehead lift)(그림 8-8)

내시경 이마거상술은 이마의 피부 처짐과 주름이 심하지 않은 경우에 두피 속 이마 모발선 2~3cm 후방에서 2~3cm 정도의 작은 절개를 통해 수술한다(그림 8-9) 내시경을 이용하여 골막하층(subperiosteal plane)으로 이마를 박리하다가, 눈썹 내측 부위에서 골막상층으로 가서 추미근과 비근근을 절제하고, 골막하층에서 안와골 상부를 박리하여 눈썹과 이마가 최대한 거상될 수 있게 한다. 그후 두피 속 절개부위를 통해 골막을 최대한 당겨 올려 두개골(skull)에 고정해주고, 절개부위를 봉합한다. 이 때 두개골에 고정해주는 방법으로는 두개골의 피질골(cortex)에 2개의 구멍을 뚫고 그 사이로 터널을 만들어 고정하는 방법과 특수하게 고안된 흡수성 고정장치인 엔도타인(endotine)을 이용하는 방법이 있다. 측두부 거상술이 필요한 경우에는 측두부에도 최소 절개를 넣고 모상건막하층(subgaleal plane)을 통해 박리한 후 당겨 올려 측두건막에 고정해준다.

내시경 이마거상술은 두피 속 최소 절개로 수술하므로 탈모나 흉터가 작고, 회복이 빠르며, 신경손상이 적어 일상생활의 복귀가 빠르다.

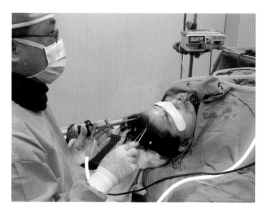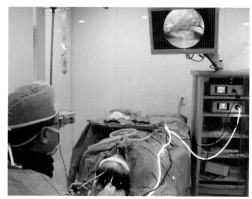

그림 8-8. 이마내시경 수술 중 모습

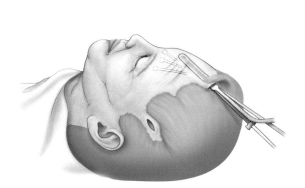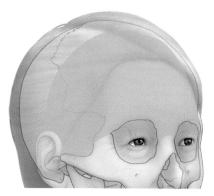

그림 8-9. 내시경 이마거상술

4) 중안면과 하안면 거상술(Midface & Lower face lift)(그림 8-10)

중안면과 하안면 거상술이 일반적으로 말하는 안면거상술에 속하는 것으로, 환자의 얼굴 피부처짐과 주름 정도와 부위에 따라, 중안면거상술(midface lift), 하안면거상술(lower facelift), 목거상술(neck lift) 등으로 분류한다. 또한 수술 범위에 따라 위와 같이 단독적으로 시행할 수도 있고, 각 부위별로 얼굴 전체거상술(full facelift), 중안면과 하안면거상술, 하안면거상술, 하안면과 목거상술과 같이 전체 또는 부분적으로 중복해서 같이 시행할 수도 있다. 중안면과 하안면거상술은 보통 같이 시행되며, 얼굴의 주름과 처진살을 들어올려주므로 팔자주름과 심술보 주름인 턱 밑살(jowls)을 개선시켜 얼굴의 주름과 처짐을 개선하면서 얼굴 형태와 턱선의 윤곽도 좋아지게 하는 것이 목적이다.

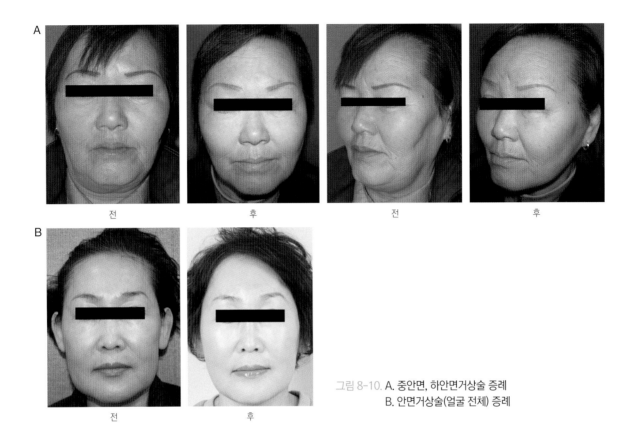

그림 8-10. A. 중안면, 하안면거상술 증례
B. 안면거상술(얼굴 전체) 증례

(1) 피하 안면거상술(Subcutaneous facelift)

피하 안면거상술은 고식적이고 기본적인 수술방법으로 환자의 유형에 관계없이 널리 사용되는데, 이 수술방법을 잘 익혀두면 여러 변형된 안면거상술 방법을 시행하는 데 도움이 된다. 대부분의 안면거상술의 절개방법은 귀 앞쪽의 절개를 시작으로 위로는 측두부의 두피 속 또는 측두부의 모발선을 따라 절개가 연장되는데, 모발선 절개방식은 측두부 모발선과 구레나룻(sideburn)의 변형을 방지한다는 장점은 있지만, 흉터가 눈에 띌 수 있다. 귀 앞쪽의 절개는 귓불(earlobe)을 지나, 귀 뒤의 이갑개 홈(conchal groove)을 따라 올라가서, 이갑개 상부에서 수평으로 후두부 모발선 쪽으로 수평절개하여 두피 속 또는 후두부 모발선을 따라 절개는 연장된다(그림 8-11). 피부절개 후 피하층 박리를 하여 피부판을 거상하는데, 귀 앞쪽은 표재근건막층(SMAS) 위로 피하박리를 하고, 측두부는 모상건막(galea) 위쪽 피하박리를 하며, 귀 뒤쪽은 활경근(platysma) 위 피하박리를 시행하여 환자의 피부처짐과 주름 정도에 맞추어 피하박리 범위를 정한다(그림 8-12) 피하박리 후에는 피부판을 효과적인 올바른 방향으로 재배치하기 위해 귀 앞, 측두부, 귀 뒤에 주요 봉합(key suture)을 하고 남는 잉여 피부를 절제한 후 봉합한다. 피부봉합 전에 혈종을 예방하기 위해 배액관을 두고, 수술 후에는 압박붕대로 감아준다. 또한 근래에는 단순 피하 안면거상술로 끝내는 것이 아니라 수술 중 바닥에 보이는 표재근건막층(SMAS)에 중첩봉합(plication)을 하거나 부분적으로 일부 절제하고 봉합하기도 하며, 고리(loop)봉합을 이용하기도 있다(그림 8-13).

그림 8-11. 피하 안면거상술 도안

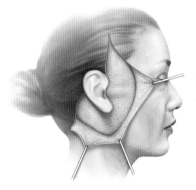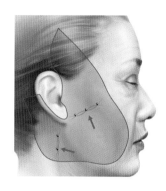

그림 8-12. 피하안면거상술 박리 및 거상   그림 8-13. 피하안면거상술 및 중첩봉합

(2) MACS 안면거상술(MACS lift)

MACS(minimal access cranial suspension) 안면거상술은 앞서 설명된 피하 안면거상술 방식에서 고리 봉합(loop)과 주머니끈 봉합(purse strung suture)을 이용하여 심부조직을 당겨올려 재배치하므로 늘어진 중안면부를 개선한다(그림 8-14).

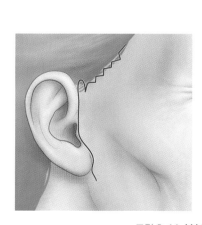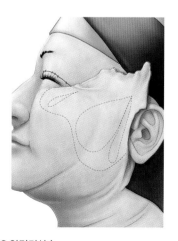

그림 8-14. MACS 안면거상술

수술방법은 귀앞 절개와 측두부 모발선 절개를 통해 피하조직층 박리를 시행하고, 위의 봉합방식으로 처진 중안면부를 당겨 올리므로 귀뒤쪽 절개와 박리는 필요없이, 귀앞과 측두부 모발선의 연결된 절개를 통해 피하층 박리를 5~6cm 정도 시행한다. 그후 표재근건막층(SMAS) 조직의 안쪽으로 고리봉합 3개를 수직(vertical), 사선(oblique), 관골 쪽으로 걸어두고, 주머니끈 봉합은 이주(tragus) 앞에서 심측 측두건막에 고정점을 두어 얼굴 아래로 내려가면서 U-자 모양으로 고리를 만들고 다시 시작위치에서 매듭을 고정한다. 그후 피부판을 효과적으로 윗쪽 방향으로 당겨 올리고, 남는 피부는 절제 후 배액관을 삽입하고 피부봉합해 준다. 목의 처짐이나 주름이 심하지 않으면서 팔자주름, 입가주름, 턱밑살 등 중안면부의 처짐이나 주름에 효과적으로 적용할 수 있지만, 봉합사의 현수(suspension) 봉합방식에 의존하므로 그 효과가 오래 지속되지 못한다는 단점이 있다.

(3) SMAS 안면거상술(SMAS facelift)

기존 고식적 방법의 피하 안면거상술 개념에서 안면거상술에 있어 표재근건막층(SMAS)의 중요성이 인식되고, 심부조직인 SMAS층의 조작으로 인해 얼굴 전반적 피부처짐과 깊은 주름에 대한 개선의 결과가 더 좋아졌으며, SMAS층의 조작으로 인해 유지인대(retain ligament)의 광범위한 박리와 더불어 안면거상술이 한층 더 발전하는 술식이 되었다. SMAS 안면거상술은 수술방법에 따라 외측 SMAS 절제술(lateral SMASectomy), 광범위 SMAS 안면거상술(extended SMAS facelift), 상부 SMAS 안면거상술(high SMAS facelift)로 나눌 수 있다. 이들 수술은 모두 중안면과 하안면 거상술 처럼 측두부, 귓불, 귀뒤, 후두부 절개를 시행하여 피하층 박리를 통해 피부판을 거상한 후, SMAS층을 어떻게 조작하느냐에 따라 수술방법이 달라지는 것이다. 외측 SMAS 절제술(그림 8-15)은 이하선(parotid gland)의 앞쪽 가장자리를 덮고 있는 SMAS를 2~4cm 정도 절제한 후 이하선을 덮고 있는 단단한 근막에 고정해 줌으로써 평행한 방향의 팔자주름, 수직 방향에 놓여있는 턱밑살, 중안면의 주름을 개선할 수 있다. 또한 SMAS를 박리하여 피판으로 거상하지 않기 때문에 SMAS가 찢어지거나 수술 후 벌어지는 재발이 적어 안전한 반면, 피부조직이 얇은 환자나 피부처짐이 심한 경우에는 결과에 한계가 있다.

광범위 SMAS 안면거상술(그림 8-16)은 관골의 관골체와 관골궁에서부터 SMAS를 분리하고 대관골근(zygomaticus major)의 내측까지 박리하여 관골의 뼈막에 고정해주므로 팔자주름, 볼살, 턱밑살뿐만 아니라 처진 협부지방(buccal fat)도 위쪽으로 재배치할 수 있는 보다 효과적인 수술방법이다. 피하층뿐만 아니라 SMAS층을 각각 거상하기 때문에 두 층을 각각 필요한 다른 방향으로 당겨올려 고정할 수 있으므로 그만큼 효과가 더 좋은 것이다. 그러나 수술시간이 오래 걸리고, 안면신경 손상의 위험이 있으며, 수술이 복잡하다는 단점이 있다. 상부 SMAS 안면거상술(그림 8-17)은 귀앞 절개에서 피하층 박리는 2~3cm 정도만 시행하고, 더 앞쪽으로는 SMAS층 심부로 진행하여 SMAS층을 박리하다가 다시 피하층 박리를 시행하므로, 피하층-SMAS층-피하층 박리로 이루어지는 하나의 거상층이 된다. 그러므로 앞서 설명된 광범위 SMAS 안면거상술 보다는 비교적 간단한 방법이나, 피부판과 SMAS가 한 방향에 의존해야 하는 단점이 있다. 노화로 인한 중안면부의 위축은 광대지방(malar fat)의 위축과 처짐으로 인한 중안면의 처짐으로 이어진다면, 중안면부를 이루는 광대지방을 효과적으로 당겨올려주면서 볼륨도 보강해 줄수 있다는 점에서 상부 SMAS 안면거상술을 통해 관골지방을 거상하기 용이하게 한다.

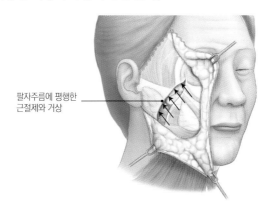

그림 8-15. 외측 SMAS 절제술

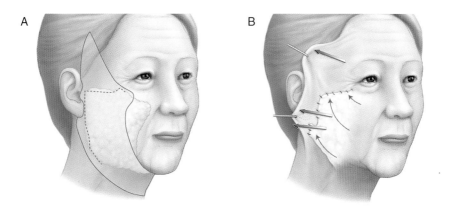

그림 8-16. 광범위 SMAS 안면거상술 박리범위와 거상(A), 광범위 SMAS 안면거상술(B)

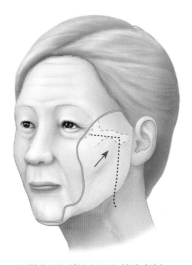

그림 8-17. 상부 SMAS 안면거상술

5) 목 거상술(Neck lift)

목의 노화에 따른 특징적 소견으로는 목 피부의 처짐, 활경근(plastysma)의 띠(band)와 이완, 턱밑 지방 (submental fat), 턱밑선(jowls)의 처짐 등 다양하다(그림 8-18).

활경근은 얼굴의 SMAS층과 연결되고, 부분적으로 하악골의 하악 체부와 하악각 부위에 부착되며, 아랫 입술을 내리는 역할을 하고, 안면신경(facial nerve)의 목가지(cervical branch)의 지배를 받는다(그림 8-19).

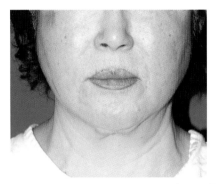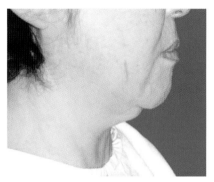

그림 8-18. **목의 노화 변형**

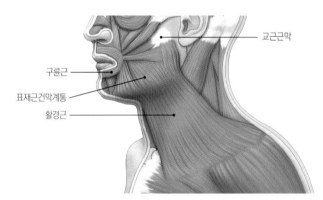

교근근막

구륜근

표재근건막계통

활경근

그림 8-19. **목의 천층 해부도**

활경근은 목 앞쪽에서 근 섬유들이 합쳐져서 역-V자 형태를 만드는데, 3가지 변이(그림 8-20) 중 하악골 중앙 아래 1~2cm 부위에서 근육이 합쳐지는 경우가 75%로 가장 많은 형태를 보인다. 활경근은 뼈와 접촉이 적 고 SMAS와 연결되어 목까지 이어지므로 활경근과 SMAS가 느슨해지면 목 부위까지 같이 늘어나게 되어 목띠(band)를 형성하게 되는 것이고, 하악 중격(mandibular septum)의 처짐에 의해 턱선이 처지는 턱밑선 (jowls)도 형성되는 것이다(그림 8-21).

그러므로 이상적인 수술결과를 얻기 위해서는 목뿐만 아니라 안면부의 노화도 같이 고려해야 하는데, 실 제로 목부위만 노화가 진행된 경우는 매우 드물기 때문에 적절한 안면거상술을 함께 할 때 목거상술의 효과 가 극대화 될 수 있다. 피하지방의 제거와 피부-근육 간의 부착해소를 위해 지방흡입술을 시행해주는 것도 목 거상술에 효과적이다. 동양인의 경우에는 하안면부와 목의 주름과 피부처짐이 동반되는 경우가 많기 때문에 하안면부와 목은 단순히 피부만 늘어져 있지 않고, SMAS와 활경근이 같이 탄력을 잃고 약화되어 있기 때문에 늘어진 피부의 절제뿐만 아니라 SMAS와 활경근을 효과적인 부위와 방향으로 당겨줘야 좋은 결과를 얻을 수 있다.

하안면부와 목을 같이 거상하는 방법은 앞서 다양한 방법의 거상술로 소개되었으므로, 여기서는 최소 절개와 박리의 하안면과 목거상술(minimal invasive lower face & neck lift)을 소개한다(그림 8-22).

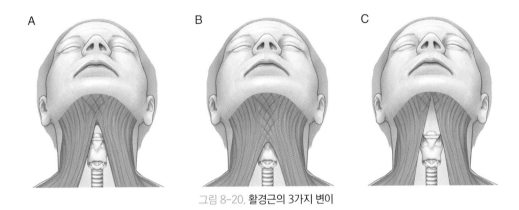

그림 8-20. **활경근의 3가지 변이**

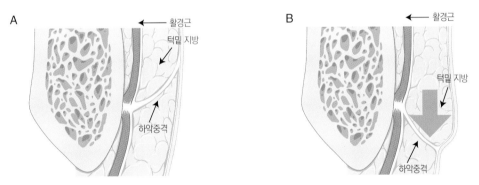

그림 8-21. **하악 중격의 처짐에 의한 턱밑살**

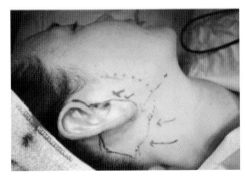

그림 8-22. **최소 박리 하안면과 목거상술**

수술방법은 귀앞, 귀뒤, 후두부 모발선을 잇는 피부절개 후 피하층 박리를 한 후, 피부와 근육을 양방향으로 당겨 충분히 당겨지게 한다. 귀 앞에서는 SMAS를 일부 절제한 후 당겨 봉합하고, 귀밑과 귀뒤에서는 활경근을 뒤와 위로 당겨 늘어진 목 처짐이 해결되는 범위에서 현수봉합(suspension suture)해 준 후 남는 피부를 절제하고 봉합해 준다(그림 8-23). 드물게 얼굴의 노화보다 목의 노화가 심하여 목지방과 주름만 제거하는 경우도 있는데, 이때는 턱밑 절개를 통해 지방을 제거한 후 활경근을 모아서 조절해 주거나(그림 8-24), Z-성형술을 이용한 피부와 근육을 직접 절제하는 방법(그림 8-25)으로 수술해 준다.

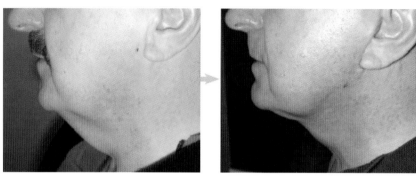

그림 8-23. **목거상술 증례**

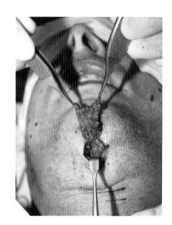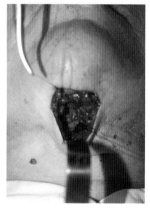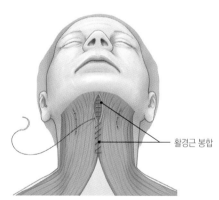

활경근 봉합

그림 8-24. **목지방과 주름제거술**

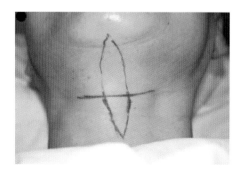

그림 8-25. **목 피부와 근육 직접제거술**

6) 실 거상술(Thread lift)(그림 8-26)

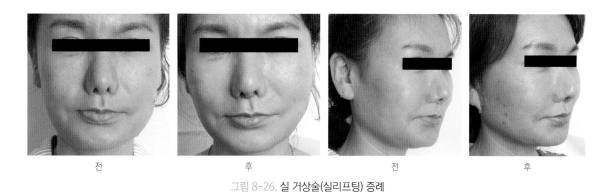

전   후   전   후

그림 8-26. 실 거상술(실리프팅) 증례

실 거상술은 특수하게 제작된 실과 바늘을 이용하여 늘어진 피부와 처진 주름을 개선하는 방법이다. 실에 미세한 돌기가 있으므로 개선하고자 하는 주름 방향대로 실을 삽입하면 연부조직에 실의 돌기가 고정되고, 실을 당기는 방향대로 연부조직이 거상되어 처짐과 주름을 개선하는 것이다(그림 8-27).

실의 종류도 다양하지만, 특히 실 표면의 돌기(cog,barb)의 형태, 두께, 간격, 밀도에 따라 다양한 종류의 실들이 있다(그림 8-28).

일반적으로 피부절개가 필요없으며, 국소마취나 수면마취로 1시간 정도의 시술시간이 소요되고, 시술 직후 결과를 확인할 수 있으며, 일상생활이 바로 가능하다는 장점이 있다. 그러나 안면거상술에 비해서는 수술 효과가 적고, 결과가 오래 지속되지 않으며, 실이 만져지거나 피부표면이 불규칙한 변형을 일으키는 등 단점이 있다. 그러므로 피부처짐이나 주름이 심하지 않은 환자 중 수술을 거부하거나 빠른 결과를 보고 싶어하는 환자에게 시술하며, 시술결과에 대해서도 미리 상의해야 한다.

A   B

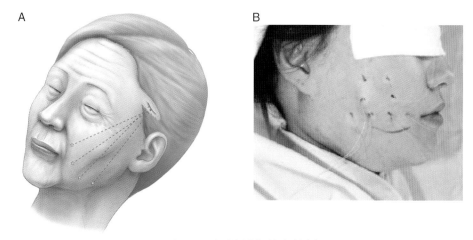

그림 8-27. 실 거상술(A), 실 거상술(B)

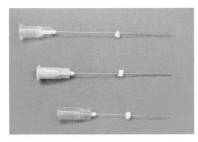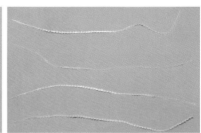

그림 8-28. **실의 다양한 종류**

7) 수술 전 관리

안면거상술을 시행할 때는 얼굴 전체의 주름과 처짐을 종합하여 수술 전에 충분히 상담하여야 하며, 주름과 처짐의 정도에 따라 수술방법이나 수술범위가 다르기 때문에 수술할 의사와 상의하여야 한다.

상담 후 수술일정이 잡힌 환자에 대해서는 당뇨, 고혈압, 갑상선 질환 등 전신질환을 앓고 있거나 만성질환으로 복용 중인 약이 있으면 상의하여 전신상태를 좋게 유지시켜야 한다. 수술 전에 항응고제, 혈전용해제, 호르몬제, 혈액순환제, 한방성분의 약을 평소 복용하고 있는 경우에는 수술 중 출혈 경향을 높이므로 수술 1~2주 전에 중단하게 하고, 흡연과 음주는 상처회복에 좋지 않으므로 수술 1주일 전부터 금연과 금주하는 것이 좋다(사진 8-29).

수술 당일에는 마취의 종류에 따라 금식시간이 필요한데, 국소마취의 경우에는 평소와 같이 식사를 하면 되지만, 수면마취의 경우에는 6~8시간 정도의 금식시간을 가져야 하며 고혈압, 갑상선 약은 평소대로 복용하도록 한다. 수술 당일에는 얼굴 화장을 해서는 안 되고, 귀걸이와 목걸이 등 악세서리 착용을 금지시키며, 손발톱 매니큐어와 속눈썹연장술은 제거하고, 수술 후 사용할 수 있는 스카프, 모자, 선글라스, 마스크를 준비하게 한다. 수술 당일 환자가 병원에 도착했을 때는 앞서 안내했던 지시대로 준수했는지 확인하고, 악세서리와 귀중품을 따로 보관한 후 수술복으로 갈아입힌다.

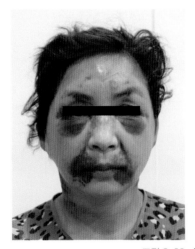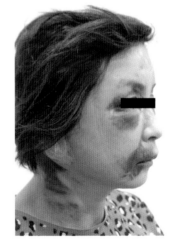

그림 8-29. **수술 후 심한 멍**

수술방법이나 수술범위에 따라 수면마취 또는 전신마취하에 수술하므로, 전신마취의 경우에는 환자의 혈액검사, 방사선검사, 심전도검사 등 전신상태를 검사해야 하며, 안면거상술에 맞추어 환자의 수술 전 임상사진을 찍은 후 총론에서 설명된 수술과 마취에 대한 일반적 동의서와 함께 안면거상술에 관련된 수술동의서(사진 8-30)도 받는다.

8) 수술 후 관리

수술 후에는 상처치료와 함께 수술부위에는 많은 혈관과 신경들이 주행하므로 수술 후 출혈이나 혈종이 발생하지 않고 붓기 경감을 위해 수술부위를 압박이 되게 붕대 또는 반창고로 고정해주며, 배액관을 잘 관리해야 하고, 수술 후 안면신경 손상여부를 검사한다. 전신마취를 시행한 경우에는 수술 후 1~2일간 입원치료를 하고, 수술 후 5일분의 항생제, 진통소염제, 소화제를 처방한다. 봉합사는 얼굴의 경우 5~7일 후 제거하고, 두피 속은 10일 전후 제거하므로, 수술 후 정기적으로 외래를 방문하여 상처치료와 봉합사를 제거한다. 봉합사를 제거할 때까지 수술 후 첫 이틀간은 냉찜질을 하여 붓기를 줄이고, 3일부터는 온찜질을 하면 혈액순환과 붓기 회복에 좋다. 취침 때에는 머리를 높일 수 있게 베개를 높게 베고, 수술 부위를 만지는 일이 없도록 하며, 술과 담배는 염증을 유발시키고 혈액순환을 방해하여 상처치유에 좋지 않다.

운동, 사우나 등은 수술 후 1달 후에 시작하는 것이 좋고, 3~6개월 정도 지나면서 최종 결과가 만들어진다. 수술 후에도 수술 전에 촬영했던 임상사진을 봉합사 제거 후와 외래 경과관찰 때 촬영한다.

| 등록번호 :
이   름 :
생년월일 :
병   실 : | 안면거상술 동의서 |
K 성형외과병원
K-plastic surgery hospital |

1. 수술 목적 및 필요성, 장점

_____

2. 수술 설명(과정 및 방법)

_____

3. 수술 전/후 주의사항

　안내문과 함께 설명을 들었음.

4. 수술로 발생할 수 있는 후유증 및 합병증

 # 수술의 일반적 부작용
① 출혈, 혈종, 멍 → 수혈
② 감염
③ 수술부위 흉터
④ 재발(주름을 없애는 것이 아니다)
⑤ 신경손상(안면신경 마비, 표정 및 감각 마비)
⑥ 피부의 괴사, 치유 후 흉터가 커짐
⑦ 이물질 및 이로 인한 염증 가능성 →
　 2차 제거수술 가능성
⑧ 예상하지 못했거나 희귀한 경우의 부작용이나
　 후유증 → 발생 시 설명

1) 이마 거상술
① 탈모(머릿속 흉터)
② 신경손상(이마, 눈썹의 운동 및 감각이상)
③ 토안증(눈 안 감김)

2) 하안면 및 목 거상술
① 얼굴 피부괴사
② 신경손상(안면부 감각 및 운동 이상)
③ 귀변형
④ 얼굴 중앙으로 갈수록 펴지는 결과 떨어지고
　 한계 있다.
⑤ 입 주변은 움직임 많은 곳이라 결과가 한계
　 있다.
⑥ 레이저, 피부관리, 보톡스, 필러 등으로 계속
　 관리

3) 전체 안면 거상술
① 탈모(머릿속 흉터, 절개선부위)
② 신경손상(이마, 눈썹 및 안면부의 운동 및
　 감각이상)
③ 토안증(눈 안 감김)
④ 얼굴 피부괴사

4)실 거상술
① 체형과 체질에 따라 결과 한계 있다.

 # 마취 부작용
(1) 국소마취
① 마취 시 통증
② 불완전 마취
③ 두통
④ 쇼크(알레르기) → 사망

(2) 수면마취
① 악몽
② 메스꺼움, 구토
③ 무호흡, 기도폐쇄 → 저산소성 뇌손상 → 사망

(3) 전신마취
① 일시적 음성변화, 경부불쾌감
② 폐렴, 무기폐, 기도폐쇄
③ 간독성, 신장독성
④ 심장마비
⑤ 마취 삽관에 의한 기관지, 인후두, 성대 및
　 치아 손상 -> 수술 또는 약물 치료 →
　 안되면 기능 손상
⑥ 사망

　환　자 :　　　　　　　　　　　㊞

　보호자(대리인) :　　　　　㊞　(환자와의 관계:　　　　　)

그림 8-30. 안면거상술 동의서

9. 유방성형술

유방은 여성의 상징으로 수유기능뿐만 아니라 여성성의 중요한 부분인데, 유방에 대한 개념과 미적 기준에서의 관점은 시대와 문화에 따라 다르다. 아름다운 유방은 여러 가지 복합적 요소가 많지만, 탄력이 있어야 하고, 부드러우며, 처지지 않아야 하고, 신체와 가슴 크기가 조화로워야 하며, 양쪽 모양이 대칭적이어야 한다. 동양 여성의 유방 위치에 대한 표준기준치를 살펴보면, 쇄골(clavicle)의 중간지점인 흉골 절흔(sternal notch)에서 유두(nipple)까지 18~20cm, 가슴중앙선에서 유두까지 9~11cm, 유두에서 유방하 주름(inframammary fold)까지 5~6cm, 유륜(areola)의 직경은 3.5~4.5cm, 피부 표면에서 유두높이는 5~7mm이다(그림 9-1).

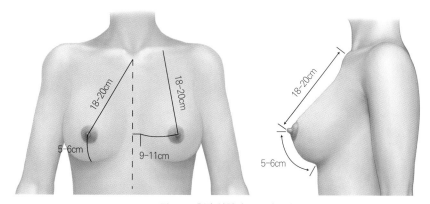

그림 9-1. 유방 위치의 표준기준치

미국의 경우, 유방확대술 후 재수술율이 20% 정도 된다고 하는데, 이는 상당히 높은 수치에 해당되며, 이러한 재수술율을 낮추기 위해서는 수술 전 환자의 체형과 요구사항을 잘 파악하여 환자에 대한 철저한 문제 파악과 수술계획의 수립으로 이상적인 유방을 만들어 주는 것이다.

1) 유방의 해부

유방은 위로는 2~3번째 늑골, 아래로는 6~7번째 늑골, 안쪽으로는 가슴중앙선에서 1~2cm 떨어진 흉골 외측면(lateral border of sternum), 바깥쪽으로는 앞쪽 액와선(anterior axillary line) 사이에 위치해 있으며, 겨드랑이 쪽으로 액와 꼬리(axillary tail)로 연장된다(그림 9-2). 유두는 4번째 늑간(intercostal)에 위치하며, 유방하 주름은 주로 5번째 늑간에 위치한다. 유방은 유선조직(glandular tissue), 지방조직, 결합조직, 혈관과 신경으로 구성되는데, 유방의 50~60%가 유선조직이며, 유선조직은 20~25개의 엽(lobe)과 유관(lactiferous duct)을 형성하여 유두로 개구한다. 유방이 놓이는 바닥에는 늑골 위에 대흉근(pectoralis major), 전방거근(serratus anterior), 복직근(rectus abdominis), 외복사근(external oblique)이 있는데, 대흉근은 유방성형술 때 유방보형물을 덮어줄 수 있기 때문에 매우 중요한 구조물이다(그림 9-3).

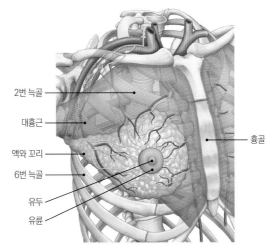

2번 늑골
대흉근
액와 꼬리
6번 늑골
유두
유륜
흉골

그림 9-2. **유방의 위치와 해부**

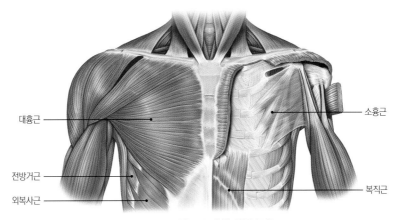

대흉근
전방거근
외복사근
소흉근
복직근

그림 9-3. **유방 주변 근육**

2) 유방확대술(Augmentation mammopalsty)(그림 9-4)

(1) 수술 전 계획과 평가

　환자의 기대치와 목표에 대해 수술 전에 충분히 상담하는 것이 중요한데, 그러기 위해서는 수술 전 환자의 신체 평가 및 기준치를 측정하여 수술할 의사는 환자에게 수술에 대한 올바른 기대치와 정보를 주어야 한다. 수술 전에 유방크기의 비대칭, 유두와 유방하 주름의 위치, 유방 및 겨드랑이 촉진을 통한 검진, 유방하수의 정도 등을 확인해야 하고, 유방암의 위험인자가 있는 경우에는 유방암 검진을 시행한다.

　유방의 유순도(compliance)를 측정하기 위해 집기검사(pinch test)를 시행하는데, 무지와 시지로 유방의 상부(upper pole)를 집어보아 2cm 이상일 때는 유선하(subglandular), 2cm 이하일 때는 근육하(submuscular)에 보형물 삽입공간(pocket)을 고려한다(그림 9-5).

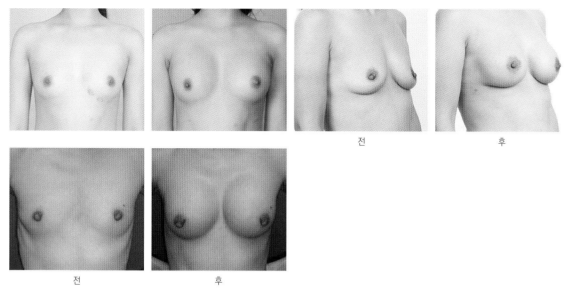

전　　　　　　　　　　　후

전　　　　　　　　　　　후

그림 9-4 **유방확대술 증례**

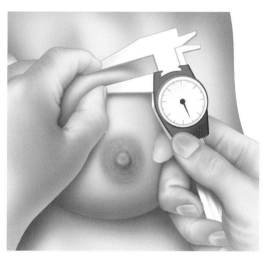

그림 9-5. **집기 검사**

앉은 상태에서 유방하 주름선, 가슴중앙선, 흉골 절흔을 표시하고 유방 계측을 하는데, 유방 폭(breast width, BW), 흉골 절흔에서 유두거리(sternal notch to nipple, SSN to N), 유방높이(breast height, BH), 유두에서 유방하 주름선 거리(nipple to inframammary fold; N: IMF), 유방간 거리(intermammary distance)를 그림과 같이 측정하여, 보형물의 선택과 유방의 대칭성을 파악한다(그림 9-6). 이상의 검사 후 피부 절개 위치와 보형물의 삽입 위치와 공간, 종류, 크기, 부피 등을 결정한다.

243

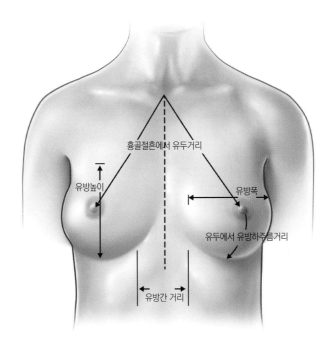

그림 9-6. **유방계측**

(2) 유방 보형물(Breast impalnt)의 종류

① 보형물의 분류와 크기

보형물 내에 어떤 물질이 있느냐에 따라 생리식염수 보형물(saline implant)과 실리콘젤 보형물 (silicone gel implant)로 나눠진다. 생리식염수 보형물은 작은 절개선으로 삽입하여 식염수를 충전시 키므로 수술은 용이하지만, 시간이 지나면서 터질 수 있으며, 촉감이 부드럽지 못하고, 보형물이 만져 질 수 있다. 반면에 실리콘젤 보형물은 꾸준히 발전해 오면서, 근래에 사용되는 5세대 실리콘젤 보형 물은 주변 연부조직의 영향도 덜 받고, 다양한 모양과 형태를 갖추고 있다.

보형물의 크기는 수술 전 유방의 크기, 연부조직의 순응도, 환자의 요구에 따라 유방계측 결과를 기 준으로 선택하는데, 브래지어 한컵 사이즈 증가를 위해서는 130~150cc의 부피(volume) 증가가 필요 하다.

② 보형물 표면 질감(Surface texture)

보형물의 표면 질감에 따라 거친 표면(textured) 보형물과 매끈한(smooth) 보형물로 나눌 수 있다 (그림 9-7). 거친 표면 보형물은 표면에 많은 미세기공(pore)이 있어 보형물의 삽입공간(pocket) 내에 서 피막구축(capsular contracture)을 예방하고 안정화될 수 있기 위해 선택된다. 하지만 최근 엘러간 (Allergan) 회사의 제품 중 거친 표면 보형물이 유방보형물 관련 역형성 대세포 림프종(BIA-ALCL, breast implant associated anaplastic large cell lymphoma)의 발생 사례들을 보고하면서 사용 중지되었으며, 다른 회사의 거친 표면 보형물에 대해서도 사용중지 또는 주의 당부가 있었다. 이 종양은 희귀성 면역계 암으로 조기에 수술하지 않으면 생명에 위험한 병인데, 초기 증상은 체액이 고이는 장액종(seroma)이 보형물 주변에 생기면서 가슴이 부어오른다고 한다.

그림 9-7. 매끈한 보형물과 거친 표면 보형물

③ 보형물의 모양(Shape)(그림 9-8)

보형물의 모양은 둥근(round)보형물과 물방울(anatomic) 보형물이 있는데, 주로 둥근 보형물을 사용한다. 하지만 유방의 전체 형태에 맞춘 물방울 보형물은 유선조직이 많지 않아 유방형태가 뚜렷하지 않을 때 좋으나, 수술 절개선이 길어지고, 보형물이 움직여 회전변형(malrotation)을 일으킬 수 있다.

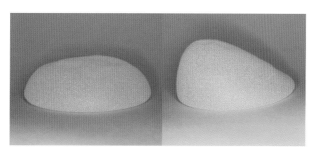

그림 9-8. 둥근 보형물과 물방울 보형물

(3) 피부절개의 위치

보형물을 삽입하기 위한 피부절개의 위치에 따라 겨드랑이 절개법(transaxillary incision), 유방하주름 절개법(inframammary incision), 유륜주위 절개법(periareolar incision), 배꼽 절개법(transumbilical incision)으로 나눈다(그림 9-9). 겨드랑이 절개법은 겨드랑이의 피부주름선에 갖추어 4cm 정도의 절개를 넣고, 유방 쪽으로 박리하므로 흉터가 겨드랑이에 가려 노출되지 않는다는 큰 장점이 있다. 그러나 절개선에서부터 유방까지 거리가 멀어 수술의 숙련도가 필요하고, 출혈이나 신경손상의 가능성이 있다. 이러한 문제점을 해결하기 위해 내시경을 이용하여 지혈과 정확한 삽입공간을 박리하고 있다.

유방하주름 절개법은 수술전 유방하 주름선이 아니라 수술 후 새로 만들어질 유방하주름선에 피부절개를 가하여 흉터를 눈에 덜 띄게 하는 것인데, 실리콘젤 보형물의 경우는 5cm 가량, 식염수보형물의 경우는

3cm 가량 피부절개를 가한다. 이 절개법은 피부절개 부위에서 보형물 삽입공간까지 거리가 짧아 접근이 용이하고, 수술시야도 넓게 확보 가능하여 신경과 혈관을 보존할 수 있다는 장점은 있으나, 가슴 밑에 흉터가 남는다는 단점이 있다.

유륜주위 절개법은 4cm 이상의 유륜직경이 클수록 이용하기 좋은 수술방법으로, 4cm 정도의 피부절개를 유륜 밑에 피부와 만나는 곳에서 시행하므로 흉터를 최소화할 수 있다. 유방의 하부(lower pole)와 유방하 주름에 접근이 용이하고, 유방하수 교정술(mastopexy)을 동시에 시행할 수 있다는 장점이 있으나, 유두 감각신경의 손상, 유륜부 함몰, 유관손상으로 인한 세균감염 등의 부작용이 생길 수 있다.

배꼽 절개법은 배꼽 주위에만 흉을 남기며, 복부의 지방흡입술도 같이할 수 있다는 장점이 있으나, 생리식 염수 보형물만 사용할 수 있고 실리콘젤 보형물은 사용할 수 없다.

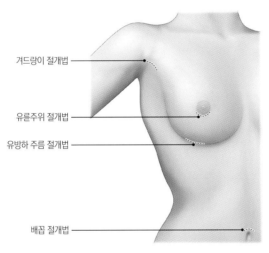

겨드랑이 절개법

유륜주위 절개법

유방하 주름 절개법

배꼽 절개법

그림 9-9. **피부절개의 위치**

(4) 보형물의 삽입공간(Pocket)의 위치

피부절개 후 보형물이 삽입될 공간의 위치는 유선하(subglandular), 근막하(subfascial), 근육하(submuscular) 층으로 나눌 수 있다(그림 9-10).

유선하층의 삽입공간에 보형물을 넣을 경우, 유방하수가 있는 경우 유방확대 효과뿐만 아니라 유방하수 교정의 효과도 있다. 하지만 연부조직의 두께가 충분하지 못하면 보형물의 가장자리가 만져지거나 쭈글쭈글해 보이는 리플링(rippling) 현상이 생길 수 있고, 매끈한(smooth)보형물에서 피막구축(capsular contracture)의 빈도가 높은 단점이 있다. 근육하층의 삽입공간은 대흉근(pectoralis major) 밑에 삽입공간을 두므로 리플링 현상도 줄이고, 피막구축을 최소화한다. 또한 유방실질을 건드리지 않기 때문에 감염이 적을 뿐만 아니라 유방조직 자체에 반흔을 남기지 않으므로, 유방하수가 심하지 않다면 근육하층의 삽입공간에 보형물을 삽입한다.

근막하층의 삽입공간은 대흉근의 근막 밑에 삽입공간을 두므로 유선하층에 비해 보형물의 윤곽이 덜 뚜렷하고, 근육하층에 비해서는 근육의 움직임에 의한 보형물의 변화가 적고 통증이 덜하다는 장점이 있다. 그러나 근막을 잘 보존하기 위해 내시경을 이용하여 박리하므로 수술시간이 많이 걸리고, 건막을 잘 보존해야 한다.

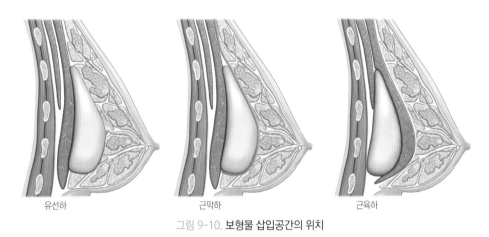

| 유선하 | 근막하 | 근육하 |

그림 9-10. 보형물 삽입공간의 위치

(5) 수술 후 합병증

수술 후 초기에는 출혈에 의한 혈종(hematoma), 체액이 차는 장액종(seroma), 늑간신경(intercostal nerve)의 손상에 의한 유두 감각변화, 염증 또는 감염이 있을 수 있다. 드물게 몬도씨병(Mondor's disease)이라는 표재성 혈전정맥염(superficial thrombophlebitis)이 발생할 수 있는데, 유방 또는 유방 주변에 띠가 만져지는 선상변형으로 증상에 따라 치료하면 수주 후 자연소실 되고, 몬도씨병은 피부절개의 위치에 관계없이 발생한다. 후기합병증으로는 유방이 단단해지면서 보형물이 만져지고 유방모양의 변형이 오는 피막구축(capsular contracture)이 있는데, 감염 또는 염증이 생길 수 있는 모든 조건에서 발생 가능하므로 수술 전, 중, 후 염증과 감염의 예방을 위한 모든 조치를 취해야 하며, 유방확대술 후 재수술의 가장 흔한 원인이 피막구축이다. 수술 때 삽입한 보형물이 움직여 위치이상을 일으킬 수 있고, 양쪽이 비대칭일 수 있으며, 보형물이 파열(rupture)(그림 9-11) 되는 수도 있고, 보형물의 가장자리가 만져지거나 쭈글쭈글해 보이는 리플링(rippling)현상이 있을 수 있다. 앞서 설명한 거친 표면 보형물에 의한 유방보형물 관련 역형성 대세포 림프종(BIA-ALCL)과 같은 매우 드문 희귀병도 있다.

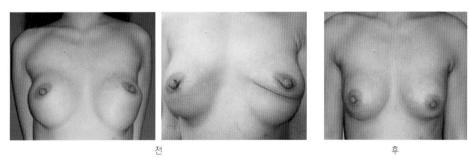

| 전 | 후 |

그림 9-11. 위치이상과 비대칭, 보형물 파열 증례

3) 유방하수 교정술(Mastopexy)(그림 9-12)

유방하수 교정술은 늘어져 처진 유방하수 상태를 거상(lifting)하여 고정(fix)시키는 유방수술이라 하여 유방고정술(mastopexy, breast lifting)이라고도 한다. 유방의 처진 정도와 조직의 양에 따라 세밀한 계획과 도안이 필요한 수술인데, 유방하수 교정술을 단독으로도 시행하지만, 유방이 작은 동양인의 경우에는 유방확대술과 함께 유방하수 교정술을 시행하기도 한다.

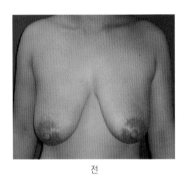 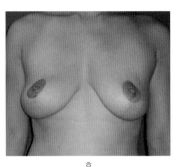

전　　　　　　　　　　　　　　　후

그림 9-12. **유방하수교정술 증례**

(1) 유방하수의 분류

유방하수는 나이가 들면서 유방실질(parenchyma)이 빈약해지고, 피부가 늘어나며, 유방의 지지조직이 탄력을 잃으면서 생기는 것이다. 유방하수는 유방하 주름(inframammary fold)과 유두(nipple)의 상관관계에 따라 경증(mild), 중등도(moderate), 중증(severe) 유방하수로 분류한다(그림 9-13).

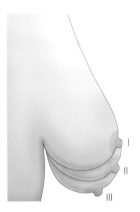

그림 9-13. **유방하수의 분류**

경증 유방하수는 유두가 유방하 주름보다 1cm 이내에 처진 경우이고, 중등도 유방하수는 유두가 유방하 주름보다 1~3cm 사이에 처져 있는 경우이며, 중증 유방하수는 유두가 유방하 주름보다 3cm 이상 처져 있는 경우이다. 대부분의 환자들은 처지고 위축된 유방을 단순히 거상, 고정하기 위해서가 아니라 유방의 크기와 모양도 교정하기를 원하므로, 수술 전에 환자와 충분히 상담하면서 환자의 요구, 유방하수의 정도, 기본적인 유방계측을 통해 수술방법을 선택해야 한다.

(2) 수술방법

수술방법의 선택은 비교적 정상크기의 유방실질(parenchyma)을 가지고 있으면서 늘어짐이 심하지 않으면 유방하수 교정술(mastopexy)만 시행할 수 있으나, 유방실질이 적고 늘어진 경우에는 유방확대 하수교정술(augmentation mastopexy), 유방실질이 많고 심하게 늘어진 경우에는 유방축소 하수교정술(reduction mastopexy)을 시행한다.

① 초승달형 유방하수 교정술(Crescent mastopexy)(그림 9-14)

유륜(areola) 상연에 초승달 모양의 도안을 하고, 유방의 크기와 모양에 따라 피부의 상피만 제거하거나 피하지방, 유방실질의 일부를 절제하여 피부를 봉합해 준다. 유두유륜 복합체(nipple areolar complex, NAC)의 위치를 1~2cm 정도 올릴 수 있는데, 경중 유방하수의 교정에 이용된다.

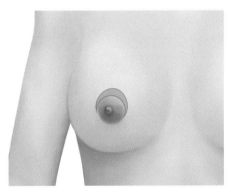

그림 9-14. 초승달형 유방하수 교정술

② 유륜둘레 유방하수 교정술(Periareolar mastopexy)(그림 9-15)

경중 또는 중등도 유방하수의 교정에 주로 이용되는 방법으로, 유방하수와 피부처짐의 정도에 맞추어 유륜둘레를 따라 유두가 계획한 위치에 올라올 수 있게 도안한다. 그후 유방의 크기와 모양에 맞추어 피부만 제거하거나 피하지방, 유방실질의 일부를 절제할 수도 있고, 유방확대를 위해 유방보형물을 같이 삽입할 수도 있다. 또한 유륜이 큰 경우에는 같이 축소할 수 있으며, 피부 봉합을 할 때는 흉터의 변형을 최소화하기 위해 주머니끈 봉합(purse-string suture)을 시행한다.

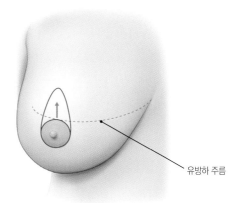

유방하 주름

그림 9-15. **유륜둘레 유방하수 교정술**

③ **수직형 유방하수 교정술**(Vertical mastopexy)(그림 9-16)

　　수직형 유방하수 교정술은 유방하수 교정과 함께 유방축소술이 동시에 필요한 경우, 새로 생길 유두
유륜 복합체의 위치를 새로 도안하고, 그 밑으로 피부, 피하지방, 유방실질을 절제할 수 있는 수직 도
안을 하여 유방축소술을 같이 시행한다. 유륜둘레 유방하수 교정술에 비해 많은 양의 유방조직을 절
제할 수 있어 유방 모양을 조절할 수 있고, 유두유륜 주위의 흉터와 변형을 최소화할 수 있는데, 단점
으로는 유두 밑으로 긴 수직의 흉터가 남으며, 수술시간이 더 걸린다.

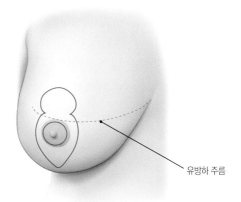

유방하 주름

그림 9-16. **수직형 유방하수 교정술**

④ **역-T 유방하수 교정술**(Inverted-T mastopexy)(그림 9-17)

　　역-T 유방하수 교정술의 도안은 일반적으로 거대유방의 축소에 사용되는 방법으로, 피부, 피하지방,
유방실질을 많이 절제할 때 사용되지만, 유방조직의 절제가 필요없는 심한 유방하수의 교정에도 사용
된다. 그러므로 수직형 유방하수 교정술에 비해 유방조직의 절제는 용이하지만, 유방하 주름 부위에
수평 흉터를 남기게 된다.

그림 9-17. **역-T 유방하수 교정술**

(3) 수술 후 합병증

수술 후 합병증은 수술방법에 따라 차이는 있지만, 일반적으로 출혈, 혈종, 장액종, 염증 또는 감염, 비대
칭, 흉터 등의 합병증이 발생할 수 있다. 그외에 드물게 유두와 유륜의 괴사가 발생할 수 있는데, 이는 유방
의 혈관에 의한 혈액순환을 잘 숙지해야 예방할 수 있으며, 수술 중 안전하게 일정한 두께의 조직을 거상하
여 혈액공급이 안정되어야 하고, 흡연, 당뇨, 비만, 재수술 환자에서는 주의해야 한다.

4) 유방축소술(Reduction mammoplasty)(그림 9-18)

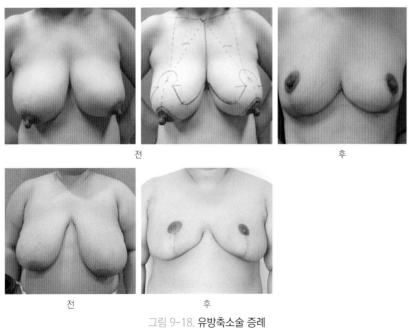

전   후

전   후

그림 9-18. **유방축소술 증례**

유방이 지나치게 크면, 목과 어깨의 통증, 유방하 주름 부위의 습진 등 신체적 불편함뿐만 아니라 외형적인 면에서도 상당한 심리적 문제를 겪게 된다. 이러한 거대유방(macromastia)은 사춘기에 일시적 또는 영구적으로 대부분 나타나며, 비만이나 내분비계통의 에스트로겐(estrogen) 영향으로 생길 수 있다. 그러므로 수술 전에 유방암의 가족력, 유방 방사선촬영(mammogram), 초음파검사를 시행하며, 진찰에서 유방의 비대칭, 종양, 분비물 등과 함께 유방계측을 시행한다. 수술방법은 거대유방의 정도, 피부처짐의 정도, 환자의 나이와 전신상태, 환자의 요구사항, 수술의사의 숙련도에 따라 결정해야 한다.

(1) 수직형 유방축소술(Vertical reduction mammoplasty)(그림 9-19)

탄력있는 피부를 가진 중등도의 거대유방에 많이 사용되는 방법으로, 수술 도안은 앞서 설명된 수직형 유방하수 교정술의 도안과 유사하다. 수술 도안에 맞추어 피부의 표피를 제거한 후 피부절개와 박리를 하고, 필요한 양만큼 유방조직을 절제하게 되는데, 절제량이 적을 때에는 유륜 아래쪽의 유방하수조직만 수직 절제하고, 절제량이 많을 때에는 내외측으로 많이 박리하여 유방조직을 충분히 절제한다. 그후 양쪽의 모양을 비교하면서 모양을 다듬으며, 필요에 따라 지방흡입술을 시행하고, 피부봉합을 한다.

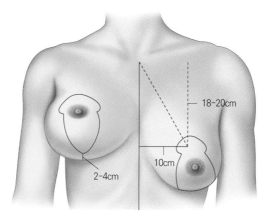

그림 9-19. **수직형 유방축소술**

(2) 역-T 유방축소술(Inverted-T reduction mammoplasty)(그림 9-20)

역-T 유방축소술은 하부피판 유방축소술(inferior pedicle reduction mammoplasty)과 같은 말로서, 중등도 이상의 중증 거대유방 또는 유방조직에 비해 피부처짐이 심한 경우에 많이 이용되는 방법이다. 수술도안은 앞서 설명된 역-T 유방하수 교정술의 도안과 유사하며, 수술도안에 맞추어 피부의 표피를 제거한 후 피부절개와 박리를 하고, 필요한 양만큼 유방조직을 절제한다. 하부 피판의 혈액순환을 위한 혈행에 방해를 주지 않는 범위에서 하부조직을 많이 절제해 주고, 양쪽의 모양을 비교하면서 모양을 다듬어 준 후 피부봉합을 한다.

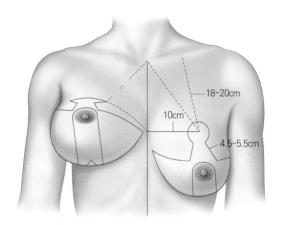

그림 9-20. **역- T 유방축소술**

(3) 유륜둘레 유방축소술(Periareolar reduction mammoplasty)(그림 9-21)

　유륜둘레 유방축소술의 수술도안도 앞서 설명된 유륜둘레 유방하수 교정술과 유사하지만, 유륜둘레 유방하수 교정술은 주로 유방하수의 교정에 사용되거나 오히려 유방확대술을 함께 할 때 이용된다. 반면에 유륜둘레 유방축소술은 유륜둘레 피부절개 후 유방중앙부의 혈액순환을 위한 혈행을 유지한 채, 주변의 유방조직을 절제한 후 남은 유방조직을 모아 축소된 유방형태를 만드는 것이다. 유륜이 큰 경우에는 유방축소술과 함께 유륜을 자연스럽게 줄일 수 있으며, 유륜둘레에만 피부절개를 가하므로 흉터를 최소화할 수 있다는 장점이 있지만, 절제해 낼 수 있는 유방조직 양에 한계가 있다.

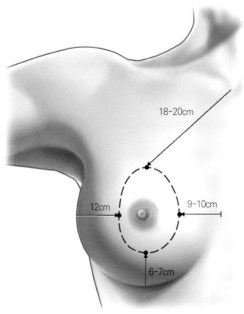

그림 9-21. **유륜둘레 유방축소술**

(4) 수술 후 합병증

유방축소술은 피부의 박리와 조직절제량이 많아 출혈과 혈종의 발생 가능성이 높으므로 수술 중 지혈을 철저히 하고, 배액관을 두며, 압박 드레싱을 하여 출혈과 혈종을 예방한다. 수술 후 일반적 합병증인 염증 또는 감염, 비대칭, 흉터 이외에도 유방하수 교정술 때 드물게 나타나는 유두와 유륜괴사가 있을 수 있고, 감각신경 손상에 의한 유두의 감각저하, 유두 밑에 조직이 충분하지 못할 경우 유두의 함몰변형도 발생할 수 있다.

5) 함몰유두 교정술(Inverted nipple correction)

유두가 함몰되는 이유는 유관이 짧거나, 섬유화(fibrosis) 조직이 유두를 속으로 당기거나, 유두의 조직이 덜 발달되어 돌출하지 못하면 함몰유두가 될 수 있다. 함몰유두는 출산 후 수유가 어려울 뿐만 아니라 미용적으로나 위생적으로 좋지 않다.

(1) 함몰유두의 분류

함몰유두는 증상에 따라 경증(grade I), 중등도(grade II), 중증(grade III)으로 나눌 수 있다. 경증은 유두 주위에 압력을 가했을 때 함몰된 유두가 빠져나와 돌출이 유지되는 경우이고, 중등도는 유두주위에 압력을 가했을 때 경증보다는 어렵게 돌출은 되지만 곧 다시 함몰되는 것으로 섬유화 조직이 많으며, 중증은 유두가 덜 발달되어 있고, 유관도 짧으며, 섬유화도 심하여 함몰된 유두를 빼내기 어려운 심한 상태이다.

(2) 수술방법(그림 9-22)

함몰유두의 분류에 따라 수술방법은 달라지는데, 진단에서 중등도라고 하더라도 수술 중 증상이 심한 경우도 있으므로 상태에 맞는 수술방법이 선택되어야 한다. 일반적으로 경증의 경우에는 작은 절개를 가한 후 주머니끈 봉합(purse-string suture)으로 교정이 된다. 중등도의 경우에는 작은 절개선을 통해 유두 밑의 섬유화 조직을 유관의 손상없이 수직방향으로 박리하여 유두의 돌출이 쉽게 되게 박리한 후, 돌출이 충분히 유

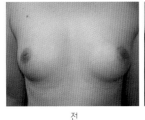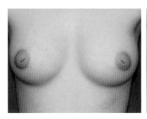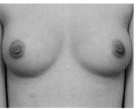

전 후 전 후

그림 9-22. 함몰유두교정술 증례

지되면 주머니끈 봉합을 추가하여 교정이 되지만, 돌출이 충분히 유지되지 못하거나 다시 함몰되는 양상을 보이면 부족한 연부조직의 보충을 위해 유두 옆의 유륜 조직을 이용한 피판술을 추가한다. 중증의 경우에는 섬유화 조직을 수직 박리하고, 짧아져 있는 유관을 부분적 또는 전체 절제하며, 부족한 연부조직은 유두 옆 유륜조직을 이용한 피판술이나 자가조직 이식으로 보충해준다.

(3) 합병증

수술 후에는 유두의 혈액순환을 잘 관찰해야 하는데, 수술로 인한 유두 주위의 조직 손상과 주머니끈 봉합에 의한 압력으로 혈행이 감소할 수 있기 때문이다. 또한 재발할 수 있고, 유관의 손상으로 인한 수유장애, 유두의 감각이상, 염증 또는 감염 등이 발생할 수 있다.

6) 수술 전 관리

유방성형술을 시행할 때는 유방확대술, 유방축소술, 유방하수 교정술, 함몰유두 교정술을 각각 단독으로 시행하는 경우가 많지만, 환자의 상태에 따라서는 같이 시행하는 경우가 있으므로 수술 전에 충분한 상담과 유방계측을 통해 환자의 상태에 맞는 안전한 수술이 시행될 수 있게 준비한다.

상담 후 수술일정이 잡힌 환자에 대해서는 당뇨, 고혈압, 갑상선 질환 등 전신질환을 앓고 있거나 만성질환으로 복용 중인 약이 있으면 상의하여 전신상태를 좋게 유지시킨 후 수술받을 수 있게 해야한다.

수술 전에 항응고제, 혈전용해제, 호르몬제, 혈액순환제, 한방성분의 약을 평소 복용하고 있는 경우에는 수술 중 출혈 경향을 높이므로 수술 1~2주 전에 중단하게 하고, 흡연과 음주는 상처회복에 좋지 않으므로 수술 1주일 전부터 금연과 금주하는 것이 좋다.

수술 당일에는 마취의 종류에 따라 금식시간이 필요한데, 국소마취의 경우에는 평소와 같이 식사를 하면 되지만, 수면마취의 경우에는 6~8시간 정도의 금식시간을 가져야 하며 고혈압, 갑상선 약은 평소대로 복용하도록 한다. 수술 당일 환자가 병원에 도착했을 때는 앞서 안내했던 지시대로 준수했는지 확인하고, 악세서리와 귀중품을 따로 보관한 후 수술복으로 갈아입힌다.

유방성형술은 많은 경우 전신마취 하에 수술하므로 전신마취를 위한 환자의 혈액검사, 방사선검사, 심전도검사 등 전신상태를 파악해야 한다. 유방성형술에 맞추어 환자의 수술전 임상사진을 찍은 후, 총론에서 설명된 수술과 마취에 대한 일반적 동의서와 함께 유방성형술에 대한 수술동의서(그림 9-23)를 받는다.

또한 유방성형술은 양쪽 가슴과 양팔을 모두 수술부위에 포함시켜 소독하고 노출하기 때문에 환자의 수액 정맥주사(IV line) 부위를 팔이 아닌 발에 시행한다.

등록번호 :	
이　　름 :	
생년월일:	
병　　실 :	

K 성형외과병원
K-plastic surgery hospital

유방 성형술 동의서

1. 수술 목적 및 필요성, 장점

2. 수술 설명(과정 및 방법)

3. 수술 전/후 주의사항
안내문과 함께 설명을 들었음.

4. 수술로 발생할 수 있는 후유증 및 합병증

 # 수술의 일반적 부작용
① 출혈, 혈종, 멍 -> 수혈
② 감염, 재발
③ 수술부위 흉터
④ 비대칭
⑤ 과교정, 저교정
⑥ 예상하지 못했거나 희귀한 경우의
　 부작용이나 후유증 -> 발생 시 설명
⑦ 이물질 및 이로 인한 염증 가능성
　 - 2차 제거수술 가능성

1) 유방 확대술
① 심한 감염 동반 시 보형물의 제거
② 신경손상 (유두부, 겨드랑이,
　 상지의 감각이상)
③ 보형물의 위치 이상
④ 삽입물의 파열 및 누출
⑤ 삽입물의 노출
⑥ 체질, 조직량 등으로 리플링 현상, 보형물
　 만져짐
⑦ 피막 구축(흔하다 ->보형물 제거)
　 -> 마사지 필요 발생 시 피막 구축,
　　　절개술 혹은 제거술 필요
⑧ 재수술
⑨ 겨드랑이 당김 현상
⑩ 비대칭
⑪ 체질적(해부학적) 변이로 인한 부작용
　 -> 함몰, 돌출 등의 변형
⑫ 혈전정맥염
⑬ 유방암 (역형성 대세포 림프종(BIA-ALCL)

2) 유방 축소술
① 피부괴사(유두)
② 수유장애
③ 흉이 심할 수 있다.
④ 신경손상(유두 감각 이상)
⑤ 불규칙적 피부면(함몰, 돌출)
⑥ 비대칭

3) 유방하수 교정술
① 피부괴사(유두)
② 감각이상
③ 불규칙적 피부면
④ 비대칭

4) 함몰 유두 교정
① 피부괴사(유두)
② 수유장애
③ 유두 감각 이상
④ 재발 -> 재수술
⑤ 비대칭

 # 마취 부작용
(1) 국소마취
① 마취 시 통증
② 불완전 마취
③ 두통
④ 쇼크(알레르기) -> 사망
(2) 수면마취
① 악몽
② 메스꺼움, 구토
③ 무호흡, 기도폐쇄
-> 저산소성 뇌손상 -> 사망
(3) 전신마취
① 일시적 음성변화, 경부불쾌감
② 통증, 오심 & 구토, 치아손상
③ 폐렴, 무기폐, 기도폐쇄
④ 간독성, 신장독성
⑤ 심장마비
⑥ 마취 삽관에 의한 기관지, 인후두, 성대 및
　 치아 손상 -> 수술 또는 약물 치료
　　 -> 안되면 기능 손상
⑦ 사망

환　자 :　　　　　　　　　　㉑

보호자(대리인) :　　　　　　㉑　(환자와의 관계:

K 성형외과병원
K-plastic surgery hospital

유방 성형술

그림 9-23. 유방 성형술 동의서

7) 수술 후 관리

수술이 끝나면 상처치료와 함께 혈종 예방과 붓기 경감을 위해 보정 브라(bra)(그림 9-24)와 압박붕대로 감아 준다. 전신마취로 시행된 유방성형술은 수술종류에 따라 수술 후 1~3일 정도 입원치료를 하며, 배액관이 있는 경우에는 혈액 배출량에 따라 배액관을 제거하고, 상처치료와 보정 브라를 착용한다. 봉합사는 수술에 따라 7~10일 후에 제거하므로 외래 경과 관찰하면서 상처치료와 봉합사의 제거를 시행한다. 술과 담배는 염증을 유발시키고 혈액순환을 방해하여 상처치유에 좋지 않다. 수술 후 1~2주 동안은 무거운 짐을 들거나 팔을 많이 사용해서는 안 되며, 3~6개월 지나면서 붓기로 빠지고 수술 부위가 안정화된다. 수술 후에는 수술 전에 촬영했던 임상사진을 봉합사 제거 후에 촬영해 두고, 환자가 외래 경과 관찰 때 촬영한다.

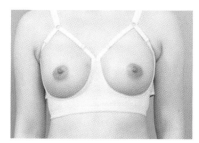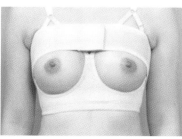

그림 9-24. **보정브라와 압박대**

10. 지방성형술

지방성형술은 얼굴, 복부, 가슴, 엉덩이, 상하지의 전신에 대해 지방흡입술, 지방이식, 외과적 절제 등의 방법을 통해 체형을 교정하는 방법으로, 환자의 나이와 체형의 상태, 피부처짐의 정도를 종합하여 안전한 수술방법이 선택된다. 이중 지방흡입술은 비교적 간단하면서 회복이 빠르고, 흉터가 거의 남지 않는다는 장점 때문에 수술방법이나 기구가 급속히 발전하고 있으며, 특히 미국의 통계에 의하면 수년간 미국에서 시행된 미용성형수술 중 가장 많은 비중을 차지하고 있다. 지방흡입술의 발달과 더불어 자가 지방이식도 꾸준히 발전하고 있는데, 주름지고 함몰된 얼굴의 개선을 위해 지방의 채취과정, 순수 지방세포로 분리하기 위한 지방의 정제과정, 주사하는 방법, 부위별 지방 흡수율의 차이 등에 대해 표준화하고 연구 중이다. 지방흡입술과 지방이식처럼 비교적 간단하면서 최소 침습적인 지방성형으로 체형을 교정하는 것이 많이 대중화되었지만, 환자의 비만과 피부처짐이 심한 경우에는 지방흡입술만으로는 체형의 교정이 어렵기 때문에 피부지방절제술(dermolipectomy)을 동반한 복부성형술(abdominoplasty)이 필요하다. 복부성형술은 단순히 미용적 목적뿐만 아니라 늘어지고 처진 복벽의 구조적 재건을 함께하는 기능적인 부분의 교정이 가능한 체형교정술이 된다.

1) 지방흡입술(Liposuction)(그림 10-1)

지방흡입술이란 전신의 지방을 흡입하여 비만을 치료하는 수술이 아니라 국소적으로 과다한 지방을 흡입하는 것으로서, 비만의 치료방법인 식이요법, 운동요법, 약물요법, 수술요법 중 수술요법의 한 방법이 된다.

지방흡입 방법에는 고식적인 음압을 이용하는 흡입방법 이외에 초음파, 레이저, 진동형 동력에 의한 지방흡입 기구들을 이용하여 수술하고 있는데, 음압을 이용한 흡입 지방흡입술(suction assisted liposuction, SAL), 레이저 지방흡입술(laser assisted liposuction, LAL), 진동형 동력을 이용한 파워 지방흡입술(power assisted liposuction, PAL), 초음파 지방흡입술(ultrasound assisted liposuction, UAL)로 분류한다.

지방흡입술은 전신적인 비만을 치료하는 수술이 아니라, 복부, 사지, 체부, 얼굴의 부위별 국소적인 지방의 축적을 교정하는 데 좋은 효과를 가지고 있으므로, 환자의 적응증을 잘 선택하면 효과와 만족도가 높은 수술이다(그림 10-2). 또한 복부성형술, 유방축소술, 안면거상술 때 보조적으로 사용되어 수술의 효과와 만족도를 높일 수 있다. 지방흡입의 안정성을 위해 투메슨트 용액(tumescent solution)을 사용하는데, 투메슨트 용액은 앞서 총론의 마취분야에서 소개했듯이 넓은 수술부위의 지혈목적뿐만 아니라 수술의 박리과정을 용이하게 하기 위해 수술부위에 주사하기 위해 혼합한 약물이다. 일반적인 혼합방식은 생리식염수 1L, 2% 리도카인 25cc, 에피네프린 0.4cc, 중탄산염 12.5cc를 섞어 사용하는데, 이런 혼합용액의 주입으로 혈관수축뿐만 아니라 주입된 용액에 의한 물리적 압박으로 출혈을 최소화할 수 있으므로, 용액주입 때 골고루 넣어주는 것이 좋고, 주입 후 15분 정도 기다린다.

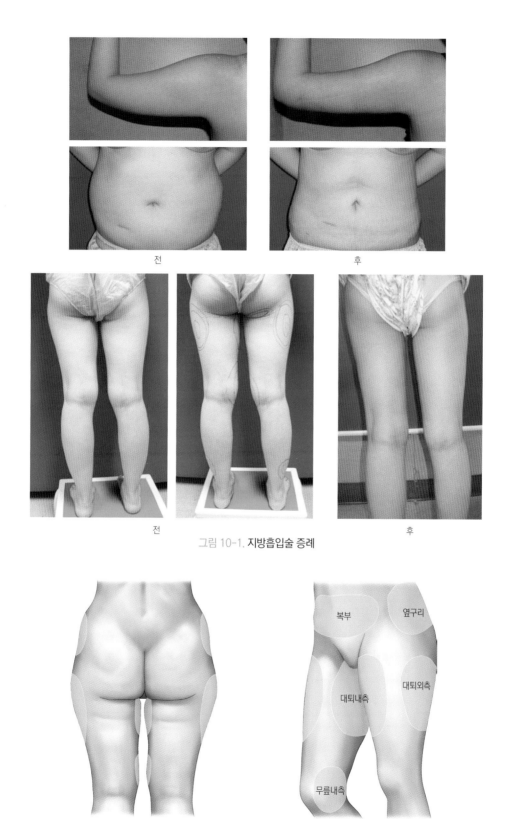

전   후

전   후

그림 10-1. **지방흡입술 증례**

복부   옆구리

대퇴외측

대퇴내측

무릎내측

그림 10-2. **지방흡입술 부위**

지방흡입량은 지방흡입을 시행할 때 흡입되어져 나오는 지방뿐만 아니라 주입된 혼합용액이 흡입되어져 나오는 양을 합친 것이고, 지방흡입량이 많을수록, 수술부위가 넓을수록 합병증의 위험성은 증가된다. 특히 지방흡입을 위해 주입된 투메슨트 혼합용액은 주입된 양의 50% 이상이 체내에 흡수되므로, 주입 전과 주입 후의 수액조절, 소변량, 출혈양, 지방흡입량 등을 잘 분석하여 전체적인 수액조절의 균형을 잘 맞추어야 한다. 그러므로 수술 후에는 수액과 몸의 전해질 균형을 보기위한 기본 혈액검사를 시행하며, 붓기의 빠른 소실과 좋은 수술결과를 위하여 압박옷(garment) 또는 탄력스타킹(stocking)을 수주간 착용한다.

(1) 음압을 이용한 흡입 지방흡입술(Suction assisted liposuction, SAL)

음압을 이용한 흡입 지방흡입술은 초기 단계에 이용된 고식적 기구로써 음압을 이용하여 금속관인 배관(cannula)을 통해 지방을 흡입하는 방식이다. 근래에는 다양한 종류의 지방흡입기가 개발되어 사용되지 않지만, 지방이식을 위한 소량의 지방채취를 위해 주사기의 음압을 이용한 흡입방식의 지방채취는 현재도 많이 사용되고 있다. 음압을 이용한 흡입 지방흡입술의 원리는 투메슨트 혼합용액을 주입한 후 배관을 넣어 지방조직을 분쇄하면 음압에 의해 지방과 혼합용액을 흡입해내는 것이나, 근래에는 음압 대신 진동형 동력, 초음파, 레이저를 이용한 지방흡입술이 많이 시행되고 있다.

(2) 진동형 동력을 이용한 파워 지방흡입술(Power assisted liposuction, PAL)

진동형 동력을 이용한 파워 지방흡입술은 전기모터에 의해 구동이 되며, 배관(cannula)이 진동과 회전운동의 움직임을 하게 된다(그림 10-3). 파워 지방흡입기의 적응증은 국소적 지방 과다축적에 좋은데, 얼굴, 목, 사지, 몸통의 부분적 비만에 좋고, 지방이식을 위한 지방흡입에도 좋으나, 대용량 지방흡입에는 한계가 있다.

그림 10-3. **파워 지방흡입기**

(3) 초음파 지방흡입술(Ultersound assisted liposuction, UAL)

지방흡입술은 기본적으로 지방을 분쇄하거나 녹여 지방을 흡입해 내는 것인데, 초음파 지방흡입기는 초음파를 이용하여 더 효율적으로 지방을 녹이기 위한 방법이다. 그동안 1, 2세대의 초음파 지방흡입기는 과도

한 열을 발생하여 화상의 위험이 있었으나(그림 10-4), 3세대 초음파 지방흡입기는 열에너지를 감소시켜 안전한 시술뿐만 아니라 지방을 녹이는 효과도 좋아졌다(그림 10-5).

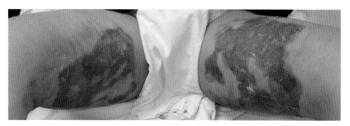

그림 10-4. 초음파 지방흡입술 중 화상 부작용

그림 10-5. 초음파 지방흡입기

(4) 레이저 지방흡입술(Laser assisted liposuction, LAL)

레이저 지방흡입기는 특수한 파장대의 레이저를 이용하여 직접 지방을 녹이고 흡입함으로써 쉽고 안전하게 지방을 흡입하므로, 출혈을 줄이고 피부의 탄력도 회복시켜 준다. 얼굴이나 목처럼 식이요법이나 운동요법으로 빼기 힘든 국소지방을 줄이는데 효과적이며, 앞서 설명한 일반 지방흡입기로는 시술하기 어려운 부위에 효과적이다. 레이저 지방흡입기는 가늘고 미세한 광섬유를 작은 바늘구멍을 통해 지방층에 주사하여, 레이저 에너지를 지방세포에 전달하면 지방을 파괴하고 녹인 후 주사기나 지방흡입기를 이용하여 녹아 있는 지방을 흡입해 내는 수술이다. 피부의 탄력이 떨어진 경우에는 피부의 진피층에 레이저를 직접 조사하여 진피층의 콜라겐 섬유를 수축시키고 재생시켜 피부의 탄력을 회복한다. 화상의 위험성은 발생 가능한 합병증이므로 조심해야 하지만, 다양한 레이저 지방흡입기 중 pulsed 1,444nm Nd:YAG 레이저 지방흡입기(accusculpt)는 물과 지방에 대한 선택성이 높아 혼합용액에 침윤된 지방만을 선택적으로 녹이는 장점이 있어 근래 많이 사용된다(그림 10-6). 레이저 지방흡입술 후 붓기, 당김, 통증 등의 증상이 2-3개월 지속될 수도 있고, 재시술을 원할 경우에는 3~6개월 후에 시행하는 것이 좋다.

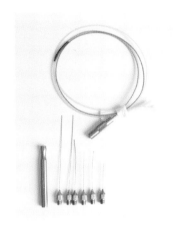

그림 10-6. Nd:YAG 레이저 지방흡입기(Accusculpt)

(5) 지방흡입술의 합병증

지방흡입술도 다른 성형수술 후 생길 수 있는 출혈, 혈종, 장액종, 감염, 저교정, 과교정, 피부의 불규칙 굴곡변형 등 다양하지만, 수술 중 저체온증, 혼합용액에 의한 독성증상, 피부나 복부장기의 관통 및 파열, 심부정맥혈전증(deep vein thrombosis, DVT), 폐동맥지방색전증(pulmonary fat embolism) 등 생명에 지장을 초래하는 합병증도 발생 가능하다. 이중 심부정맥혈전증과 폐동맥지방색전증은 여러 가지 요인에 의하여 발생하는데, 혈관손상에 의한 지방조직의 혈관폐쇄, 정맥 혈류의 저류, 혈액응고 기전의 이상에 의한 것으로, 다리의 갑작스런 통증과 부종, 흉통, 피 섞인 가래, 빠른 호흡, 빈맥, 의식소실 등 생명을 위협하는 무서운 합병증 중의 하나이다.

2) 지방이식(Fat injection, Fat graft)(그림 10-7)

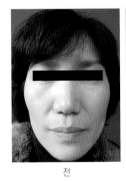
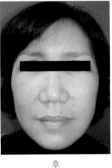
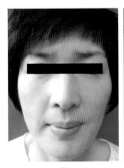
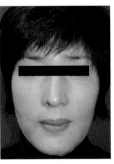

전　　　　　　　후　　　　　　　전　　　　　　　정

그림 10-7. **지방이식 증례**

지방이식(fat graft) 방법에는 지방 덩어리 자체를 이식하는 유리지방이식술(free fat graft), 피부의 진피조직과 함께 지방을 이식하는 진피지방이식술(dermofat graft), 체내에서 지방을 흡입하여 원심분리로 지방세포를 농축시킨 후 주사하는 유리지방주입술(free fat injection)으로 나눌 수 있다. 미용성형 수술영역에서 최근에 많이 시술되는 것은 유리지방주입술이며, 유리지방주입술을 간단히 지방이식으로 표현하고, 앞서 설명한 필러(filler) 주사의 임상적용과 비슷하지만, 지방이식은 자가 지방을 주사한다는 점에서 많은 장점을 가지고 있다. 지방이식은 주로 얼굴의 함몰부위, 주름, 피부처진 부위를 지방으로 채워 넣어 변형부위를 개선시키는 역할을 하며, 가슴확대술 때 유방보형물 대신 지방이식으로도 가능하고, 몸통과 사지의 함몰부위 또는 조직결핍부위도 교정할 수 있다. 지방이식이 효과적이고 안전한 시술이 되기 위한 기본원칙이 있는데, 지방을 부드럽게 채취하여 기본 구조를 잘 유지하는 것이고, 원심분리를 이용하여 가능한 순수 지방세포만을 농축시켜 이식하는 것이며, 지방의 생착을 위한 혈류공급을 위해 작은 지방단위로 이식하는 것이다.

지방을 채취할 공여부는 복부, 엉덩이 뒤쪽, 허벅지 외측에서 주로 채취하는데, 이식된 지방의 생착률은 공여부에 따라 별 차이가 없는 것으로 나타났다. 다량의 지방을 필요로 할 때는 지방흡입기를 이용하지만, 얼굴의 국소적 소량의 지방을 필요로 할 때는 주사기를 이용한 지방흡입을 시행하는데, 지방흡입의 안정성을 위해 지방흡입술 때 사용한 투메슨트 혼합용액을 지방을 채취할 부위에 사용한다. 채취한 지방을 가능한 순수 지방세포로 정제하고 농축시키는 원심분리 과정이 필요한데, 원심분리는 회전속도 3,000rpm에서 3분 정도 시행하면, 위층에 지방 기름(oil), 중간층에 지방세포, 아래층에 혼합용액과 혈액성분으로 분류되므로, 아래층은 주사기 마개를 열어 버리고, 위층의 기름은 부어 제거한다[그림 10-8]. 원심분리 후 얻어진 지방세포는 일반적으로 얼굴에 주입을 위해서는 1cc 주사기에 넣어 시술하며, 주입할 배관(cannula)은 지방이식의 부위에 따라 길이와 크기가 다양하게 선택할 수 있다[그림 10-9]. 지방이식 방법은 주입 배관을 지방이식 시행할 부위에 넣고 배관을 뒤로 빼면서 주입하는데, 부드럽게 여러 층으로 주사하며, 천천히 같은 압력으로 시행하고, 지방의 생착률을 높이기 위해 지방이 뭉치지 않게 균일하게 분포시키는 것도 중요하다[그림 10-10].

지방이식 후 이식한 부위의 표면이 고르지 못한 부위가 있으면 손가락으로 부드럽게 눌러 몰딩(molding)할 수 있지만, 과도한 몰딩은 오히려 이식된 지방세포를 파괴하여 생착률을 떨어뜨린다. 지방이식의 생존들은 25~50% 정도로 보고되고 있는데, 이러한 이식된 지방의 예측하기 어려운 생존률이 지방이식의 단점 중 하나이다. 그렇다고 얼굴의 지방이식에서 과교정을 추천되지 않는 이유는, 혹시 과교정 상태 그대로 지방이 생존하면 이식된 지방을 제거하는 것보다는 추후 새로운 지방이식을 하는 것이 훨씬 쉽기 때문이다.

1차 지방이식 후 남은 지방에 대해 냉동보관하는 경우가 있는데, 냉동보관된 지방의 추가 시술에 대해서는 논란이 많다. 냉동보관 후 해동하면 보관하는 동안 지방세포가 파괴되어 기름으로 변화된 부분이 있더라도, 다시 원심분리하여 사용하면 생착률은 떨어지지만 1~2개월까지는 괜찮다는 보고가 있는 반면, 2~3개월이 지나면 생착률이 현저히 떨어지니 사용해도 효과가 적다는 보고도 있다. 또한 해동 과정에 균의 증가로 염증 또는 감염을 일으킬 수 있으므로 사용하지 않는 것이 좋다는 보고도 있다. 얼굴에서 지방이식을 흔히 시행하는 부위는 팔자주름, 입가주름, 눈밑 눈물고랑, 상안검 함몰, 턱끝, 이마, 측두부 함몰, 뺨에 많이 시행되는데, 얼굴 부위와 변형의 정도에 따라 지방주입량, 주입 위치가 달라진다.

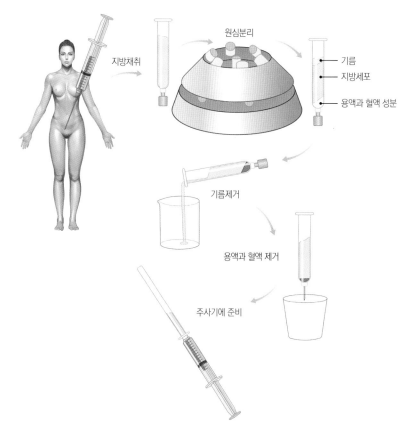

그림 10-8. **지방이식 정제과정**

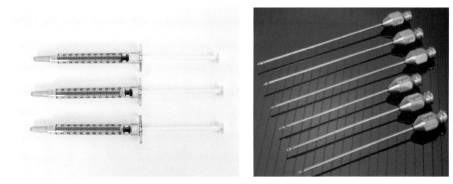

그림 10-9. **주사기 지방과 배관의 종류**

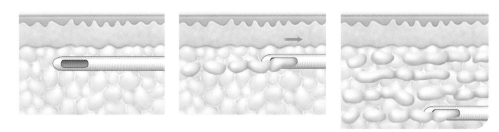

그림 10-10. **지방이식 방법**

지방이식 후 합병증은 지방흡입술 때와 유사하게 출혈, 혈종, 장액종, 저교정, 과교정 이외에도 지방이식 받은 부위의 지방의 뭉쳐진 덩어리, 피부의 불규칙 윤곽, 피부괴사, 안동맥을 통한 실명, 감염 등이 있을 수 있다. 특히 지방이식 후 발생되는 감염은 수술기구의 소독이나 청결과 깊은 관계가 있으므로, 지방흡입 또는 지방이식 때 사용되었던 배관(cannula)을 특별히 유의하여 세척, 소독해야 한다.

3) 지방줄기세포(Adipose stem cell)

줄기세포는 한 개의 세포에서 반복 증식하여 다량의 세포로 복제될 수 있는 자가 재생능력을 가지고 있는 세포로서, 배아줄기세포와 성체줄기세포로 나눌 수 있다. 배아줄기세포(embryonic stem cell)는 정자와 난자가 수정되어 발생한 초기 단계의 수정란의 배아에서 추출한 줄기세포이다. 배아줄기세포는 신체를 이루는 모든 세포와 조직으로 분화할 능력이 있기 때문에 전능세포라고도 하며, 유전병, 척수손상, 암과 같은 많은 난치성 질병의 치료에 큰 기여를 할 것이라 예상되지만, 수정란의 배아에서 유래된 세포이기 때문에 생명윤리에 관련되는 문제도 있다. 반면에 성체줄기세포(adult stem cell)는 성숙한 성인의 체내에서 추출할 수 있기 때문에 윤리적 문제가 없고, 환자 본인으로부터 추출한 세포의 줄기세포는 면역 거부반응도 일으키지 않으며, 다른 조직의 세포로도 분화할 수 있다. 성인의 지방, 골수뿐만 아니라 탯줄의 제대혈에서 추출할 수 있는데, 이중 미용성형 분야에서 최근에 사용되는 줄기세포는 지방줄기세포이다.

지방줄기세포의 추출과정은 앞서 설명된 것처럼 지방흡입으로 채취된 지방을 지방이식을 위해 원심분리하여 얻어진 지방세포 조직을 완충액으로 세척한 후, 콜라겐 분해효소(collagenase)를 처리하여 기질과 세포로 분리시킨 후 원심분리하면 하단에 침전된 세포층을 세포분획층(stromal vascular fraction, SVF)이라 부른다. 세포분획층에는 지방줄기세포 이외에 적혈구, 백혈구 등 다양한 세포들이 포함되어 있는데, 이 세포분획층을 세포배양용기에서 배양하여 순수 지방줄기세포만 추출할 수 있다. 근래에는 배양단계 이전의 세포분획층을 분리해 내는 간단한 기구들이 상품화되어 있으며, 세포분획층을 일반적으로 지방줄기세포라고 명명하며 시술하고 있다. 다양한 분화능력을 가진 지방줄기세포는 피부, 지방, 골, 연골, 근육, 혈관 등 다양한 세포로 분화될 수 있어, 이러한 특성을 활용하여 미용성형영역에서 많이 시술되고 있다.

지방줄기 세포의 임상적용을 살펴보면, 다량의 지방이식을 할 때 이식할 지방에 지방줄기세포를 섞어 주입하여 주입된 지방의 생착률을 높이고, 주름진 피부에 주사할 경우에는 피부, 지방, 혈관의 세포분화 능력으로 주름 개선뿐만 아니라 피부의 탄력과 광택 개선을 한다(그림 10-11). 또한 지방줄기세포는 인체의 허혈상태에서 짧은 시간 내에 혈관조직으로 분화하는 강력한 혈류개선 효과가 있어, 필러 주사 후 발생한 국소 혈류장애 또는 피부괴사 때 2~3일 이내의 조기에 지방줄기세포를 병변에 주사하면 피부괴사의 진행을 중단시키고 피부재생을 촉진하여 1주일 이내에 효과적인 결과를 기대할 수 있다(그림 10-12).

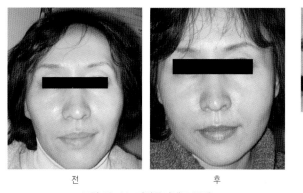

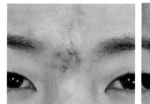

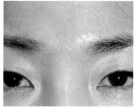

전　　　　　　　　　　후

그림 10-12. **지방줄기세포 피부재생 증례**

전　　　　　　　　　　후

그림 10-11. **지방줄기세포 증례**

4) 복부성형술(Abdominoplasty)(그림 10-13)

　　지방흡입술이 수술기구의 발달과 함께 수술방법도 많이 발전하였지만, 비만이나 피부처짐이 심한 경우에는 지방흡입술로는 결과에 한계가 있어, 피부-지방 절제술(dermolipectomy)이 시행되어야 한다. 특히 복부의 경우에는 복부성형술을 시행하여 단순히 미용적 목적뿐만 아니라 늘어지고 처진 복벽의 구조적 재건, 출산 후 튼살, 제왕절개술 후 흉터도 개선할 수 있다.

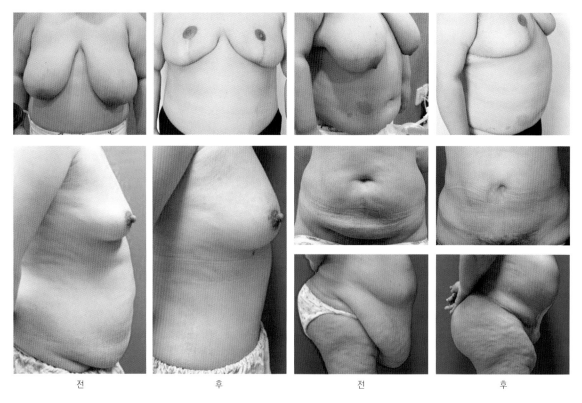

전　　　　　　　　　　후　　　　　　　　　　전　　　　　　　　　　후

그림 10-13. **복부성형술 증례**

(1) 복부의 해부

복부성형술을 시행하는 데 필요한 해부학적 지식뿐만 아니라 피하지방의 분포상태를 파악해야 복부성형술과 더불어 지방흡입술의 범위를 계획할 수 있다. 복부성형술 때 지방흡입술을 같이 시행하면 복부성형술의 박리범위를 줄여주고, 수술시간과 회복시간을 단축시켜 다른 합병증을 줄여줄 뿐만 아니라 복부성형술 범위를 넘어 옆구리와 상복부까지 체형교정이 가능해진다. 복부성형술의 박리범위를 줄여줄 수 있다는 것은 그만큼 혈관, 신경, 임파선의 손상을 줄일 수 있다는 의미인데, 복벽과 복부의 피부에는 심부 및 천부 복부동맥과 천공지(perforator), 천부 복부정맥에 의해 혈류 순환되며, 6~12번째 늑간신경(intercostal nerve)이 감각기능을 담당하고, 복직근(rectus abdominis)이 양쪽으로 수직 주행한다(그림 10-14).

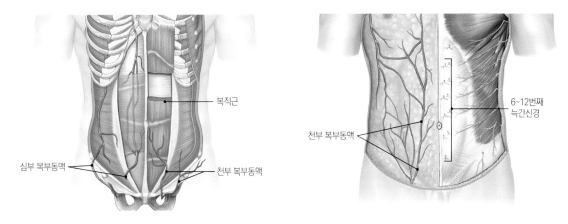

그림 10-14. **복부 해부**

(2) 수술방법

복부성형술의 수술 적응증은 복부지방이 과다하게 축적되면서 피부가 많이 늘어져 있는 경우, 튼살 또는 수술 후 하복부 흉터가 있는 경우, 다산 또는 노화로 복벽이 늘어진 경우에 좋다. 그러나 향후 임신을 원할 경우, 전신적 고도 비만, 내장 지방이 많은 복부 내장비만의 경우에는 복부성형술을 시행하지 않는 것이 좋다. 좋은 수술 결과를 위해서는 수술 전 환자의 복부 상태에 맞는 수술 도안이 중요한데, 절개를 위한 수술도안은 W형, 갈매기 모양, 피부주름절개 등 다양하다(그림 10-15). 일반적으로 수술도안은 치골결합(symphysis pubis)에 평행하게 아래쪽 중심선을 긋고, 중심선의 양쪽으로 7~8cm 사선 연장선을 옆구리 쪽으로 도안하는데, 장골능선(iliac crest)은 넘어가지 않는다. 그후 피부의 늘어진 정도와 예상 피부 절제량에 맞추어 위쪽 예상 절개선을 도안하지만, 정확한 절제량과 최종 절개선은 피판 박리와 지방흡입술 후 최종적으로 결정한다. 지방흡입술 때 사용하는 투메슨트 혼합용액을 수술부위에 주입하고, 복부성형술 시행 전에 지방흡입술을 시행하여 복부성형술의 박리 범위와 수술시간을 줄일 뿐만 아니라 복부성형술의 범위를 넘어 체형 교정이 가능해진다. 지방흡입 후 복부 박리는 배꼽을 지나 상복부의 명치부위(xiphoid process)까지 박리를 하는데, 박리과정에 복직근을 뚫고 올라오는 동맥의 천공지(perforator)가 확인되면 보존하고 손상된 경우에는 출혈이 많으므로 철저히 지혈한다.

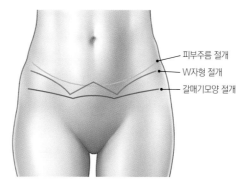

그림 10-15. **복부성형술의 수술도안**

피부주름 절개
W자형 절개
갈매기모양 절개

수술 중 복직근의 처짐과 벌어짐(diastasis)이 있으면, 양쪽의 복직근을 묶어 가운데로 위치시키는 봉합이 필요하다(그림 10-16). 박리와 복직근 봉합 후 잉여 피부를 절단하고, 봉합하기 전에 분리된 배꼽의 새로운 위치를 정해야 하는데, 일반적으로는 양 장골능선의 연결선 중앙 또는 치골결합부에서 15cm 정도의 높이에 배꼽이 새로 위치할 수 있게 절개를 한 후 배꼽을 빼내서 봉합해 준다. 마지막으로 피부 봉합은 2~3층으로 나누어 시행하며, 피부 봉합 전에 배액관(drain)을 삽입한다.

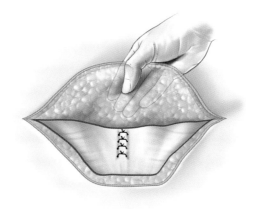

그림 10-16. **복직근 강화시키는 봉합**

(3) 미니-복부성형술(Mini-abdominoplasty)

복부성형술에 있어 피부, 지방, 복직근 벌어짐의 정도에 따라 4가지의 수술방법이 보고된 바 있다. 복부의 국소적 비만이 있으면서 제1형은 피부처짐과 복직근의 벌어짐이 적은 경우로 지방흡입술만을 권하고, 제2형은 피부처짐과 복직근의 변형이 경증인 경우로 미니-복부성형술을 권하고, 제3형은 피부처짐과 복직근의 변형이 중등도인 경우로 개선된 복부성형술을 권하고, 제4형은 피부처짐과 복직근의 변형이 심한 경우로 지방흡입술을 동반한 고식적인 복부성형술을 권하였다. 이중 미니복부성형술은 하복부에 국한된 피부처짐과 복직근의 변형이 있는 경우에는 배꼽의 위치를 옮기지 않고 최소절개를 통해 피부처짐과 복직근의 변형을 개선할 수 있으며, 나머지 변형은 지방흡입으로 교정할 수 있다. 또한 미니-복부성형술은 당뇨, 고혈압 등의 전신적인 질환이 있어 고식적인 복부성형술을 시행하기 어려운 환자에게 전신적인 합병증이나 수술의 위험을 줄이면서, 복부변형의 증상을 완화시킬 수 있는 한 방법이다.

5) 수술 전 관리

지방성형술을 시행할 때는 지방흡입술, 복부성형술, 지방이식술, 줄기세포주사 등을 각각 단독으로 시행하는 경우도 있지만, 환자의 변형과 상태에 따라 같이 시행하는 경우도 있으므로, 수술방법이나 수술준비가 다르기 때문에 충분한 상담과 검사를 통해 준비되어야 한다. 특히 비만을 해결하기 위해 수술을 해야하는 경우에는 생체전기 임피던스 측정법(BIA)(그림 10-17)에 의한 체지방량을 측정하는데, 체중의 25~33% 이상인 경우를 비만으로 본다. 상담 후 수술일정이 잡힌 환자에 대해서는 당뇨, 고혈압, 갑상선 질환 등 전신질환을 앓고 있거나 만성질환으로 복용 중인 약이 있으면 상의하여 전신상태를 좋게 유지시켜야 한다. 수술 전에 항응고제, 혈전용해제, 호르몬제, 혈액순환제, 한방성분의 약을 평소 복용하고 있는 경우에는 수술 중 출혈 경향을 높이므로 수술 1~2주 전에 중단하게 하고, 흡연과 음주는 상처회복에 좋지 않으므로 수술 1주일 전부터 금연과 금주하는 것이 좋다. 수술 당일에는 마취의 종류에 따라 금식시간이 필요한데, 국소마취의 경우에는 평소와 같이 식사를 하면 되지만, 수면마취의 경우에는 6~8시간 정도의 금식시간을 가져야 하며 고혈압, 갑상선 약은 평소대로 복용하도록 한다.

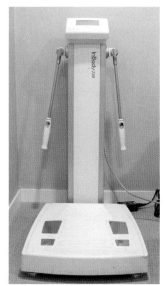

그림 10-17. 생체전기 임피던스 측정기와 측정법

수술 당일에는 얼굴 화장을 해서는 안 되고, 귀걸이와 목걸이 등 악세서리 착용을 금지시키며, 수술 후 필요에 따라 복대, 압박옷을 준비한다. 수술 당일 환자가 병원에 도착했을 때는 앞서 안내했던 지시대로 준수했는지 확인하고, 악세서리와 귀중품을 따로 보관한 후 수술복으로 갈아입힌다. 지방이식이나 간단한 지방흡입술은 보통 수면마취 하에 수술하지만, 복부성형술은 전신마취하에 수술하므로 전신마취를 시행할 경우에는 환자의 혈액검사, 방사선검사, 심전도 검사 등 전신상태를 파악한다. 수술부위별 지방성형술에 맞추어 환자의 수술 전 임상사진을 찍은 후, 총론에서 설명된 수술과 마취에 대한 일반적 동의서와 함께 지방성형술에 대한 수술동의서(그림 10-18)를 받는다.

6) 수술 후 관리

지방성형술의 수술종류와 수술부위에 따라 상처치료와 수술부위 관리를 하는데, 외래 통원치료의 경우에는 5일 분의 항생제, 진통소염제, 소화제를 처방한다.

복부성형술의 경우 수술 후 봉합사의 제거는 수술 10일 전후에 제거하므로 정기적으로 상처치료를 시행한다. 봉합사의 제거 때까지 수술 후 첫 이틀간은 냉찜질을 하여 붓기를 줄이고, 3일부터는 온찜질을 하면 혈액순환과 붓기 회복에 좋다. 취침 때에는 머리를 높일 수 있게 베개를 높게 베고, 수술 부위를 만지는 일이 없도록 하며, 술과 담배는 염증을 유발시키고 혈액순환을 방해하여 상처치유에 좋지 않다. 지방흡입을 시행한 부위에는 압박옷이나 복대(그림 10-19)를 수주간 착용하여 붓기관리와 상처회복에 도움이 되게 한다. 운동, 사우나 등은 수술 후 1달 후에 시작하는 것이 좋고, 3~6개월 지나면서 최종 모양이 만들어진다. 수술 후에는 수술 전에 촬영했던 임상사진을 봉합사 제거 후 촬영하고, 환자가 외래 경과관찰 때 촬영한다.

그림 10-19. **지방성형술 후 압박복**

등록번호 :
이   름 :
생년월일 :
병   실 :

지방 성형술 동의서

K 성형외과병원
K-plastic surgery hospital

1. 수술 목적 및 필요성, 장점

2. 수술 설명(과정 및 방법)

3. 수술 전/후 주의사항

안내문과 함께 설명을 들었음

4. 수술로 발생할 수 있는 후유증 및 합병증

수술의 일반적 부작용

① 출혈, 혈종, 멍 → 수혈
② 감염
③ 체액부족(저혈성 쇼크)
④ 폐색전, 지방색전 → 호흡부전 → 사망
⑤ 피부 불규칙, 변형
⑥ 비대칭
⑦ 신경손상, 혈관손상
⑧ 예상하지 못했거나 희귀한 경우의
　 부작용이나 후유증 → 발생 시 설명
⑨ 이물질 및 이로 인한 염증 가능성
　 → 2차 제거수술 가능성

1)지방 흡입술
① 저교정, 과교정
② 재발
③ 수술 후 피부처짐
④ 복부변형가능
⑤ 지방흡입은 여러번 할 수 있음

2) 지방 이식술
① 폐색전, 지방색전
　 → 뇌경색(실어증, 반신마비), 시력상실,
　 피부괴사 → 호흡부전 → 사망
② 이식 지방 용해 및 흡수
③ 과교정, 저교정, 변위
④ 보관용 2차 이식 때 효과는 떨어지고,
　 감염은 많을 수 있다.
⑤ 멍울이 만져질 수 있다.

3) 복부 성형술
① 복부 흉터 및 변형
② 복부 피부 괴사
③ 지방흡입술로 인한 후유증 및 부작용

마취 부작용
(1) 국소마취
① 마취 시 통증
② 불완전 마취
③ 두통
④ 쇼크(알레르기) → 사망

(2) 수면마취
① 악몽
② 메스꺼움, 구토
③ 무호흡, 기도폐쇄
　 → 저산소성 뇌손상 → 사망

(3) 전신마취
① 일시적 음성변화, 경부불쾌감
② 폐렴, 무기폐, 기도폐쇄, 기도, 치아 손상
③ 간독성, 신장독성
④ 심장마비
⑤ 사망

환   자 :　　　　　　　　　　㊞

보호자(대리인) :　　　　　　㊞　(환자와의 관계:　　　　　　　　)

K 성형외과병원
K-plastic surgery hospital

지방 성형술 동의서

그림 10-18. 지방 성형술 동의서

11. 악안면골 성형술

일반적으로 턱수술이라 하면 얼굴이 사각진 사람은 턱각을 다듬는 사각턱 성형을 생각할 것이고, 아래턱이 윗턱보다 많이 나온 주걱턱을 가진 사람은 치아교정을 같이 하는 턱교정수술을 생각할 것이다. 하지만 악안면골 성형술의 종류에는 사각턱성형술과 턱교정수술 이외에도 턱의 앞쪽 끝만 교정하는 턱끝성형술, 돌출된 앞 치아와 잇몸으로 인하여 웃을 때 잇몸이 노출되는 것을 교정하는 돌출입교정술, 얼굴의 좌우가 짝짝이인 안면비대칭을 교정하는 비대칭교정술 등 다양하다. 즉 턱수술은 치아교정을 같이 하는 턱교정수술과 치과 교정이 필요없이 얼굴의 윤곽을 다듬어 주는 안면윤곽술로 크게 나눌 수 있다.

동양인은 서양인에 비해 얼굴이 짧고, 넓으며, 편평한 모양을 가지고 있기 때문에 사각져 보이기 쉽다. 수술을 받자니 뼈를 깎는 아픔과 시간적, 경제적 부담이 들고, 시술자의 숙련된 기술이 없으면 위험이 따르는 부담스런 수술이기 때문에, 보톡스나 고주파 레이저를 이용하여 턱각의 저작근인 교근(masseter)을 위축시키는 간단한 시술도 보편화되었다. 뼈에는 신경이 없기 때문에 통증을 느끼지 못하므로 뼈를 깎는 아픔은 없고, 단지 뼈 주위의 조직들을 절개하고 박리하므로 붓기로 인한 통증은 있을 수 있다.

많은 성형수술 중 뼈를 깎거나 절골시켜 얼굴의 모양을 바꾸는 악안면골 성형술은 변화가 뛰어나지만, 그만큼 위험성도 높으므로 수술 전에 충분한 상담이 중요하다. 단순히 예뻐진다는 기대감만 설명해 주는 것보다 실제로 악안면골 성형술이 어떤 수술이며, 수술과정과 회복과정, 부작용에 대해서도 충분히 설명하여 수술의사와 환자 간에 신뢰와 협조를 바탕으로 진행되어야 한다.

1) 악안면골 해부(그림 11-1)

악안면골은 아래턱인 하악골(mandible), 윗턱인 상악골(maxilla), 상악골 위로는 관골(zygoma), 비골(nose), 안와골(orbit)이 있다. 하악골은 얼굴뼈 중에서 가장 크고 단단하며, 아래턱의 치아를 지지하면서 교합과 저작에 관여한다. 하악골은 부위별로 하악몸통(body), 하악각(angle), 치조돌기(alveolar process), 하악지(ramus), 관절돌기(condyle), 구상돌기(coronoid process)로 구분된다(그림 11-2). 신경은 삼차신경(trigeminal nerve)의 하치조신경(inferior alveolar nerve)이 하악지 안쪽에 있는 하악공(mandibular foramen)으로 들어가 하악각과 하악몸통을 거쳐 턱 앞쪽의 이공(mental foramen)을 통해 이신경(mental nerve)으로 분지되어 아랫입술의 감각을 담당한다.

2) 수술 전 고려사항

악안면골 성형술은 크게 턱교정수술(orthognathic surgery)과 안면윤곽술(facial contouring surgery)로 나뉘는데, 턱교정수술은 윗턱이든 아래턱이든 절골을 통해 이동시켜 치아의 교합상태를 재배치하는 수술이므로 치아교정을 동반하는 것이고, 안면윤곽술은 말 그대로 교합에는 상관없이 얼굴뼈의 윤곽을 다듬어

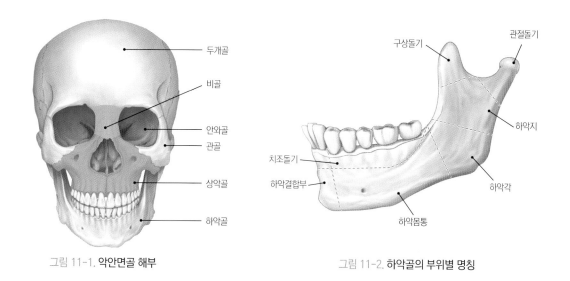

그림 11-1. 악안면골 해부

그림 11-2. 하악골의 부위별 명칭

주는 수술이다. 동양인에서 안면윤곽술은 관골축소술(reduction malarplasty), 하악각성형술(mandibular angloplasty), 턱끝성형술(genioplasty), 비익기저부 증대술(paranasal augmentation) 등이 있다.

턱교정술에는 양악수술(two jaw surgery)과 돌출입교정술이 있다. 안면윤곽술은 치아교합 상태와 관계없이 얼굴뼈의 상태와 모양에 맞추어 수술하지만, 턱교정술의 경우에는 치아교합 상태에 맞추어 검사를 해야 하므로 두 수술 간에도 상호 필요한 검사를 하면서 보완되어야 한다.

그러므로 악안면골 성형술을 원하는 환자에게는 외형에 대한 얼굴평가, 방사선학적 뼈평가, 치아교합평가, 턱관절평가가 체계적으로 필요하다. 외형에 대한 얼굴평가에 있어서는 정면에서 봤을 때 전반적인 얼굴의 형태, 얼굴의 대칭성, 상중하 안면의 관계, 입술, 코 등을 평가하고, 측면에서 봤을 때 얼굴의 형태 이외에 윗입술과 아랫입술의 전후방 입술위치를 평가한다(그림 11-3).

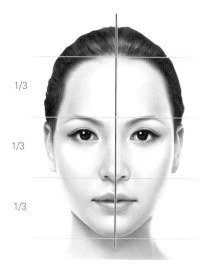

그림 11-3. 얼굴의 형태와 대칭성

방사선학적 뼈평가는 두개안면계측(cephalometry)과 파노라마(panorama) 방사선검사에서 평가할 수 있다(그림 11-4). 측면 두개안면계측(lateral cephalometry)에서 연조직(soft tissue) 분석과 경조직(skeletal) 분석을 통해 수술 전 계측치와 수술 후 변화량도 예측할 수 있다. 후전방 두개안면계측(posteroanterior cephalometry)에서는 경조직 분석을 통해 비대칭의 진단과 치료계획을 수립한다. 파노라마 방사선검사는 상악골과 하악골을 2차원 평면으로 펼쳐 놓은 상태를 보여주므로 좌우측 상하악의 골격상태, 치아상태 등을 한눈에 관찰할 수 있다.

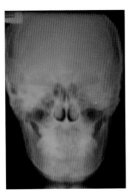
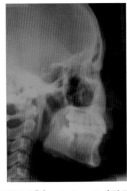
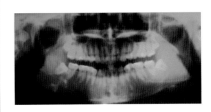

그림 11-4. **두개안면계측(cephalometry)과 파노라마(panorama) 방사선검사**

치아교합평가에서는 상악골과 하악골 치아가 서로 맞닿는 관계를 보는 것으로, 교합이 정상이 아닌 부정교합(malocclusion)의 경우에는 턱뼈의 성장에도 영향을 미쳐 외관상 보기 싫을 뿐 아니라 기능적 이상을 동반하여 턱관절 장애를 일으키기도 한다. 가장 널리 사용되는 Angle의 부정교합 분류법은 상악 제1대구치(first molar)와 하악 제1대구치 사이의 앞뒤 위치관계에 따라 분류한다. 제1부정교합(class I malocclusion)은 제1대구치 간에 위치관계는 정상이지만 다른 치아의 배열에 이상이 있는 것이고, 제2부정교합(class II

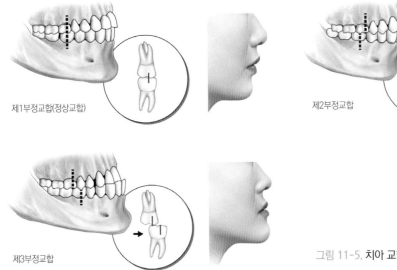

제1부정교합(정상교합)

제2부정교합

제3부정교합

그림 11-5. **치아 교합과 턱모양**

malocclusion)은 하악 제1대구치가 상악보다 뒤쪽에 있어 턱이 들어가므로 무턱의 모습을 보이며, 제3부정
교합(class III malocclusion)은 하악 제1대구치가 상악보다 앞쪽에 있어 턱이 앞으로 돌출한 주걱턱의 모
습을 나타낸다(그림 11-5). 턱관절평가에 있어서는 턱관절에 기존 질환이 있거나 치료기간 또는 수술 후에도
문제가 발생할 수 있음을 이해시켜야 하며, 특히 턱교정수술에 있어서는 중요한 구성요소이므로 주의깊게
검사해야 한다.

3) 하악각성형술(Mandibular angloplasty)(그림 11-6)

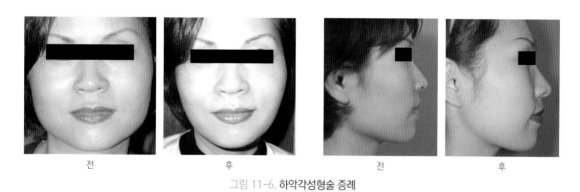

| 전 | 후 | 전 | 후 |

그림 11-6. 하악각성형술 증례

하악각성형술은 흔히 사각턱수술이라고 하며, 앞에서 봤을 때 하안면부의 폭을 갸름하게 하고, 옆에서 봤
을 때 사각진 턱선을 부드럽게 만들기 위해 하악골의 하악각(angle)을 다듬는 수술이다. 그러므로 아래턱이
넓게 보이거나 길 때, 좌우 비대칭일 때, 옆모습 턱이 각져 보일 때 수술을 고려해 볼 수 있다. 수술방법은 뼈
의 절제범위에 따라 하악각의 각진 부분을 곡선절제술(curved ostectomy)하는 방법, 옆으로 넓은 부위를 절
제해내는 외관골절제술(lateral cortex ostectomy), 하악각 뿐만아니라 하악몸통(body)의 밑면을 같이 절제
해 주는 장곡선절제술(long curved ostectomy) 등으로 분류할 수 있으며, 얼굴의 형태에 따라 한 가지를 택
하거나 병행해서 수술하게 된다(그림 11-7). 수술은 모두 입안에서 시행되기 때문에 수술부위가 깊고 좁으므
로, 헤드라이트(headlight)와 광섬유케이블(illuminator cable)이 달린 견인기(retractor)를 사용하여 시야를
확보한다(그림 11-8).

수술은 전신마취하에 시행되며, 하악각 부위의 입안 점막을 절개하고, 골막하 박리로 연부조직을 박리
하다가 교근(masseter)을 박리한다. 박리하는 과정과 골절제 과정에 안면동맥(facial artery), 하악후정맥
(retromandibular vein), 안면신경(facial nerve), 이신경(mental nerve) 등 하악골 주변에 있는 혈관이나
신경들이 손상되지 않게 조심해야 한다. 하악각성형술은 입안의 좁은 공간에서 눈으로 직접 확인되지 못
하는 부분을 수술의사의 경험과 느낌으로 진행하는 부분이 있으므로 풍부한 수술 경험이 필요하다. 합병
증으로 수술 중 혈관손상에 의한 출혈과 혈종(hematoma)이 흔한데, 이중 안면동맥 또는 하악후정맥의 손
상에 의한 출혈은 응급상황이므로 잘 대처해야 한다. 그 이외에 신경손상에 의한 안면마비 또는 이상감각

(paresthesia), 절골 과정에 관절돌기(condyle)에서 하악골 골절이 발생 가능하다. 요즘은 보톡스(Botox)의 대중화로 인해 어려운 하악각성형술보다 교근에 보톡스 시술을 하는 경향이 많다.

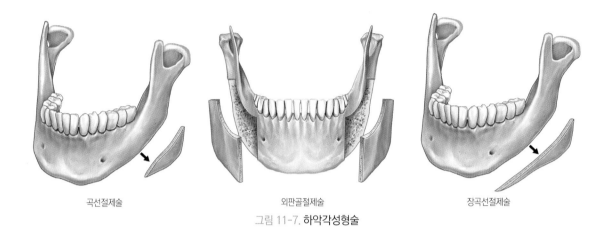

| 곡선절제술 | 외판골절제술 | 장곡선절제술 |

그림 11-7. **하악각성형술**

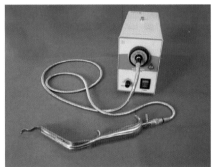

그림 11-8. 헤드라이트(headlight)와 광섬유케이블(illuminator cable)이 달린 견인기(retractor)

4) 턱끝성형술(Genioplasty)

턱끝성형술은 치아교합은 정상이지만, 턱끝의 돌출이 부족하거나 턱끝의 돌출이 심할 때 보형물을 이용하거나 뼈를 절골하여 턱끝의 위치를 앞뒤로 이동시키고, 턱끝의 폭과 모양을 변화시켜 주는 것이다. 그러므로 턱끝의 돌출이 부족한 경우에는 턱끝증대술을 시행하고, 돌출이 심한 경우에는 턱끝축소술을 시행한다. 턱끝증대술의 경우에는 필러, 지방이식, 보형물을 이용하는 방법과 절골술을 이용하는 방법으로 나눌 수 있다.

(1) 턱끝증대술(Augmentation genioplasty)(그림 11-9)

치아교합은 정상범위이면서 턱끝이 뒤로 들어가 있거나 돌출의 정도가 부족하여 턱끝이 작은 무턱의 경우, 턱끝의 길이를 연장시켜주는 방법으로 뼈 절골술 없이 보형물, 지방이식, 필러주사 등을 이용하는 방법을 턱끝증대술이라고 한다. 주로 사용되는 보형물에는 실리콘이나 인조뼈(medpor)가 주로 사용되는데(그림 11-10),

보형물이 놓이는 위치가 치조골(alveolar bone)에 놓이면 보형물이 골조직을 지속적으로 압박하여 골흡수가 되는 단점이 있으므로 치조골 밑의 단단한 하악체부에 위치시킨다.

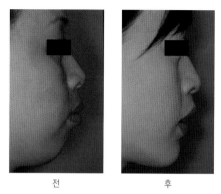

전　　　　　　　후

그림 11-9. **턱끝증대술 증례**

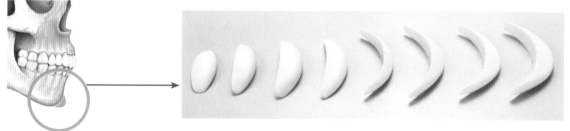

그림 11-10. **턱끝증대술과 보형물**

(2) 턱끝전진술(Advancement genioplasty)

턱끝전진술은 치아교합은 정상범위이면서 턱끝이 뒤로 들어가 있거나 돌출의 정도가 부족하여 턱끝이 작은 무턱의 경우, 뼈 절골술을 통해 턱끝의 깊이를 연장시켜 주는 방법이다. 턱끝의 돌출이 부족한 정도에 따라 일반적으로는 횡절골을 한 군데 하지만(그림 11-11), 무턱이 심한 경우에는 횡절골을 두 군데 시행하여 단계적으로 전진시키는 2-계단 턱끝성형술(2-step genioplasty)도 있다. 절골술 후 전진된 턱끝뼈는 금속판과 나사로 고정하는데, 소구치(premolar) 밑에서 나오는 이신경(mental nerve)의 손상이 없도록 조심해야 한다.

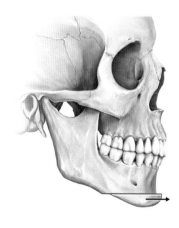

그림 11-11 . **횡절골 턱끝전진술**

277

(3) 턱끝축소술(Reduction genioplasty)(그림 11-12)

턱끝축소술은 치아교합은 정상범위이면서 턱끝이 앞으로 나와 있거나 돌출의 정도가 심하여 턱끝이 큰 경우에, 뼈 절골술을 통해 턱끝의 길이와 폭을 줄여주는 수술방법이다. 수술방법은 2-계단 턱끝성형술처럼 두 군데의 횡절골을 시행한 후 중간의 절골된 뼈를 제거하고 턱끝뼈를 일부 후퇴시킨 후 금속판과 나사로 고정해 준다(그림 11-13). 턱끝의 폭이 넓은 경우에는 T-절골술(T-osteotomy)을 시행하여 가운데 골편을 제거하고 양쪽 턱끝 뼈를 모아주므로 폭을 줄일 수 있다(그림 11-14).

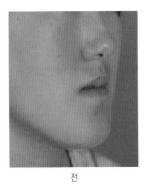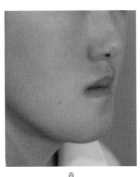

전   후

그림 11-12. 턱끝축소술 증례

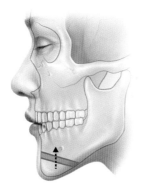

그림 11-13. 턱끝축소술

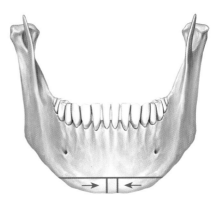

그림 11-14. T- 절골 턱끝축소술

5) 관골축소술(Reduction malarplasty)(그림 11-15)

광대뼈인 관골은 동양인이 서양인에 비해 앞으로 돌출되고, 옆으로 폭이 넓으며, 얼굴의 길이도 짧으므로 중안면부가 더 사각져 보인다. 그러므로 관골축소술은 중안면부의 윤곽을 갸름하고 부드럽게 만들기 위해 동양인에게 주로 시행되는 안면윤곽술이다. 관골은 앞쪽 윤곽을 이루고 있는 관골체(zygomatic body)와 옆쪽 윤곽을 이루고 있는 관골궁(zygomatic arch)으로 구성되어 있다. 관골은 위쪽으로는 전두골(frontal bone), 아래쪽으로는 상악골(maxilla), 앞쪽으로는 안와골(orbit)을 형성하고, 뒤쪽으로는 측두골(temporal bone)과 연결된다.

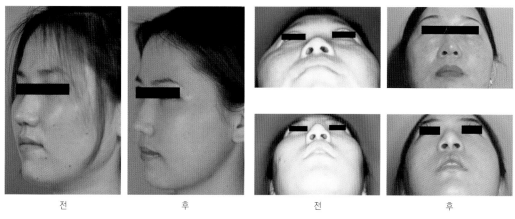

전 후 전 후

그림 11-15. 관골축소술 증례

수술 전에 방사선 검사를 통해 연부조직과 뼈의 상관관계를 파악하는 것이 중요한데, 연부조직이 두껍거나 둥근 얼굴에는 수술 효과가 적다. 관골의 앞쪽 윤곽을 결정하는 관골체와 옆쪽 윤곽을 결정하는 관골궁의 대칭성과 돌출 정도를 정확히 파악해야 한다. 수술방법은 구강내 접근법(intraoral approach), 귀앞 접근법(preauricular approach), 관상접근법(coronal approach) 등으로 시행할 수 있다(그림 11-16). 어떠한 방식으로 하든 관골을 박리하고, 관골체와 관골궁을 절골한 후 돌출된 관골을 원하는 위치에 재배치(reposition)한다(그림 11-17). 그후 철사(wire) 또는 금속판(plate & screw)으로 견고하게 고정(ridid fixation)시켜 주어야, 뺨처짐(cheek droop), 부정유합(malunion) 또는 불유합(nonunion)으로 인한 통증, 비대칭 등의 합병증을 예방할 수 있다(그림 11-18). 두피절개를 통한 관상접근법은 관골의 수술시야가 넓어 정확한 수술을 할 수 있으나, 긴 수술시간과 두피 흉터 등의 단점이 있다. 요즘은 관골 재수술 또는 관골성형술과 함께 전두부 거상술(forehead lift)이 필요한 환자에게 주로 시행되고 있다.

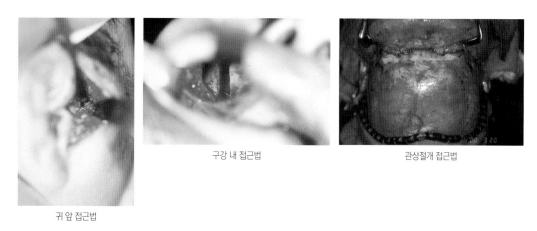

구강 내 접근법   관상절개 접근법

귀 앞 접근법

그림 11-16. 관골축소술 접근방법

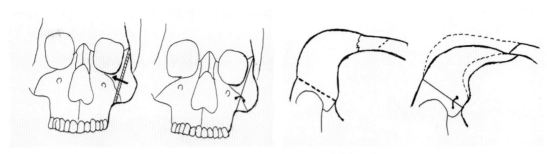

그림 11-17. 저자의 관골축소술 재배치와 고정

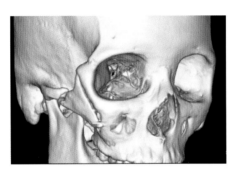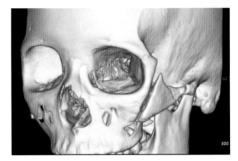

그림 11-18. CT 사진(부정유합, 불유합 사례)

6) 비익기저부 증대술(Paranasal augmentation)^(그림 11-19)

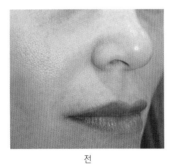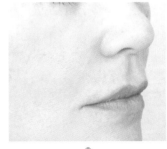

전   후

그림 11-19. 비익기저부 증대술 증례

흔히 귀족수술이라고 불리는 비익기저부 증대술은 코 옆이 함몰된 동양인에게 주로 시행되는데, 코 옆이 함몰되면 팔자주름(nasolabial fold)을 더 뚜렷하게 만들어 외관상 나이가 들게 만든다. 중안면부의 함몰이 심한 경우는 턱교정술을 통해 교정하지만, 심하지 않은 경우는 비익기저부 증대술로 교정할 수 있다.

수술방법은 주로 실리콘이나 인조뼈(medpor)를 이용하여 국소마취 또는 수면마취 하에 간단하게 수술할 수 있다(그림 11-20). 실리콘의 경우에는 코안 또는 입안 점막절개를 통해 원하는 위치에 보형물을 둘 수 있으나, 인조뼈의 경우에는 입안 점막절개로 가능하다. 합병증으로는 보형물의 위치가 전이될 수 있고, 염증 또는 감염이 발생할 수 있으며, 보형물이 돌출할 수도 있다. 수술을 원치 않는 경우에는 지방이식이나 필러주사로 간단히 시술할 수 있지만, 흡수율이 높아 결과를 예측하기 어렵다.

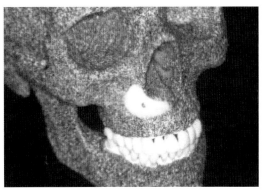

그림 11-20. 비익기저부 증대술(귀족수술)

7) 양악수술(Two-jaw surgery)(그림 11-21)

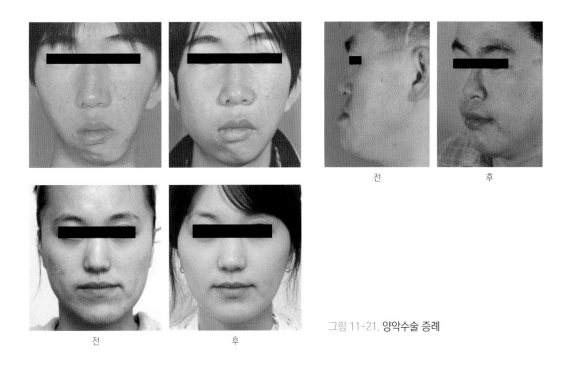

전　　　　　　　　후

그림 11-21. 양악수술 증례

　　　　전　　　　　　　　후

양악수술이란 상악골과 하악골을 동시에 수술하여 부정교합 상태의 변형을 교정해주는 턱교정수술이다. 그러므로 수술 전에 외형에 대한 얼굴평가, 방사선학적 뼈평가, 치아교합평가, 턱관절평가가 체계적으로 필요하며, 부정교합에 대해 수술 전후 치아교정이 필요하다. 양악수술의 적응증으로는 제3부정교합인 주걱턱이 심한 경우에는 상악골을 앞으로 전진시키고 하악골은 뒤로 후퇴시키며, 제2부정교합인 무턱이 심한경우에는 상악골을 뒤로 후퇴시키고 하악골을 앞으로 전진시키는 양악수술을 시행할 수 있다. 부정교합이 심하지 않은 경우에는 하악골만 전진 또는 후퇴시키는 단악수술(one-jaw surgery)도 가능하다.

양악수술의 술기와 치아교정은 다음과 같다.

(1) 치아교정(Orthodontics)

치아교정이란 상악골과 하악골의 치아들을 이동하여 정상교합을 이루도록 하는 치료과정을 뜻하는데, 악안면골 성형술 중 턱교정수술은 이러한 치아교정을 통해 치아의 배열을 바로 잡은 후 수술 후에 정상교합이 되도록 하는 것이다. 정상교합(neutral occlusion)이란 앞서 말한 Angle의 부정교합 분류 중 상하악의 제1대구치 위치 관계는 정상인 제1부정교합을 가지면서, 상악의 앞니(incisor)가 하악의 앞니를 3~4mm 정도 덮어주고, 앞니의 정중선이 일치하며, 상악의 송곳니(canine)가 하악의 송곳니 뒤에 위치할 때 정상교합이라고 한다.

수술 전 교정치료의 목적은 골격성 부조화로 인한 치아변형을 교정하고, 수술로 이동해야 할 턱뼈의 이동량을 확보하는 것이다. 그러므로 환자의 상태에 따라 수술 전에 6개월~1년반 교정치료하며, 수술 후에도 일정기간 교정치료를 받는다.

(2) 상악골의 LeFort I 절골술(LeFort I osteotomy)

상악골의 LeFort I 절골술을 통해 먼저 상악을 전진 또는 후퇴시킬 수 있게 이동하는 것이다. 상악 구강점막절개 후 상악골을 박리하고, 상악골을 수평절골술 후 상악골이 주변 조직에서부터 완전 자유롭게 이동시킨 후 수술 계획에 맞추어 재배치하고 금속판과 나사로 고정해준다.

(3) 하악골의 하악지 시상분리술(Bilateral sagittal split osteotomy of mandibular ramus, SSRO)

하악골의 하악지 시상분리술을 통해 하악을 전진 또는 후퇴시킬 수 있게 이동하는 것이다. 하악 구강점막절개 후 하악골의 몸체, 하악각, 하악지를 모두 박리하고, 양쪽 하악지의 내측에서 절골술을 통해 수직으로 하악지를 분리시킨다. 분리된 하악골을 수술 계획에 맞추어 재배치하고, 미리 만들어둔 수술 웨이퍼(wafer)로 상하악을 맞춘 후 고정해준다. 이때 턱관절의 위치가 정상범위에서 벗어날 수 있으므로 주의해야 한다 (그림 11-22).

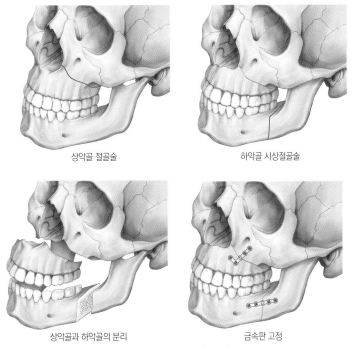

상악골 절골술

하악골 시상절골술

상악골과 하악골의 분리

금속판 고정

그림 11-22 . **양악수술**

8) 돌출입 교정술(Bimaxillary ASO)(그림 11-23)

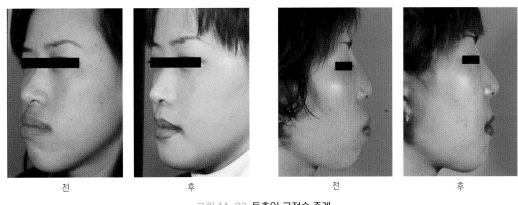

전   후   전   후

그림 11-23. **돌출입 교정술 증례**

    돌출입교정술은 양악전방분절절골술(bimaxillary anterior segmental osteotomy)을 말하는 것으로, 치아교합은 정상범위이면서 앞니와 송곳니 부분의 입이 튀어나와 입술이 다물어지지 않는 돌출입을 교정하는 것이다.

    돌출입교정술은 위턱과 아래턱의 총 4개의 치아를 발치하면 그만큼의 공간이 생기게 되어, 확보된 공간만큼 위턱과 아래턱 뼈를 절제하고, 돌출된 치아와 잇몸을 통째로 뒤로 넣어주는 수술이며, 보통은 제1소구치

(premolar) 4개를 발치한다. 환자의 돌출 정도에 따라 수술 전후 치아교정이 필요할 수 있으나, 양악수술만큼 치아교정의 필요성과 교정 기간은 덜하다.

수술방법은 상악과 하악의 제1소구치 4개를 발치한 후 발치한 주변의 점막을 박리하고, 발치된 공간만큼 위턱과 아래턱 뼈를 절제한다. 상하악 모두 앞니와 송곳니가 포함된 치아와 잇몸뼈를 주변 뼈와 조직으로부터 분리시키고, 분리된 치아와 잇몸뼈를 뒤로 넣어준 후 금속판과 나사로 고정해준다(그림 11-24).

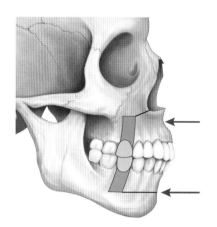

그림 11-24. **돌출입 교정술**

위턱과 아래턱을 동시에 절골하여 수술한다는 의미에서 양악수술이라고 말할 수 있지만, 양악수술과는 달리 위턱과 아래턱의 전체 교합을 움직이는 것이 아니라 앞니와 송곳니 부분의 치아와 잇몸뼈를 뒤로 넣어주는 수술이라 양악수술보다는 수술시간이 적게 걸리고, 수술 중 합병증의 위험성도 덜하다. 같은 방법으로 제1소구치 4개를 발치하고, 치아교정만으로도 돌출입은 교정 가능한데, 치아교정 기간이 2-3년 정도 걸리며, 치아교정만으로는 효과에 한계가 있다. 그러므로 돌출입 정도가 심한 경우, 앞니에 보철이 많은 경우, 빠른 시간 내에 돌출입의 교정을 원하는 경우에는 치아교정보다 수술이 선택된다.

9) 수술 전 관리

악안면골 성형술을 시행할 때는 안면윤곽술 또는 턱교정술을 각각 단독으로 시행하는 경우도 있지만, 얼굴뼈의 변형에 따라서는 각각의 수술을 같이 시행하는 경우가 많으며, 특히 환자의 얼굴뼈 형태와 치아교합에 따라 수술방법이나 수술준비가 다르기 때문에 충분한 상담과 검사를 통해 준비되어야 한다.

악안면골 성형술은 앞서 설명되었던 것처럼 수술의 난이도가 높고, 수술 중 합병증의 위험이 높으므로 숙달된 의사와 충분히 상담하여야 하고, 환자도 이러한 어려움을 이해해야 수술 후 회복과정도 잘 견딜 수 있다.

상담 후 수술일정이 잡힌 환자에 대해서는 당뇨, 고혈압, 갑상선 질환 등 전신질환을 앓고 있거나 만성질환으로 복용 중인 약이 있으면 상의하여 전신상태를 좋게 유지해야 한다. 수술 전에 항응고제, 혈전용해제, 호르몬제, 혈액순환제, 한방성분의 약을 평소 복용하고 있는 경우에는 수술 중 출혈 경향을 높이므로 수술 1~2주 전에 중단하게 하고, 흡연과 음주는 상처회복에 좋지 않으므로 수술 1주일 전부터 금연과 금주하는 것이 좋다.

수술 당일에는 마취의 종류에 따라 금식시간이 필요한데, 수면마취와 전신마취의 경우에는 8시간 정도의 금식시간을 가져야 하며 고혈압, 갑상선 약은 평소대로 복용하도록 한다. 대부분의 악안면골 성형술은 전신마취하에 수술하므로 전신마취를 위한 환자의 혈액검사, 방사선검사, 심전도검사 등 전신상태를 파악해야 한다.

악안면골 성형술에 맞추어 환자의 수술전 임상사진을 찍은 후, 총론에서 설명된 수술과 마취에 대한 일반적 동의서와 함께 악안면골 성형술에 대한 수술동의서(그림 11-25)를 받으며, 환자는 수술준비를 위해 수술 전날 입원시킨다.

10) 수술 후 관리

양악수술은 상악골과 하악골을 동시에 절골하여 변형을 교정해주므로 수술 후 안정적으로 수술상태가 유지되기 위해 상하악간 악간고정(intermaxillary fixation, IMF)을 일정기간 철사로 묶어서 고정해 두기 때문에 수술직후에는 기도유지가 가장 중요하다. 특히 수술로 인한 붓기가 심하여 수술 후 3~4일은 앉은 자세를 유지해야 하며, 구강 위생 및 감염관리를 철저히 해야 한다.

또한 수술범위에서 많은 혈관과 신경들이 주행하므로 수술 중 또는 수술 후에 출혈과 혈종이 심할 수 있고, 출혈로 인한 응급상황도 발생할 수 있으므로 특별히 주의해야 한다. 전신마취로 시행된 모든 악안면골 성형술은 수술종류에 따라 수술 후 2~7일간 입원치료를 하며, 상처치료와 압박드레싱을 시행한다.

수술 후 첫 이틀간은 냉찜질을 하여 붓기를 줄이고, 3일부터는 온찜질을 하면 혈액순환과 붓기 회복에 좋다. 취침 때에는 머리를 높일 수 있게 베개를 높게 베고, 수술 부위를 만지는 일이 없도록 하며, 술과 담배는 염증을 유발시키고 혈액순환을 방해하여 상처치유에 좋지 않다. 3~6개월 정도 지나면서 붓기도 빠지고 뼈 치유과정도 안정화된다.

수술 후에도 수술 전에 시행했던 방사선검사로 수술 후 경과를 확인해야 하며, 수술 전에 촬영했던 임상사진도 환자가 외래경과 관찰 때 촬영한다.

등록번호 :
이　　름 :
생년월일 :
병　　실 :

안면골 성형술 동의서

K 성형외과병원
K-plastic surgery hospital

1. 수술 목적 및 필요성, 장점

2. 수술 설명(과정 및 방법)

3. 수술 전/후 주의사항

안내문과 함께 설명을 들었음.

4. 수술로 발생할 수 있는 후유증 및 합병증

#수술의 일반적 부작용

① 출혈(혈종, 멍), 쇼크 -> 수혈 -> 심하면 사망
② 감염, 재발
③ 부종 -> 심하면 호흡곤란 -> 사망
④ 비대칭(짝짝이), 과교정, 저교정
⑤ 안면신경 손상
　　- 국소적 감각저하 및 이상감각
　　- 얼굴마비
⑥ 혈전증
⑦ 피부괴사
⑧ 후각이상
⑨ 중이염, 부비동염의 발생이나 악화
⑩ 코, 입술 모양의 변화
⑪ 코골이가 생길 수 있다.
⑫ 턱관절 문제
⑬ 치아 문제
⑭ 수술 중 골절
⑮ 부정유합, 불유합
⑯ 치아 부정교합, 치아교정필요
⑰ 수술방법에 따라 흉터, 얼굴변형
⑱ 상하악간 악간 고정
⑲ 금속판과 나사가 뼈속에 묻히거나 만져질 수
　 있다.
　 -제거하려면 6개월 이내에 해야한다

⑳ 예상하지 못했거나 희귀한 경우의
　 부작용이나 후유증 -> 발생시 설명
㉑ 재수술 필요할 수도 있음.
㉒ 이물질 및 이로 인한 염증 가능성
　 -2차 제거 수술 가능성

 # 마취 부작용 - 전신마취

① 일시적 음성변화, 경부불쾌감
② 폐렴, 무기폐, 기도폐쇄 ③ 간독성, 신장독성
④ 심장마비
⑤ 마취 삽관에 의한 기관지, 인후두, 성대 및
　 치아 손상 -> 수술 또는 약물 치료 ->
　 안되면　기능 손상
⑥ 사망

환　 자 :　　　　　　　　㉑

보호자(대리인) :　　　　　㉑　(환자와의 관계 :　　　　　　　)

K 성형외과병원
K-plastic surgery hospital

안면골 성형술 동의서

그림 11-25. 안면골 성형술 동의서

12. 반흔 성형술

상처는 나아도 반흔은 남는다는 말이 있는데, 이는 상처와 반흔과의 깊은 연관관계를 가지고 있어, 가급적 반흔이 적게 남도록 수술하고 염증없이 상처를 깨끗이 소독하는 것이 중요하다.

반흔은 상처가 치유된 후 피부에 남는 흉터로서, 상처치유과정을 통해 콜라겐 섬유조직이 상처에 축적되어 남은 자국이다. 다치거나 수술로 인해 우리 몸에 상처가 생기면 염증기, 증식기, 성숙기의 상처치유과정을 거친다. 염증기는 3~5일 가량 상처받은 주변의 혈관이 수축했다가 확장되면서 염증세포들에 의해 상처를 청소하는 단계이다. 증식기는 3~4주 가량 주로 콜라겐으로 구성된 육아조직(granulation tissue)이라는 새로운 결합조직으로 채워지면서 상처를 단단하게 채워가는 단계이다. 성숙기는 콜라겐으로 가득찬 흉터조직이 모든 방향으로 수축과 교차결합하면서 콜라겐이 재구성되고 반흔이 안정되어가는 단계로서, 6개월에서 2년까지도 걸린다.

1) 반흔의 종류

반흔은 상처치유과정에서 상처의 깊이와 정도, 부위, 방향 이외에도 피부장력, 면역상태, 감염 등의 외부 조건에 따라 선상 반흔, 비후성 반흔, 켈로이드 등으로 나뉘진다.

(1) 선상 반흔(Linear scar)(그림 12-1)

다쳐서 찢어지거나 수술로 인해 절개한 상처는 선상반흔을 남기는데, 피부의 긴장도인 피부장력(skin tension)에 의해 반흔이 넓어지거나 튀어 나오기도 한다. 봉합사의 제거가 늦어지면 실밥자국(stitch mark)의 반흔이 추가로 남기 때문에 부위에 따라 적절한 시기에 제거해야 한다.

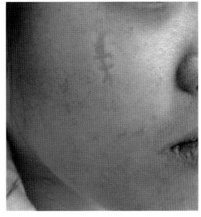

그림 12-1. 선상 반흔

(2) 면상 반흔(Wide scar)(그림 12-2)

찰과상(abrasion)이나 화상(burn)이 피부의 진피층까지 침범하면 다양한 모양의 넓은 면상반흔이 생길 수 있으며, 더 심한 경우에는 붉게 돌출하는 비대반흔이 되기도 한다.

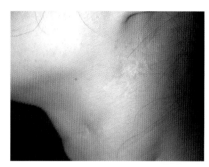

그림 12-2. **면상 반흔**

(3) 구축 반흔(Scar contracture)(그림 12-3)

피부의 주름선과 반대방향의 반흔은 피부장력이 강하기 때문에 반흔을 수축시켜 구축변형을 만들 수 있으며, 화상 또는 찰과상이 심하거나 관절부위의 상처에도 구축반흔은 생길 수 있다.

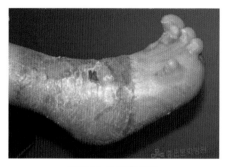

그림 12-3. **구축 반흔**

(4) 함몰 반흔(Depressed scar)(그림 12-4)

손톱이나 뾰족한 물체에 긁힌 경우, 점제거 레이저시술 후, 여드름의 염증, 봉합이 벌어진 경우, 타박상 (contusion)에 의한 피하혈종(hematoma) 등에 의해 다양한 형태의 함몰 반흔이 생길 수 있다.

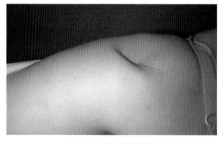

그림 12-4. **함몰 반흔**

(5) 탈모 반흔(Cicatricial alopecia)(그림 12-5)

두피, 눈썹, 수염부위와 같이 털이 나는 부위는 모낭(hair follicle)이 손상 받거나 흉터가 벌어지면서 탈모 반흔이 생길 수 있다.

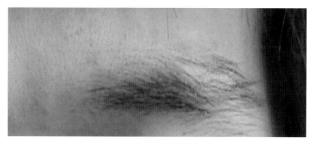

그림 12-5. 탈모반흔

(6) 비후성 반흔(Hypertrophic scar)(그림 12-6)

일명 떡살이라고 불리는 비후성 반흔은 상처가 염증 및 감염되었을 때 또는 상처가 넓어 피부화가 지연되어 상처가 열린 상태로 지속될 때는, 상처치유과정 중 염증기와 증식기가 지속되고 콜라겐이 주성분인 육아조직이 과도하게 형성되면서 흉터가 돌출되는 것이다. 비후성 반흔은 피부상처범위를 넘어 정상 피부까지 침범하지는 않으며, 6~18개월 정도 지나면서 다소 줄어드는 것이 보통이다.

원인은 염증 또는 감염, 피부장력이 쎈 어깨와 가슴 부위, 피부주름선과 반대방향의 흉터에 생기기 쉬우며, 어린이 또는 젊은 연령에는 피부장력이 세고 콜라겐 생성속도가 빠르기 때문에 발생빈도가 높다.

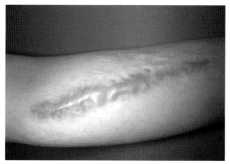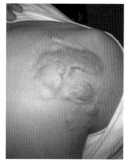

그림 12-6. 비후성 반흔

(7) 켈로이드(Keloid)(그림 12-7)

켈로이드는 비후성 반흔과 유사한 형태를 보이는 비대반흔이지만, 명백히 다른 형태의 반흔이므로 정확한 치료를 위해 잘 구분해야 한다. 켈로이드는 원래의 상처범위를 넘어 정상 피부까지 침범하면서 붉게 돌출한 반흔인데, 비후성 반흔은 6~18개월이 지나면서 줄어드는 것이 보통이지만, 켈로이드는 6~18개월이 지나도 줄어들기는커녕 정상피부에 까지 침범하거나 더 커지는 경향을 보인다.

켈로이드 발생의 원인은 정확히 밝혀지지 않았지만, 유전적인 요인, 인종의 차이, 염증 또는 감염에 의한 것으로 알려지고 있다. 귓바퀴, 턱밑, 어깨, 가슴과 같이 피지샘이 많이 분포하거나 피부장력이 많은 곳에 잘 생기는 것으로 알려져 있다. 특히 귀걸이를 하기 위해 귓불에 구멍을 뚫은 후 생긴 귓불 켈로이드를 흔히 볼 수 있는데, 발생기전을 살펴보면 공통적으로 비의료기관에서 시술 후 상처관리를 잘못하여 진물과 고름의 염증과 감염소견이 있었다.

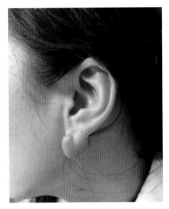

그림 12-7. **켈로이드**

2) 반흔관리 – 예방과 치료(그림 12-8)

반흔이 만족스러울 만큼 좋아지려면 6~12개월까지 반흔관리를 해주는 것이 좋은데, 상처치유과정을 보면 그래도 첫 1~2개월 이내의 초기단계의 반흔관리가 매우 중요하다. 다치거나 수술로 인한 상처에 섬세한 봉합과 염증이 생기지 않도록 상처치료를 잘 해야 하고, 봉합사 제거 후에는 상처의 콜라겐 결합력이 증가되는 1~2개월까지는 피부장력을 줄일 수 있는 피부봉합 반창고인 스테리스트립(steri-strip)으로 고정해주고, 압박요법(compression therapy)이나 레이저 치료를 시행하기도 한다.

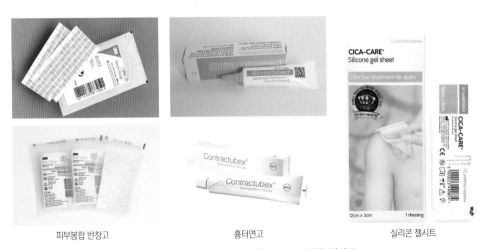

피부봉합 반창고   흉터연고   실리콘 젤시트

그림 12-8. **피부봉합 반창고, 흉터연고, 실리콘 젤시트**

(1) 피부봉합 반창고(Skin taping)

피부봉합 반창고로 널리 사용되는 스테리스트립(steri-strip)은 상처의 수직방향이나 피부장력 방향으로 피부를 모아서 고정해주는 방법이다. 장력완화, 압박, 보습의 기능이 있어 흉터의 벌어짐과 비후성 반흔을 예방하는 데 효과적이다.

(2) 흉터연고

여러 종류의 흉터연고가 있는데 성분에 따라 추출물 연고와 실리콘 연고로 나눌 수 있다. 추출물 연고는 양파, 병풀추출물, 알란토인 등의 성분을 함유하여 콜라겐의 생성을 막고 안정화시키는 효과가 있고, 실리콘 연고는 실리콘 막이 피부와 반흔을 밀폐하여 보습효과를 준다.

(3) 압박요법(Compression therapy)

압박요법은 반흔에서 콜라겐 다발의 수축과 단단한 배열을 물리적으로 펴주고 피부장력을 분산시키며, 돌출된 반흔을 눌러 비후성 반흔을 예방과 치료하는 효과가 있다. 실리콘 젤시트(silicone gel sheet)는 반흔을 완전 밀폐하여 눌러주므로 반흔에 수분을 공급해주는 역할도 추가되어 반흔개선을 유도한다. 몸통이나 상하지에는 압박옷(garment) 또는 압박스타킹(compression stocking)을 입힌다.

(4) 스테로이드 병변내 주사(Steroid intralesional injection)

스테로이드 중 장기간 작용하는 트리암시노론(triamcinolone)은 항염증작용과 함께 콜라겐 합성을 억제하여 반흔의 퇴화를 유도하는데, 비후성 반흔이나 켈로이드에 많이 사용된다. 흉터상태에 따라 생리식염수 또는 국소마취제 리도카인을 섞어 3~4주 간격으로 반흔 내에 주사하는데, 정상 피부의 위축과 함몰, 모세혈관확장증의 부작용이 있으므로 주의해야 한다.

(5) 세포치료

세포치료방법에는 자가 지방조직에서 추출한 지방유래기질혈관분획세포(adipose-derived stromal vascular fraction cell, SVF)인 줄기세포는 면역력을 조절하고, 세포를 활성화하며, 혈관재생을 촉진하여 반흔치료에도 효과적이다. 자가혈 주사요법인 혈소판풍부혈장(platelet rich plasma)(그림 12-9)은 자신의 혈액에서 추출한 농축된 혈소판에는 손상된 세포와 상처조직의 재생에 유용한 다양한 성장인자(growth factor)가 포함되어 있어 반흔치료에도 효과적이다.

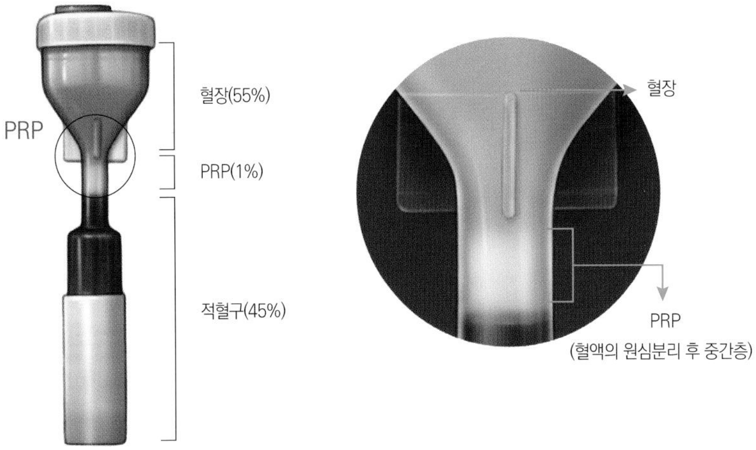

그림 12-9. **혈소판 풍부혈장(PRP)**

(6) 레이저 치료

프랙셔널 레이저(fractional laser)는 일정 간격과 모양으로 잘게 나눠 분획된 수많은 미세수직구멍을 내어, 콜라겐 섬유를 끊어 줄여주고, 구멍들이 수축하면서 반흔이 편평해지고, 반흔의 경계선이 잘 보이지 않게 되며, 섬유모세포와 모세혈관의 증식을 억제하여 반흔이 커지는 것을 예방한다. 상처나 수술 1달 후부터는 시행 가능하며, 1달 간격으로 수회 반복하여 시행한다.

3) 반흔 성형술(Scar revision)

반흔의 예방과 치료를 통한 반흔 관리에도 불구하고 비수술적 방법으로는 효과가 없거나 반흔 자체가 심할 때는 처음부터 수술적 방법을 고려해야 하는데, 반흔의 형태에 맞추어 수술적으로 치료하는 것이 반흔성형술이다.

반흔성형술 또한 수술로써 반흔을 교정해 주는 것이므로 수술 후 반흔을 남길 수 있기 때문에, 반흔성형술 전후로 비수술적 반흔관리를 어떻게 시행할 것인지를 고려해야 한다. 반흔성형술의 수술시기는 일반적으로 반흔이 성숙하여 색깔이 연해지고 부드러워지는 6~12개월 후에 시행하는 것이 좋은데, 심한 반흔이나 기능적 문제가 있는 경우에는 조기에 수술해 준다.

피부장력은 피부가 서로 당겨지는 방향의 긴장선을 말하는 것인데, 피부긴장선(relaxed skin tension line, RSTL)은 피부주름과 평행하다고 생각하면 된다(그림 12-10). 피부긴장선과 평행하게 다치거나 수술절개를 시행하면 상처가 적게 벌어져 반흔이 적게 남을 것이고, 피부긴장선과 수직일 경우에는 상처가 많이 벌어져 반흔이 많이 남을 것이다. 이러한 피부긴장선의 원리에 맞추어 반흔성형술을 시행하게 된다.

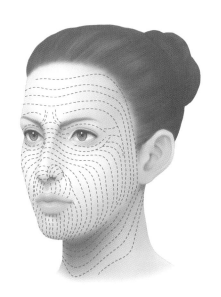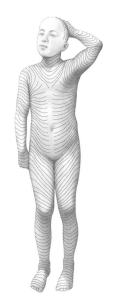

그림 12-10. 피부긴장선과 주름의 방향

(1) 방추형 절제술(Fusiform excision)(그림 12-11)

방추형 절제술은 반흔성형술 중 가장 흔한 수술방법으로, 눈에 띄는 반흔을 방추형으로 절제하고 주변의 정상피부를 봉합해 주는 방법이다. 피부긴장선과 나란하거나 비슷한 방향의 크지 않은 반흔에 많이 사용된다.

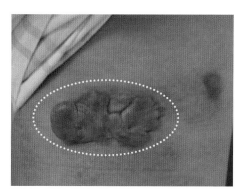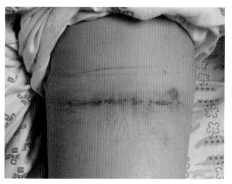

그림 12-11. 방추형 절제술 증례

(2) W-성형술(W-plasty)(그림 12-12, 13)

W-성형술은 반흔을 중심으로 양쪽에 연속된 W자 모양의 절개를 시행하여 반흔을 제거한 후, 양쪽의 작은 삼각형 피부조직을 교차해 끼워넣고 봉합하는 수술방법이다.

피부의 긴장선에 맞추어 수술 반흔이 지그재그(zig-zag) 형태로 나눠지므로 반흔의 방향을 바꿀 수 있고, 긴 반흔의 연속성을 끊어주는 장점이 있으나, 정확한 수술기법과 오랜 수술시간이 요구된다.

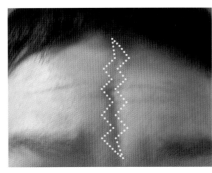
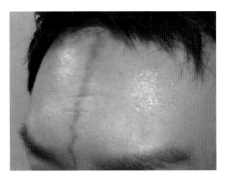

그림 12-12. W-성형술 증례

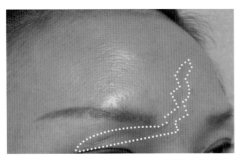
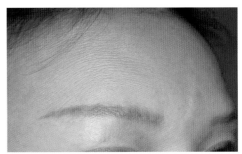

그림 12-13. 방추형절제술과 W-성형술

(3) Z-성형술(Z-plasty)

Z-성형술은 수술도안을 Z자 모양으로 만들어 2개의 삼각형 피부가 서로 위치를 바꿀수 있게 전위(trans-position) 시켜주는 수술방법이다. 반흔이 피부긴장선에 수직이거나 반흔이 띠를 형성하는 구축반흔에 주로 이용된다.

수술방법은 반흔 방향에 Z의 중심변을 두고 양쪽으로 각각 1개의 Z의 다리변을 도안하여, 2개의 삼각형 피부가 자리를 바꾸어 전위될 수 있게 하는데, 중심변과 다리변의 각도는 45~60도를 사용한다(그림 12-14).

Z-성형술의 장점은 반흔방향을 피부긴장선의 방향으로 바꿀 수 있고, 직선 반흔을 분산시키며 중신변의 방향으로 길이를 연장시켜 형성된 띠의 구축을 완화시킬 수 있다. 양쪽 삼각형 피부의 각도가 60도일 때 길이가 75% 정도 연장된다.

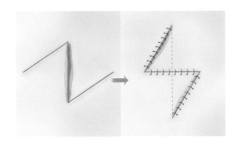
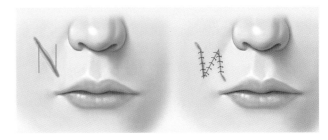

그림 12-14. Z-성형술

(4) 피부이식술(Skin graft)

피부이식술은 피부의 표피와 진피의 윗부분인 유두진피(papillary dermis)만을 포함시켜 얇게 이식하는 부분층 피부이식술(split thickness skin graft, STSG)과 피부의 표피와 진피를 모두 포함시켜 피부층 전부를 이식하는 전층 피부이식술(full thickness skin graft, FTSG)로 나눌 수 있다. 전층피부이식술은 수작업에 의해 채취할 수 있지만, 부분층 피부이식술은 피부를 얇게 벗겨낼 수 있는 피부채취기(dermatome)가 필요하다.

① 얇은 부분층 피부이식술(Thin STSG)(그림 12-15)

당김이나 구축이 없는 상태의 넓은 반흔에 대해서 방추형절제술, W-plasty, Z-plasty 등의 반흔성형술로는 해결되지 않는 경우에, 넓은 반흔 부위를 깎아내고 일반적 부분층 피부이식술보다 더 얇은 부분층 피부를 채취하여 이식하는 방법이다. 일반적인 부분 피부이식술을 시행할 경우에는 피부이식을 받은 부위에도 반흔의 질감과 색감이 미용적으로 좋지는 않지만, 피부를 떼낸 공여부에도 반흔을 남길 수 있다. 그러나 더 얇은 부분층 피부이식술은 이식의 수여부와 공여부 모두 미용적으로 만족할 수 있다.

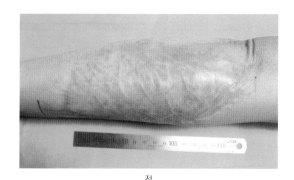 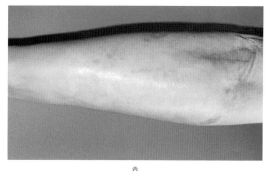

전   후

그림 12-15. 얇은 부분층 피부이식술 증례

② 전층 피부이식술(FTSG)(그림 12-16)

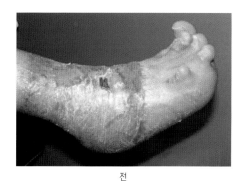 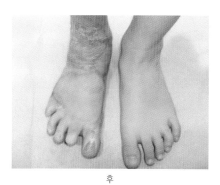

전   후

그림 12-16. 전층 피부이식술 증례

당김이나 구축이 있는 반흔을 절제하면 주변의 피부장력에 의해 상처부위는 벌어지면서 더 넓어지고, 돌출된 비후성 반흔이 넓은 경우에도 반흔 절제 후 봉합술로 상처를 덮어주기 어려운데, 이때 전층 피부를 채취하여 이식하는 수술방법이다. 이런 경우에 부분층 피부를 이식하면 이식받은 부위의 반흔의 질감과 두께가 좋지 않을 뿐만 아니라 회복과정에 다시 당김이나 구축현상이 발생할 가능성이 높다.

(5) 모발이식술(Hair graft)(그림 12-17)

두피, 눈썹, 수염부위와 같이 털이 나는 부위에 생긴 탈모반흔에는 반흔이 넓은 경우에는 반흔성형술로 반흔을 교정하지만, 반흔이 크지 않은 탈모반흔에는 두피에서 모발과 모낭을 채취하여 탈모부위에 이식해 줘서 탈모와 반흔을 동시에 해결해 주는 수술방법이다.

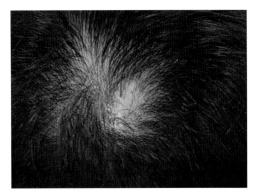

그림 12-17. **탈모반흔의 모발이식술 증례**

4) 수술 전 관리

반흔성형술도 수술로써 반흔을 교정해 주는 것이므로 수술 후 반흔을 남길 수 있으므로, 반흔성형술 전후에 비수술적 반흔관리에 대해서도 적극적이어야 하며, 다른 성형수술과 같이 수술 후 일반적인 후유증이 발생할 수 있다. 반흔성형술은 반흔을 없애는 것이 아니라 얼마만큼 반흔이 눈에 덜 띄게 개선하느냐는 것이다. 반흔의 부위, 상태, 방향에 따라 예상되는 결과도 다르고, 수술 후 환자의 체질에 따라 반흔을 예상할 수 없다. 그러므로 수술 전에 수술할 의사와 함께 충분히 상담하여 반흔에 대한 수술적 방법과 비수술적 관리에 대해 이해해야 한다.

상담 후 수술일정이 잡힌 환자에 대해서는 당뇨, 고혈압, 갑상선 질환 등 전신질환을 앓고 있거나 만성질환으로 복용 중인 약이 있으면 상의하여 전신상태를 좋게 유지해야 한다. 수술 전에 항응고제, 혈전용해제, 호르몬제, 혈액순환제, 한방성분의 약을 평소 복용하고 있는 경우에는 수술 중 출혈 경향을 높이므로 수술

1~2주 전에 중단하게 하고, 흡연과 음주는 상처회복에 좋지 않으므로 수술 1주일 전부터 금연과 금주하는 것이 좋다.

수술 당일에는 마취의 종류에 따라 금식시간이 필요한데, 국소마취의 경우에는 평소와 같이 식사를 하면 되지만, 수면마취의 경우에는 6~8시간 정도의 금식시간을 가져야 하며 고혈압, 갑상선 약은 평소대로 복용하도록 한다. 수술 당일에는 얼굴 화장을 해서는 안 되고, 귀걸이와 목걸이 등 악세서리 착용을 금지시킨다. 수술 당일 환자가 병원에 도착했을 때는 앞서 안내했던 지시대로 준수했는지 확인하고, 악세서리와 귀중품을 따로 보관한 후 수술복으로 갈아입힌다.

수술실 들어가기 전에 전신상태를 파악하며 활력징후를 측정하고, 반흔의 부위에 따라 반흔성형술에 맞추어 환자의 임상사진을 찍는다. 그후 앞서 설명된 수술과 마취에 대한 일반적 동의서와 함께 반흔성형술에 대한 수술동의서(그림 12-18)를 받는다.

5) 수술 후 관리

일반적 반흔성형술 후에는 수술 후 5일분의 항생제, 진통소염제, 소화제를 처방하고, 봉합사의 제거는 수술부위에 따라 5~7일 후에 시행하므로, 수술 다음날인 첫째날, 셋째날, 다섯째날 순서로 방문하여 상처치료와 봉합사의 제거를 시행한다. 술과 담배는 염증을 유발시키고 혈액순환을 방해하여 상처치유에 좋지 않다. 봉합사의 제거 후에는 앞서 설명된 비수술적 반흔관리가 시작되는데, 피부봉합반창고, 흉터연고를 사용하고, 외래 경과관찰 중 필요에 따라 압박요법, 스테로이드 주사, 세포치료, 레이저치료 등을 고려할 수 있다.

수술 후에도 수술 전 촬영했던 임상사진을 봉합사 제거 후에 촬영해두고, 환자가 외래 경과 관찰 때 촬영한다.

등록번호 :
이　름 :
생년월일 :
병　실 :

흉터 제거술 동의서 K 성형외과병원

1. 수술 목적 및 필요성, 장점

2. 수술 설명(과정 및 방법)

3. 수술 전/후 주의사항

안내문과 함께 설명을 들었음.

4. 수술로 발생할 수 있는 후유증 및 합병증

수술의 일반적 부작용

① 출혈, 혈종, 멍, 재발
② 감염(봉와직염, 고름)
③ 수술부위 흉터 - >비후성 반흔, 켈로이드
④ 부종
⑤ 예상하지 못했거나 희귀한 경우의
　 부작용이나 후유증 -> 발생 시 설명
⑥ 인상이 변할 수 있다.
⑦ 이물질 및 이로 인한 염증 가능성 ->
　 2차 제거수술 가능성

1) 흉터 교정술

① 비후성 반흔 및 켈로이드(수술 후 더
　 심해지는 흉터) - 체질
② 한번 수술로 완벽 제거 안 됨
③ 국소적 피부괴사
④ 주름 방향에 맞추어 지그재그
⑤ 흉 없어지는 것 아니다.
⑥ 수술 후 흉터연고, 레이저 시술,
　 2차 수술 등 다양한 시술 필요

2) 비후성 반흔 교정술

① 높은 재발(더 심해질 수 있다)
② 병합요법 필요
③ 켈로이드와 혼동될 수 있다.
④ 흉 남는다.

3) 켈로이드

① 높은 재발(더 심해질 수 있다)
② 변연부는 제거 안함
③ 병합요법 필요
④ 규칙적 경과관찰
⑤ 스테로이드 주사가 필요할 수 있다.

4) 부분층 피부 이식술

① 재발
② 절제면 불규칙 할 수 있다.
③ 이식 실패
④ 표피낭종

< 마취 부작용 >

(1) 국소마취
① 마취 시 통증
② 불완전 마취
③ 두통
④ 쇼크(알레르기) -> 사망

(2) 수면마취
① 악몽
② 메스꺼움, 구토
③ 무호흡, 기도폐쇄 -> 저산소성 뇌손상 ->사망

(3) 전신마취
① 일시적 음성변화, 경부불쾌감
② 폐렴, 무기폐, 기도폐쇄
③ 간독성, 신장독성
④ 심장마비
⑤ 마취 삽관에 의한 기관지, 인후두, 성대 손상
　 -> 수술 또는 약물 치료->안되면 기능 손상
⑥ 사망

환　자 :　　　　　　　　　　㊞

보호자(대리인) :　　　　　　㊞　　(환자와의 관계:　　　　　　　)

K 성형외과병원
K-plastic surgery hospital

흉터 제거술 동의서

그림 12-18. 흉터 제거술 동의서

13. 성형부작용과 재수술

성형열풍의 사회 속에서도 원칙에 맞는 안전한 수술을 선택한다면, 자신의 외형뿐만 아니라 내적 고민도 해결하는 데 도움이 될 수 있다고 생각하지만, 무분별한 성형수술 또는 시술에서 발생할 수 있는 성형부작용이나 후유증은 주의하여야 한다. 모든 수술이나 시술에는 그 마다의 부작용과 후유증이 발생할 수 있는데, 무엇보다 중요한 것은 수술 전후 주의사항, 수술계획과 부작용 등에 대해 충분히 상담하는 것이다. 부작용이나 후유증을 크게 분류해 보면, 작게는 수술 전에 충분한 상담이 되지 못해 본인이 원하는 대로 되지못한 불만족, 수술 중에 발생할 수 있는 신경 또는 혈관 손상 등의 여러 문제, 수술 후 염증이나 감염으로 인한 변형 등 다양하게 있을 수 있다(그림 13-1).

그림 13-1. **성형부작용의 고민**

1) 얼굴형, 체형, 현실에 맞는 성형

같은 쌍꺼풀 수술이라도 젊은 사람과 나이든 사람, 여자와 남자, 동양인과 서양인에 대해 각각의 수술방법이 다르고, 개개인마다 눈의 형태나 변형에 따라 수술계획과 방법은 달라질 수밖에 없으므로 수술 전 충분한 상담이 필요한 것이다. 젊은 사람에 비해 나이가 들어감에 따라 피부는 얇아지고 탄력을 잃어 주름지며, 지방과 근육이 함께 늘어지므로 수술은 젊은 사람보다 더 까다로워진다. 남자는 여자보다 피부가 두껍고 단단하며, 피부와 근육간의 섬유성 연결이 많아 박리가 어려우므로 여자보다 출혈이 더 많아 붓기가 오래갈 수 있으므로 결과가 떨어질 수 있다. 요즘은 인터넷을 통한 세계화 추세라서 그런지 성형수술에 있어서도 서양적 형태를 원하는 경우가 있다. 그러나 동양인은 서양인에 비해 얼굴이 넓고 짧으므로 사각져 보이고, 얼굴이 편평하므로 동양인에 어울리는 성형수술을 받아야지, 서양인의 눈과 코처럼 두드러지게 하는 것은 오히

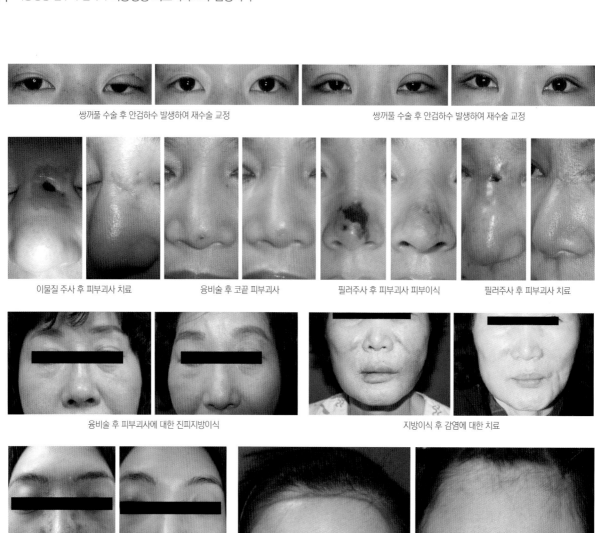

쌍꺼풀 수술 후 안검하수 발생하여 재수술 교정 　　　　　　쌍꺼풀 수술 후 안검하수 발생하여 재수술 교정

이물질 주사 후 피부괴사 치료　　융비술 후 코끝 피부괴사　　필러주사 후 피부괴사 피부이식　　필러주사 후 피부괴사 치료

융비술 후 피부괴사에 대한 진피지방이식　　　　　　지방이식 후 감염에 대한 치료

코성형 후 바이러스 감염 치료　　　　　　이마성형 후 부작용 재수술

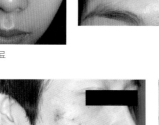
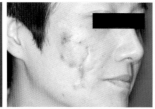
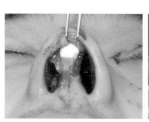
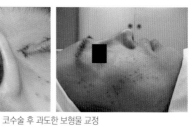

지방이식 후 감염에 대한 치료　　　　　　코수술 후 과도한 보형물 교정

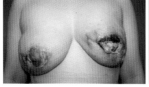

앞트임 수술 후 누공　　　　　　유방축소술 후 피부괴사에 대한 치료

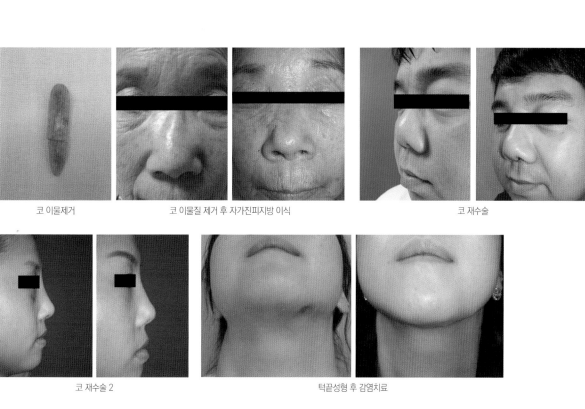

코 이물제거   코 이물질 제거 후 자가진피지방 이식   코 재수술

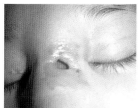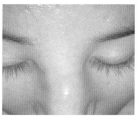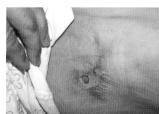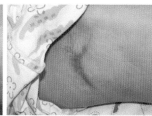

코 재수술 2   턱끝성형 후 감염치료

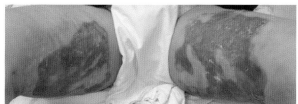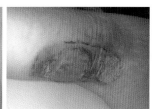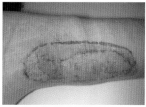

필러 부작용 치료   지방이식 후 피부괴사 치료

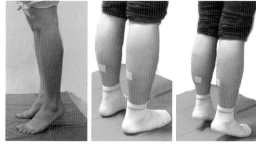

초음파 지방흡입술 중 피부화상 치료

종아리성형술 후 발뒤꿈치가 땅에 닿지 않는 구축변형 교정

려 부자연스러울 수 있다.

　이렇듯 전반적인 차이 이외에도 개개인마다의 형태차이를 충분히 인식하고 상담해야 한다. 성형수술을 받고자하는 사람들은 나름대로의 충분한 이유가 있겠지만, 다른 부위의 기형이나 질환을 치료하고자 하는 환자들보다 정신과적 문제점을 가진 비율이 높으므로, 본인 자신뿐만 아니라 환자의 가족과 친구 등 주위 사람들의 조언이 매우 중요할 수 있다. 예를 들어 신체의 한 부분 못생긴 것이 실패, 조롱, 불행의 원인이라 생각하거나 수술 받고나면 자신의 생활이 신통하게 좋아질 것으로 기대하는 경우, 잘 지내다가 최근에 슬픔, 실패, 좌절 등을 맛보고 수술로써 이러한 정신적 수렁에서 벗어나려는 경우, 지나친 기대 또는 비현실적인 성형결과를 집요하게 요구하는 경우, 기형이 없는데도 있다고 우기며 수술을 조르는 경우, 오랫동안 여러 가지 수술을 탐닉하면서 계속 수술을 요구하는 성형수술중독 등 현실감에서 떨어진 생각과 목적으로 성형수술을 받으려 하는 사람이 있다면 가족과 친구 등 주위 사람들의 관심과 조언이 매우 중요하며, 필요하다면 수술 전 상담 때 그러한 수술 동기를 의사와 솔직히 상담하여야 한다.

　근래에는 컴퓨터를 이용한 모의수술을 시행하는 병원이 늘고 있는데, 실제상황이 아닌 가상적인 상황에서 수술 후의 결과를 예측해 보는 것이다. 영상모의수술로 환자의 원하는 바가 무엇인지 이해하는 데 도움이 되고, 수술 후 모양을 예견할 수 있어 만족도와 기대감을 조절할 수 있는 장점이 있으나, 실제 수술결과와 일치할 것이라고 생각하는 것은 지나친 기대감에 수술 후 크게 실망할 수 있다. 성형수술이 최근에는 많이 일반화 되다보니, 어린 나이에도 불구하고 성형수술을 받기 원하거나 실제로 많이 행해지는 것을 볼 수 있다. 하지만 우리 몸은 부위별로 성장시기가 다르고, 어린 나이의 성형수술은 아직 대중화되지 못해 주위의 편견으로 어린 나이에 정신적 갈등을 느낄 수 있기 때문에 적절한 수술시기를 선택해야 한다. 모든 성형수술은 본인의 자아관이 어느 정도 형성된 시기가 좋지만, 성장 시기별로 나누어보면 쌍꺼풀 수술은 15세 전후가 되면 쌍꺼풀이 자연적으로 생길 수 있는 시기가 지나므로 최소한 15세 이후, 코수술이나 안면윤곽술은 얼굴뼈의 성장이 끝나는 18세 이후가 좋다. 성형수술 후 수술 부위가 자리잡는 기간이 필요하며, 가능한 수술은 졸업을 하거나 반이 바뀌어 본인의 성형변화가 주위 사람에게 자연스럽게 받아들여지는 시기가 좋다.

2) 성형 전 유의사항

　당뇨나 고혈압 등 전신질환을 앓고 있거나 어떤 만성 질환으로 복용 중인 약이 있으면 수술 전에 상의하여 전신 상태를 좋게 유지시킨 후 수술을 받아야 한다. 일반 수술들과 마찬가지로 성형수술도 마취를 하고, 상처를 내고, 그 상처가 잘 나아야 좋은 결과를 나타내는데, 당뇨나 고혈압 등 전신성 질환은 마취에서부터 문제가 될 수 있으며, 수술 중 출혈이 많아 붓기나 멍이 오래갈 수 있다. 특히 당뇨의 경우 상처가 잘 낫지 않을 수 있을 뿐만 아니라 감염 등의 문제를 일으켜 나쁜 결과를 초래할 수 있다.

　수술 전 아스피린, 비타민 E, 호르몬제, 한방성분 등을 평소 복용하고 있는 경우는 수술 중 출혈 경향을 높이므로 수술 1~2주 전부터 끊어야 하고, 생리 중인 경우에는 수술에 큰 지장은 없으나, 수술 중이나 수술 후에 피가 더 나 붓기가 더할 수 있으므로 이 시기는 피하는 것이 좋다. 흡연은 니코틴으로 인해 피부 혈관수축과 저산소증이 일어나면 상처회복에 좋지 않을 뿐만 아니라 전신마취를 할 경우에는 수술 후 폐합병증 가능성을 높일 수 있으므로 수술 2주 전부터 수술 후 1주 동안은 금연하는 것이 좋다. 음주는 상처회복에 좋지 않으므로 수술 1주일 전부터 수술상처가 회복될 때까지 금주하는 것이 좋다. 성형수술 후 부작용이나 후유증이 생겼을 때, 발전된 성형기술로 재수술이 가능하거나 개선이 용이하다면 다행이지만, 그렇지 못한 경우 많은 고생을 하게 되는데, 어떠한 상황이든 재수술은 일차수술 때보다 복잡하다는 것이다.

그러므로 성형부작용이나 후유증에 대해 치료보다 예방이 중요한데, 그 방법으로는 첫째, 수술 전에 수술할 의사와 수술에 대해 충분히 상담하고, 부작용이나 후유증에 대해서도 설명을 들어야 하고, 둘째, 환자의 상태에 맞춘 정확한 시술방법이 되어야 하지, 매스컴에 오르내리는 시술이나 의료기기에 의존해서는 안 될 것이며 셋째, 피해를 최소화하기 위해서는 분야별 전문의 또는 전문의료기관을 선택해야 한다.

3) 과학적 검증된 시술과 수술 – 광고와 언론의 유혹

프티성형(쁘띠성형)이란 불어의 petit에서 유래된 말로, 작다는 뜻을 가진 단어였으나, 이제는 사전에 등재된 성형 용어가 되어 우리 일상에 깊게 자리 잡고 대중화되었다. 프티성형이란 필러, 보톡스, 지방주사, 레이저시술, 실리프팅과 같이 수술의 절개없이 주사제나 시술을 통해 성형의 효과를 얻는 성형시술이다.

프티성형은 비교적 시술이 간단하여 소요시간도 짧으며, 시술비용도 상대적으로 저렴하고, 시술 후 즉각적으로 효과를 확인할 수 있다. 간단한 시술이라 수술에 대한 두려움도 적어 시간에 쫓기는 직장인과 자연스런 변화를 원하는 환자들에게 급속도로 알려져 성형시장에 대중화되었다. 하지만 이러한 프티성형의 단점은 효과의 지속이 짧아 기대했던 만큼의 기대치를 만족시키지 못하는 경우가 많고, 무엇보다도 프티성형이 많이 늘어나다보니 그만큼 부작용도 급증하고 있다.

한 정부기관의 필러시술의 부작용 사례를 살펴보면 염증, 지속적인 붓기, 불규칙한 피부면, 비대칭, 결절, 함몰, 통증 등 일반적인 부작용 이외에 피부괴사와 실명과 같은 심각한 부작용들이 발표되었다. 앞서 설명된 필러, 보툴리눔 독소, 레이저, 지방주사, 실리프팅 분야에서 각각에 대해 세부적으로 설명했으므로, 프티성형의 적응증, 결과의 한계, 부작용에 대해 숙지해야 한다. 프티성형의 영향으로 지방을 녹이는 지방분해주사라고 하면서, 살이 빠지고 반영구적으로 유지된다며, 한 때 선풍적인 인기를 얻었던 지방분해주사가 있었으며, 요즘도 다양한 이름의 지방분해주사가 시술 중이다. 실제로 지방분해주사를 하여 살이 빠지고 반영구적으로 유지된다면, 지방흡입술이란 수술은 필요가 없을 것이며 우리사회에 비만환자는 없어야 할 것이다. 지방분해주사를 맞고 부작용에 시달리던 사람들이 언론에 밝혀지면서, 주사의 성분이 지방분해 능력이 없거나 과학적으로 검증되지 않은 경우가 많았으며, 체내에서 지방세포가 분해되면 지방기름(oil)으로 바뀌는데, 어떻게 체내에서 대사되는지도 밝혀지지 않았다. 한때 심부피부재생술이라고 하여 수술없이 특수 제작된 용액을 피부 아래 주사하여 주름을 제거하는 획기적인 시술법이라며 언론매체에 대대적으로 광고하였다. 그러나 이 성분 또한 과학적으로 검증되지 않았고, 얼굴에 화상을 입은 경우들이 속출하였으며, 시술 후 많은 고생 뒤에도 만족스런 효과를 얻지 못한 경우가 많으니, 안정성과 효과가 검증된 시술을 받아야 한다.

요즘은 불법시술이 많이 줄었지만, 아직도 불법시술을 받고 후유증으로 상담받는 사례가 많은데, 특히 불법 이물질주사는 매우 위험하다. 파라핀(paraffin) 또는 실리콘(silicone)의 액상 상태이던 주사액이 피하지 방층에서 고체상태로 굳게 되면, 그 성분이 피부와 근육으로 퍼지면서 이물반응을 일으켜 염증과 감염, 피부 괴사 등을 일으키므로 절대 이물질주사는 해서는 안 된다. 한 때 언론에 신생아 성형마사지라고 하여 아기 의 눈과 코 얼굴부위를 집중적으로 마사지하면 오똑한 코와 큰 눈을 만들어주고, 얼굴의 축소효과가 있어 마 치 성형하는 것과 같은 효과가 있다면서 어릴 때 관리가 안전하다고 하였다. 신생아의 뼈와 살은 말 그대로 연약하고 외부자극에 매우 민감한데, 얼굴의 골격을 바꿀 정도의 마사지는 위험할 뿐만 아니라 얼굴의 성장 을 저해하거나 비대칭을 만들 수 있다. 이러한 과학적으로 검증되지 않은 유사 의료행위는 외모지상주의가 만든 병폐 중 하나이며, 공신력을 가져야 하는 언론의 개념없는 행동이다.

모든 수술은 과학이고, 성형 또한 과학에 기초한 미학이므로 과학적으로 검증된 수술과 시술만 이루어져 야 한다. 환자들은 의학적 지식이 없다보니 성형정보에 대해서는 광고와 언론매체의 영향을 많이 받는데, 환 자의 알권리를 정확히 전달해 주기 위해서는 의료인과 의료기관이 우선 자발적으로 윤리의식을 가지고 정 화되어야 하며, 홍수처럼 범람하는 성형정보에 대해서도 정부는 엄격하게 단속해야 한다. 진료실 상담 때보 면 아직도 많은 사람들이 필러와 보톡스를 구분 못하는 경우가 많고, 필러와 보톡스가 같은 말로 알고 있는 사람도 많다. 미용성형 업무와 관련된 사람들에게는 웃기는 얘기지만 일반 환자들은 그만큼 성형지식에 어 둡기 때문에 수술 또는 시술 전에 충분히 상담해주는 것이 중요하다.

4) 성형 재수술

성형수술 후 부작용이나 후유증이 생겼을 때, 치료 또는 재수술이 가능하여 개선이 된다면 다행이지만, 그 렇지 못한 경우에는 오랜기간 동안 고생하면서 재수술 시기를 기다려야 한다. 어떠한 상황이든 재수술은 일 차수술보다 복잡하고 힘들며, 수술 결과도 한계가 있다. 한 정부기관이 발표한 최근 몇 년 동안의 성형부작 용으로 접수된 현황을 살펴보면, 쌍꺼풀 수술이 가장 많았고, 그 다음으로 코성형술, 유방성형, 지방흡입, 지 방이식, 마취사고 등 다양하였다.

앞서 미용성형의 총론과 각론에서 성형수술의 전반적 내용을 다루었듯이, 성형수술의 부작용이나 후유증 은 어느 한 가지만의 문제로 발생하는 것이 아니라 복합적인 요인으로 발생하는 것이다. 성형부작용과 후유 증을 예방하기 위해서는 의사뿐만 아니라 간호사, 상담사, 행정직원 모두 각자의 분야별 지식과 함께 미용성 형의 전반적 내용을 이해하고 숙지해야 한다.